I N

桐野夏生

集英社文庫

IN

目次

IN
イン

第一章　淫

　土曜の朝、鈴木タマキは悪夢を見てうなされ、恐怖で心臓が破裂しそうになりながら目覚めた。快晴の朝だというのに、夢の中の不吉な気配に冒されて、気分はすこぶる悪かった。小説家の常で、タマキは夢を正確に思い出そうとしたが、物凄い速さで沈没する船の如く、あっという間に記憶が失われていく。が、生々しい恐怖だけは、まだマストのようにピンと水面に突き出ているのだった。タマキは、沈船から物を救い出すように、必死に夢の細部を思い出した。

　まず夢に現れたのは、小説雑誌「ＤＩＡＢＬＯ」の編集者である西塔仁《さいとうじん》と、出版担当編集者の中城洋一《なかぐすくよういち》、それとタマキの三人だった。三人は、小さな祠《ほこら》や農家のある集落で、何かを調査しているところだった。ある農家の薄暗い奥の間に入って行くと、古い木箱や、石で造られた棺のような物が畳の上に並んでいる。特に目立つのが、蝶番《ちょうつがい》の付いた古ぼけた小さな石棺だ。しかし、中を覗くのはご法度らしく、誰も開けようとはせずに眺めているだけだった。西塔がタマキの側に来て囁いた。

「タマキさん、ご存じですか。ヤマザキさん、亡くなったんですよ」

西塔は、他にも数人の作家の名を挙げた。タマキは驚いて、西塔の憂鬱そうな顔を見た。ヤマザキは、タマキもよく知っている作家の一人である。タマキは、なぜ自分だけがヤマザキたちの死を知らないのだろう、と夢の中で疑問を感じている。

突然、中城が勢いよく石棺の蓋を開けた。タマキはその行為を叱るものの、好奇心を抑えることができずに中を覗いてしまう。やや白濁した水の中に、横向きになった赤ん坊の死体が浮かんでいるのが見える。モッツァレラチーズよろしく、真っ白に膨れ上がって。タマキが怖ろしさに声もなく立ち竦《すく》んでいると、ちょうど家の持ち主らしき人たちが現れる。先頭にいる老婆が、がらりと障子を開けてこう言うのだ。

「あんたがたはこの場所に断りもなく入って、好き勝手なことをしている」

タマキは弁解の余地もなく突っ立っている、という夢だった。

タマキはコーヒーを飲みながら、どうしてそんな夢を見たのかを考えていた。昨夜は、風が強く、家中に不気味な物音が響いていた。ざわざわと落ち着かない気持ちだったことは事実だが、原因はどうやら、タマキの今の仕事にあるような気がする。

タマキは、「淫」という小説を書こうとしていた。テーマは、恋愛における抹殺である。抹殺と言っても本物の死ではない。無視、放置、逐電など、自分の都合で相手との関係を断ち、相手の心を「殺す」ことと規定した。主人公は、緑川未来男《みどりかわみきお》が書いた『無垢人《むくびと》』という小説の中に登場する「〇子」である。緑川には愛人がいて、その存在を知った妻は激しく嫉妬する。『無垢人』は、その修羅の日々を赤裸々に書いた小説なのだった。緑川は、愛人を「〇子」という記号で登場させ、あくまで緑川家の平和を侵す者として描いた。「〇子」とされて、相手の女はどう思ったか。タマキは、まず「〇子」を特定し、彼女がどんな生涯を送ったのか、取材を進めている最中だった。

そのせいか、悪夢に現れた死んだ赤ん坊は、抹殺されて行き場を失った魂の死骸のように思えてならないのだった。タマキは、暗闇に累々と横たわる子供の死骸を見続けているような、暗い気分になった。恋愛して生まれたはいいが、育てられなかった「子供たち」は数多《あまた》いるはずだった。「涯《は》て」まで行くことを夢見たのに果たせなかった恋愛は、次々に魂の死骸を作ったに違いない。たかが恋愛、と笑う人々は何も知らないのだ。恋愛したために、心を病んだ人間もいれば、死を選ぶ人間もいる。長く苦しむ家族もいる。

「DIABLO」の締切が近付いていた。タマキは、「淫」を書くために、コーヒーマグを持って書斎へ向かった。書き出しを考えていたのだが、ふと青司《せいじ》を思い出している自分に気が付いて愕然とした。魂の死骸からの連想だったのだろう。タマキも青司も、自分たちの死んだ子供の姿を見るべき時が来たのかもしれない。タマキはパソコンに

「淫」とタイトルを打った後、しばらく阿部《あべ》青司のことを考えていた。

タマキと阿部青司が再会したのは、あの激越に別れた日の一年四カ月後、二〇〇五年の七月七日だった。はっきり日付を覚えているのは、その日が七夕だということに皮肉を感じたからだ。

阿部青司は、タマキの担当編集者だった。何冊か本を作るうちに、二人とも家庭があるにも拘《かか》わらず、愛し合うようになった。仕事の影響もあった。タマキが書き、青司が編集する。虚構を作ることによって現実が補強され、現実が補強されれば虚構が肥え太って、見知らぬ世界へ二人を連れて行く。いい気なもんだと言われても、至福だった。

二人は誰にも知られないように心を配ったが、恋愛の最後の頃は誰もが知っていた。互いの家族でさえも。皆に呆れられ、軽蔑され、憎まれた。それでも、二人は付き合いをやめることができなかった。破滅とわかっていても、突き進まずにいられない道もある。別れる直前までの七年間、タマキと青司は毎日電話で話し、メールを交わし、週末は必ず会い、幾度も旅行に出かけ、たくさんの仕事をした。互いに世界中の誰よりもよく似た二人で、最も近しい人間、誰よりも信頼できる相手、と感じていたはずだった。

タマキが辛くなって別れを持ち出すと、必ず青司は怒った。「あなたは馬鹿だ。こんなに似ている人間とは、もう二度と会えないのに」。その通りだと思って翻意する。その繰り返しだったが、タマキには、どうしてもわからなかった。どうしたら「涯てまで到達できるか」ということが。しかも、何が二人の「涯て」なのかもわからなかった。しかし、「涯て」まで行くことを欲していたのだ。

青司は聡明だった。青司には、会うこと自体が「涯て」だったのだから。青司が、一度切れたら二度と会えなくなる、と言ったのはそのせいだったのだろう。もっとも、タマキがそのことに気付いたのは、青司と別れてからだった。

この行き違いは、何年にも及ぶ喧嘩や話し合いの原因となった。結果、とうとう二人は別れることになった。そのために膨大なエネルギーを必要とされたが、別れの際の逸話は、心が整理されさえすれば、タマキが自分で書くことになるだろう。

別れた後、青司がタマキの仕事場に置いていった物は、山ほどあった。酒、歯ブラシ、シェイバー、痛風の薬、コンタクトレンズの容器と洗滌液《せんじようえき》、パジャマ、Tシャツ、ジャージ、寝具、ビーチサンダル、本、CD、二人で旅行した時の写真。青司は、デジカメで写真を撮った後、プリントをタマキの仕事場に置きっ放しにして、時々取り出して眺めたり、その存在すらも忘れたりしていた。

連絡の途絶えた青司に、ようやくタマキが電話をする気になったのは、歯ブラシやサンダルは捨てられても、写真を捨てるのは忍びなかったからに他ならない。青司が一人で写っている写真だけでも百枚近くはあった。タマキは、自分が関係している物は容赦なく捨てることができたのに、青司の写真を捨てるのだけは、躊躇《ためら》われた。百枚近い写真の集積は、空恐ろしいものに感じられた。七年間にわたる時間と様々な感情。一枚一枚の写真にはそれぞれの状況があって、青司の顔はひとつとて同じものはない。が、すべてがタマキへの信頼と愛情に満ちていた。広い世界のどこに、こんな表情をする男がいるだろう。青司の写真を捨てることは、青司自身を、ひいては青司に愛されたことのある自分自身を捨てるような気がしてならないのだった。タマキは散々悩んだ末に、捨てるという行為を、自分の側だけに負わせる青司はおかしい、と結論を出した。

思い切って青司に電話したのは、五月の連休だった。すでに青司の番号は携帯のデータから消し去っていたため、古いアドレス帳を取り出して見ながら、非通知で電話した。非通知にも拘わらず、青司はすぐに電話に出て、明るく答えた。

「もしもし、阿部です」

いったい誰からかかってきたのか、と好奇心さえ漲《みなぎ》らせていた。

「タマキです。お久しぶり」

名前を告げたところ、青司は感に堪えたように嬉しそうな声を上げた。

「ああ、久しぶりだねえ」

「ほんとに」

二人は、ほんの少しの間、無言だった。ようやく「元気?」と、タマキが尋ねると、

「元気だよ、あなたは？」と弾んだ声が返ってきた。たまたま、美しい五月晴れの夕刻のことで、何か愉しいことがあったのかもしれない。青司は上機嫌だった。激しい別れを経験してようやく、少しはまともな話ができるようになったのか、とタマキは感無量だった。そして、あれだけ仲が良かったのに、一年以上も連絡が途絶えていた男の声を久しぶりに聞いて、不覚にも涙が溢れそうになっていた。事後の家庭の荒廃はお互い様だ。が、そのことを話したくても、もう心を通わせることはない。

「写真とか、あなたが残していった物を整理しているんだけど、マットレスなんかは一人で捨てられないから、こっちに来て手伝うことはできませんか。あたしだけが片付けるのは変だと思うんだけど」

タマキは、最後の言葉だけは余計だったと反省したが、止められなかった。あらゆる物を置き去りにして去った、身勝手な青司への怒りが少しずつ蘇ってきていた。タマキは、恋愛の残滓《ざんし》に取り囲まれて暮らしているのに、青司は物理的に離れれば一切関係なく過ごせるのだ。こうなると、どちらが先に立ち直るかのサバイバルゲームと言ってもよい。少しでも有利な立場に立ちたい、と願うのは当たり前だった。

「わかった、考えるよ。あなたも知ってるだろうけど、俺ってすぐに結論出ないんだよ。時間がかかるんだ。でも、必ず電話するから」

誠実さは感じられたが、相変わらず優柔不断だった。自分の性急さとは対極にある青司の返答を聞きながら、タマキは内心焦っていた。写真やCDは、青司の会社に送ればいいが、青司に会って、どうしても確かめたくなっている。自分たちの恋愛の「涯て」を見届けたい、という欲望。そして、もうひとつ。タマキには、青司に面と向かって質《ただ》したいことがある。青司の「邪悪さ」についてだった。

その後何度か電話の応酬があり、タマキは「一度会えないだろうか」と、遂に提案した。青司が逡巡《しゅんじゅん》しているので、タマキはさらに言った。

「お互い、歳取ったことだし、いつ何どき死ぬかわからないじゃない。その前に、一度会いましょう」

ちょっと聞きたいことがある、という言葉は呑み込んだ。そう言ったら、青司は来ないかもしれない。

「俺さ、こんなことになってみんなに迷惑かけたじゃない。その時、ほとんどの人は敵に回したけど、味方になってくれた人もいたんだよね。その人と約束したんだよ。あなたとは二度と会わないって」

でも、どうせ青司のことだから裏切るだろう、とタマキは思った。青司は好奇心を抑えられない。案の定、きっかり二週間後、青司の方から電話がかかってきた。

「あのさ、今週の木曜はどう。木曜なら空いているから、お茶でも飲まない」

突然だった。しかも、「お茶でも」というあたりに青司の拘《こだわ》りを感じた。食事となれば酒を飲む。酒を飲めば、要らぬ話をして、元に戻る可能性だってあるかもしれない。タマキと青司は、何度もそれで失敗していた。今回の青司は、いつになく慎重だった。それが七月七日だった。

七日の夕方は陰鬱な天気だった。どんより曇って、今にも雨が降りだしそうだ。七夕なのに、星は見えそうにない。空の重力が肩にのしかかってくる気がして、タマキは早くも後悔していた。

青司が指定したのは、京王プラザの「J」だった。タマキは時間通りに着いて周囲を見回したが、青司はまだ来ていない。以前なら、約束の十分前には必ず来て、本を読みながら待っていてくれたものだ。タマキは、青司の変貌を予感した。

「J」には、打ち合わせや簡単な食事などのために、青司と何度か来たことがあった。しばらく来ないうちに、内装が変わっていた。まるでファミレスみたいだと思いながら、タマキは奥まった喫煙席に場所を定め、煙草に火を点けた。飲みたくはなかったが、無難な飲み物としてコーヒーを注文する。

約束の時間を五分過ぎた頃、一人の男が人を探す素振りで歩いて来るのが見えた。髪が目立つ。ピンクがかった金髪。青司だった。白髪を薄い色で染めると、白っぽい金色になる。ピンクやオレンジを入れるのが、青司の好みだった。ベージュのコットンジャケットを着て、その下には、ピンクのシャツ。ありきたりなデニムを穿《は》いている。ＧＡ

Pとタマキは見当を付けた。服の趣味が、子供っぽくなった。

タマキは煙草を吸いながら、冷静に青司を観察した。派手な髪の色が、年齢や服装とそぐわなかった。いや、年齢とすべてが合わなかった。どこかちぐはぐな若作りの男。そこまで考えて、タマキは、自分もまたそうなのだろうと苦笑した。二人は、相似形だったのだから。

青司が、まだタマキを見付けられずに探しているので、タマキは思わず「せいちゃん」と声をかけそうになり、困惑して黙った。何と呼んでいいのか、わからなかった。「阿部さん」か、とタマキは迷い、心の中で笑った。青司は、タマキが「セイジ」と呼ぶのを嫌い、「せいちゃん」と呼んでくれ、と頼んだ。大阪風の発音ではこうだ、と何度も「せぇちゃん」と直してくれたものだ。母親が自分をそう呼んでいるのだそうだ。後にタマキは、青司の妻と電話で話した時、妻が「セイジ」と呼び捨てにしていることを知った。

青司は、タマキの本名である鈴木裕美子から、「裕美ちゃん」と呼んでいた。それは、タマキの夫の呼び方と一緒だった。特段、拘りのないタマキはそのことを黙っていた。むしろ、青司の側に厳然と区別があることを面白く感じてもいた。妻は「セイジ」と呼び、タマキは母親と同じく「せぇちゃん」と呼んでいる事実。「セイジ」と呼ぶのが妻に限られているのだとしたら、なぜ青司は自分と付き合うのだろうか。多分、もう一人の女なのだ。アナザーウーマン。しかも青司は、タマキの夫は何と呼んでいるのか、と確かめることさえしなかった。

　このように、呼び方ひとつでも、タマキは男女の差異を感じざるを得ない。女は関係を求め、男は所有を求める。タマキが取材で会った精神科医の話だったが、現実の自分たちは、理論の反映そのものではなかったか。タマキの連想は、些細なことから瞬時に広がっていった。似ている二人、気の合う二人、愛し合っている二人。とはいえ、二人の間には、性差が大きく立ちはだかっているばかりか、女の都合と男の都合、女の勝手と男の勝手、妻の都合と夫の都合、妻の勝手と夫の勝手、さらには作家の都合と編集者の都合、作家の勝手と編集者の勝手などが交錯して、息苦しいほどだったのだ。二人の複雑な関係を思い出し、タマキは溜息を吐《つ》く。やはり、自分たちの恋愛のエネルギーは、尋常ではなかった。浦島太郎が玉手箱を開けた後のように、瞬時にしてタマキが老婆に、青司が老爺になったとしても、不思議はない。

　青司はやっとタマキを見付けて、にこにこと笑って近付いて来た。二人とも、久しぶりに会えた喜びで、自然と笑いが湧き起こっている。タマキも懐かしさで胸がいっぱいになった。愛情なのか、友情なのか、家族愛に近いものなのか。いずれにせよ、信頼が再び蘇ったような錯覚が起きた。七年間も慣れ親しみ、愛した男の仕種《しぐさ》や声音は、タマキのよく見知っているもので、次に何をするか、何を言うか、まで想像できそうだった。

「久しぶりだね。元気だった？」と、タマキが手を振れば、「あなたも元気そうだね」と、青司は嬉しそうに言って、タマキの前に腰掛けた。

「少し痩せた？」

青司は、タマキの顔を見つめた。青司も顔がひと回り小さくなり、表情は若々しい。が、ピンクのシャツもジャケットも若向けらしく、首元がきつそうだった。年齢とそぐわない安物を着ている感じがする。自分もそう見えるのだろうか、とタマキはブラウスとデニムという、自分の格好を検分した。

「俺、ここに来るのに凄くドキドキした」

「あたしもそう」

ここまでは相似形。同じことを感じ、同じことを思っている、とタマキが何度も確信した思いが蘇った。ばかりか、二人の間には共時性が始終起こっていたではないか。あの一体感も失われて久しい。タマキは新しい煙草に火を点けた。

「あなたの奥さんには悪いことしたと思っているのよ。本当にごめんなさい」

タマキが謝ると、青司は頷いた。

「俺も女房には悪いことをしたと思っているよ」

青司は同意したが、タマキの夫への謝罪はついぞない。別れる日、タマキの自宅に電話してきて、夫と話した癖に。

「去年、いろいろごめんね。あたし、どうかしてたんだと思う」

これで何度謝ったか、とタマキは考えている。別れることになった夜、タマキは青司に何度も平手打ちをしたのだった。なぜ、そんな乱暴を働いたのかわからない。馬鹿にされた、と強く感じたせいか。いや、別れ話を繰り返しては別れられなかった自分への、決定的な破壊衝動だったのだろう、とタマキは今にして思う。青司が苦笑した。

「あなた、本当に去年は暴れてくれたよね」

青司は、言葉でタマキを責めはしない。青司の持論は、「恋愛において、人はどんなに醜いことをしてもよい」というものだった。嫉妬に狂って火を点けようと、嘘を吐こうと、それは仕方がない、とする。だから、タマキを責めたくないのだ。では、青司がしたかもしれない、あのことは何だったのか。きっと復讐だったのだ。タマキを責めないかわりに、復讐したのだ。

不意に、タマキは青司が煙草を吸わないことに気付いた。席に座れば、喫煙席かどうかの判断もせず、同席者に断りもなく、すぐに煙草をくわえていた青司。タクシーに乗っても、ほんの十分程度を我慢できずに煙草を吸っていたし、海外に行けば、真っ先に空港ビルを出て灰皿の在処《ありか》を探していたではないか。

「煙草やめちゃったの？」

青司は肩を竦めて、コーヒーを飲んだ。

「去年の秋にやめた。いちいち下の階に行って吸うのが面倒だしさ。いろいろあって、すっぱりやめたけど全然平気だったよ。三十年も吸ってたのに」

タマキがさっきから、青司を別人のように感じているのは、禁煙にも原因があったのだろうか。青司に元来備わっていた健全さと裏腹の「毒の気配」がなくなったことに、タマキはやっと気付く。初めて会った時、青司に対してタマキは「健やかな男」という印象を持つと同時に、弱さや悪も感じ取ったものだった。が、それらが感じられなくなった途端、青司の健やかさが幼くなったように感じられる。

「どうしてやめたの。意外だった」

「それがさ、二月に健康上の問題が発見されてね。まあ、何とか定年まで保《も》たせようと思ってるんだ」

青司はさりげなく言った。定年まで保たせよう、とは生きていられればいい、ということか。タマキは、嫌な予感がした。数年前から、青司は何度か貧血を起こして倒れたことがあった。パーティで昏倒した時は、自分でもよほど不安だったと見え、「今日、嫌なことがあったんだよ」とすぐに電話を寄越した。クモ膜下出血で死んだ父親と同じ死に方をするのでは、と常に気にしていた。タクシーで「脳神経外科」と看板を掲げた病院の前を通った時は、指差して「救急車で運ばれる最初の病院が脳神経外科だと助かると聞いた」とタマキに言ったこともあった。近年、急に体力がなくなったことから、一見健康そうな青司に何かが進行しているのではないか、とタマキは怖れていたのだ。何が「健康上の問題」なのか、もっと詳しく聞きたかったが、青司はそれ以上何も言わない。健康状態を心配し合う関係ではなくなったのだ。タマキは、別れた人間同士であることを認識して、敢《あ》えて質問しなかった。

「だから俺、笑って生きていこうと思ってさ。もう、どうでもいいよ」

それも病気に関連しているのだろうか、とタマキは不安になった。

「じゃ、もう文芸には興味ないの」

「全然ない。俺の仕事と感情は、すべてあなたとのことで失われたよ。もう四十代で全部燃え尽きたんだ。脱け殻なんだよ」

脱け殻という言葉は、今の青司に相応《ふさわ》しいような気がして、タマキは黙った。自分は脱け殻ではないはずだった。まだ、小説を書かねばならない。かつて、青司と昂奮して議論したり、必死だった仕事にまだ囚《とら》われていた。が、青司は自身を、燃え尽きた脱け殻だ、と言う。相似形だった青司は、一人でどこかへ行ってしまったのだ。

「私の新作は読んだ？」

「読んでない」

青司は申し訳なさそうな顔をしたが、「読むわけないじゃん」という色があった。本当だったんだ、とタマキは思った。別れる寸前、スターバックスで、ぼそぼそ話したことがあった。どうしても別れるしかない、と言い張るタマキに、青司は俯《うつむ》いて言ったのだった。

『別れたら、俺、もう文芸から出るよ。二度とあなたの本は読まない』

この世の中の誰よりも先に自分の小説を読んでくれた男が、二度と読まないと言う。その通りになった。仕方ないよ、とタマキの中にいる、もう一人のタマキが囁いている。そう、別れたんだから仕方ないのだ。それが自分の望みだったではないか。いや、違う。「涯て」まで行けないから、駄目だったのだ。タマキは顔を上げて、別人になった青司を正面から眺めた。

「じゃ、今、会社で何してるの」

「物を動かして儲ける仕事をしたいんだよ」

本気なのか、とタマキは青司の目を見つめた。青司は、タマキと仕事している時、小説に命を懸ける、と何度も言った。ふと、他の編集者が今の青司を評した「終わった人」「見る影もない」という残酷な形容を思い出し、タマキは、自分が何を望んでいるのかわからなくなった。青司の没落か盛況か。そのどちらでもなく、自分の好きな青司であり続けてくれればいい、というささやかな望みなのか。いや、それも関係がなくなった今は、どうでもいいことなのだった。しかし、眼前にいるのはかつての青司ではなく、自分の見知らぬ人間なのだ。急速に絶望感が襲ってきた。まだ自分は何か希望を持っていたのか、とタマキは自問する。そうではなく、過去の時間が無駄だったと思いたくないだけなのだろうか。混乱していた。黙り込むタマキを見て、青司は話題を変えた。

「俺とあなたのことって、壮大な痴話喧嘩じゃない？　それに会社の人間を巻き込んじゃったわけだから、大変だったんだよね」

あれが痴話喧嘩だというのか。タマキは違和感を持った。

「痴話喧嘩じゃないでしょう。仕事も関係してたんだし」

「いや、会社は誰も、あなたの仕事のことなんか言わないよ。公私混同は責められたけど、俺があなたの仕事を放り出したなんて、誰も言わない」

青司は真剣な顔で抗弁した。タマキは、青司がタマキの仕事を損ねたことへの詫びを、一切口にしないことにも気付いた。あの夜以降、青司は怒りのあまり、タマキの新聞連載原稿チェックの仕事を放り出し、連絡も無視したままだった。新聞連載した小説を、青司の出版社で文庫にする約束になっていた。そのためのチェック作業だった。タマキは原稿の流れが止まって焦ったし、事後の処理も打ち合わせたかったのに、青司は電話にも出なければ、一切連絡も取れないという状態だった。青司は、すべてタマキが暴れたことが悪い、とする態度に徹して、会社という海の底に深く沈んで隠れたままだった。青司の復讐が、そこにもあった。つまり、タマキと青司の別れは、単なる恋人同士の別れから、作家対出版社の闘いにまでエスカレートしたのだ。作家といえどもフリーランスなのだから、タマキにとっては命懸けの闘争だったのに、痴話喧嘩はないだろう、と再び怒りに火が点きそうになった。

「あれって痴話喧嘩かな。発端はそうかもしれないけど違うでしょう」

タマキはもう一度異議を唱えた。

「そうだよ。こないだ、会社の人間にどういう噂か聞いたよ。俺に若い女が出来たのであなたが怒って、俺を殴ったってことになってるんだってさ。でも、俺は若い女なんていないからね」

タマキは啞然とするとともに、馬鹿馬鹿しくなった。タマキにとっては仕事絡みに発展した公的な事件を、青司はあくまで被害者然と個人的な事柄に片付けようとした。それも、暴れた女の側を笑う事件にしたのだ。

「ひとつ聞きたいことがあるんだよね」

とうとう、タマキは切りだした。コーヒーを飲んでいた青司は、笑って顔を上げた。

「去年の四月二十六日に、脅迫状みたいな手紙が来たんだけど、あれはあなたが書いたの？」

青司は戸惑ったように目を逸らした。

「ああ、上司に見せられたよ。あのワープロのヤツでしょう。俺じゃないよ。みんなにお前が書いたんだろうって責められて、大変だったんだから」

青司は相変わらず、嘘を吐くのが下手だ、とタマキは思ったのだった。

青司との再会を思い出していたタマキは、煙草に火を点けて机の上の灰皿に置いた。紫煙がまっすぐに上がるのを長い時間眺めていた。いずれ、煙草は消えてしまうだろう。青司は禁煙してしまったが、自分はこうやって毒を吸い続ける。しかし、一人置いてきぼりを喰らったような気分は納まらなかった。

タマキは嘆息してから、緑川未来男全集を開き、緑川の写真を眺めた。明日の取材で会うことになっている茂斗子《もとこ》が一緒に写っているものだった。

第二章　隠

1

あなたが、鈴木タマキさんですか。初めまして。よろしくお願い致します。こう見えましてもね、あたしは作家の方とお会いするのは、初めてではありませんの。ご存じかどうか知りませんが、「内向の世代」と言われた作家の方々を、よく存じ上げておりました。中には、あたしを可愛がってくれた方もいらっしゃいますのよ。あ、その話で見えたんですか。それはそれは、とても嬉しいです。時間ですか、構いませんよ。では、図書館の閉館時間まで、と致しましょうか。

ここは、あたしの職場でした。今でも、こうやって毎日来ては新刊を読んだり、調べ物なんかして過ごしています。図書館に来ると、心が落ち着くんですよ。まあ、あなた、あたしが図書館勤めだったことも、ご存じなのね。よくあたしのことを、調べていらっしゃいますことね。誰かから、聞いていらしたのでしょうか。教育委員会の方？　それとも、倉亦《くらまた》高校の現国の先生ですか？

あらそう、本に載っていた写真をご覧になって、出版社経由で調べられたんですか。それは珍しいこと。じゃ、いろんな人に聞いて回られたってことですね。物故された方が多いですから、大変だったでしょう。だけど、あなたはノンフィクション作家ではありませんよね。小説雑誌に時々書いていらっしゃる、あの鈴木タマキさんですよね。雑誌の広告でお名前を拝見したことがありますよ。あなたの本は図書館でも人気です。何人もの方が待っていらっしゃいます。ベストセラー作家だと、百人二百人待ちですけど、それほどじゃなくても、何人かの熱心なファンの方が順番待ちしていらっしゃいますよ。良かったわね。ほほほ。

作家の方って、よく調べてお書きになるのですね。それも、人それぞれのやり方がある、と聞いたことがありますが、あなたの場合は、こういうやり方をなさるのですね。電撃取材。そうそう、あなたのお書きになった小説、一昨年かなんか、ＮＨＫのテレビドラマになりましたでしょう。おめでとうございます。あ、そう、それは違う鈴木先生ですか。失礼致しました。あたし、あなたのご本は読んだことはありません。ごめんなさいね。あたしは小説が好きですけど、緑川先生に限っていますので、最近はちっとも読まなくなってしまいました。巨人を一人知っていると、他は要らなくなるんですの。

ええ、確かに、あたしの写真は、多く残っているようです。緑川先生と一緒に写っている写真もあるし、緑川先生が撮ってくださった写真もたくさんありました。千倉書房の文学事典にも、角海書店の緑川未来男全集の口絵にも使われていました。まだ他にも、絶版になった本にたくさん使われたようですね。出版社からの許可願いですか。それは何に対する許可？　ああ、写真使用許可ですか。あたしにも権利があるのですか。だけど、そんなもの、一度も来なかったように記憶しております。きっと緑川先生が載せたい、と仰《おつしや》ったら、そのままあたしの意志など関係なく、勝手に掲載していたのだと思いますよ、当時は。緑川未来男と言ったら、それはもう、大文豪でしたからね。

あたしの顔が、子供の頃から変わっていないって仰るんですか？　まさか、あたしはもう六十四歳です。まだお婆ちゃんだとは思いませんけど、現役でもありません。難しい年頃になりました。月日が経つのは早いものですね。なのに、子供の時の写真が世に残っていて、皆さん、あたしの子供時代を眺めているっていうのも、不思議な気持ちですね。あれは、十歳頃でしたかしら。いくら何でも、全然変わらないと言われると、ちょっとどうかな、と思います。ああ、そう。面影が残っているという意味ですね。それはそうでしょう。いくら歳を取っても、人間の芯というものは変わらないのだと信じております。そして、そのあたしの芯を、緑川先生は愛されたのだと思います。

それはそうと、本物の文学者と言われる方は、いなくなりましたね。最近亡くなられた小島信治さんが、最後の大物ではないでしょうか。緑川先生も小島先生とは親しくしておられましたよ。

ところで、あなたは誰の話を聞きにいらしたの？　ああ、緑川先生とあたしのことを主にお聞きになりたいのですね。それは構いませんけれども、本当によく調べられていらっしゃいましたわ。正直に言いますが、あたしのところまで見えた方は、あなたが初めてよ。

緑川先生が亡くなられたのは、もう十七年も前になりますかしら。先生は亡くなられる寸前に、「もーちゃん」て、横を向いて息を吐くように仰ったと、千倉書房の編集の方から聞きました。山田さんという編集者の方です。山田さんは、緑川先生のお気に入りでしてね、最期まで病院に詰めていらしたのよ。奥様をよく支えられましてね、本当に偉い方でした。でも、山田さんも早くお亡くなりになったんですよ。肝硬変と聞きました。編集の方はお酒をよく召し上がりますからね。

「もーちゃん」て、あたしの綽名《あだな》なんです。ええ、茂斗子の「もー」から取ったんですが、本当は「モーチャ」というんです。先生に戴いた本の献辞には、「僕の愛するモーチャへ」とあります。え、献辞をお見せするのですか。嫌だわ、大事に大事に仕舞ってありますからね、ほほほ。あたしの宝物です。「モーチャ」というのは、ロシアの女の子の愛称なんだそうです。海という意味の「マリーナ」とか「マトローナ」という名前の愛称だとか。可愛いでしょう？　先生は、ロシアの名前にお詳しかったから、あたしと会った時に早速付けてくださったんですよ。先生が亡くなられた時、ああ、もう「モーチャ」と呼ぶ人はこの世から消えたのだと、とても寂しくなったものです。緑川先生の言い方は独特で、「モーチャ」と呼ぶ時に、とっても甘い響きがあるんですの。「ちゃん」でもないし、「ちゃ」でもなく、そのちょうど中間の感じで「ン」の音が柔らかく消えていくんです。それを聞いた人が、「もーちゃん」と誤解して広まったみたいなんです。懐かしいですわね。

あたしは四年前に、この倉亦図書館を定年退職致しました。今は悠々自適で、のんびり暮らしております。歳の割には趣味がサイケですね、なんてよく言われますよ。鈴木さんからすれば、ずっと年上だから、意外でしょうけれども、あたしの青春時代は、ロカビリーとかプレスリーとかですからね。アレン・ギンズバーグとか、大好きでした。今でも口ずさみますの。「ロシアでは若い詩人が台頭し革命の魂に接吻する」とかね。え、あなたもご存じですか。もう、そんなお歳なの。まあ、お見それしました。若く見えますね。やはり、仕事をしている女は、みんな若く見えるのよね。そうそう、サイケという話でしたわね。今の六十代って、アクティブで、恥ずかしいことをたくさんする世代だと思いませんか。同僚の中には、スキンダイビングをしたり、ホノルルマラソンに出たり、ネットは何でもござれとかね、流行りの雑誌に出ちゃうような人がたくさんいましたよ。

あたしは猫ちゃんたちとベランダでハーブを育てたり、ビーズのアクセサリーを作ったり、読書会に出たりして、ささやかにおとなしく老女らしくして暮らしています。ハーブって、たくさん増えちゃうのご存じ？ 使い切れないんですの。そんなに毎日ハーブ料理を食べるわけじゃないし、お茶にしても青臭いしね。植える前は知りませんでしたから、実は困ってるんですの。ほほほ。あと、俳句の会に入っていますので、ふた月に一回は吟行がありますしね。ギンズバーグならぬ、吟行。え、句を披露するのですか、恥ずかしいですよ。じゃ、ひとつ。「風邪猫の額に冷たし蜜柑《みかん》ジェル」。これはね、余った蜜柑でゼリーを作って、風邪を引いたらしいあたしが、代わりに飼い猫に食べさせたいって句です。寂しいわね。いかにも、一人暮らしの女が無聊《ぶりよう》をかこつ様子が出ているでしょう。ギンズバーグみたいな激しさがありませんよね。こんな駄句を緑川先生がご覧になったら、きっと笑われると思いますよ。「そりゃ、モーチャ、俳句ごっこだよ」とね。

先生の周りには、いつも誰かしら、文学好きの女が集まっていましてね。何だかんだと口実を設けては、先生に作品を読んで頂きたいものですから、近付いて来て離れないんです。あたしの家にも、よく母の友達が集まっては作品を披露していましたよ。何だかわけのわからない小説とか、詩とか読んでね。すると先生は、あたしを膝に載せたままで、講評されました。それでね、時々あたしの耳許で本音を囁くんです。「モーチャ、小説ごっこだねえ」って。で、あたしがくすりとしますと、お尻を抓《つね》るんです。「ばれちゃうから、笑っちゃ駄目」って。だから、真面目な顔をしてなくてはならないんです。ええ、たくさんいらっしゃいましたよ、先生に原稿を読んでいただきたい方って。え、お尻を抓られて痛くなかったかって仰るの。そんなこと聞かれたのは、あなたが初めて。痛くなんかありませんよ。優しく抓るんです。え、十歳の女の子が、男の人の膝に座るのは変ですか。考えたこともありませんでした。あたしは小柄でしたから、あまり違和感はなかったですね。そんなこと言われたことも、初めて。変ですかね。

緑川先生と初めてお会いしたのは、母に連れられて会合に行った時です。あたしはまだ十歳でした。はい、あたしは昭和十六年生まれですから、昭和二十六年頃ですか。戦争が終わって、まだ六年。しかし、朝鮮戦争が始まって景気は良くなりつつあったそうです。あたしも、当時の浮き浮きした世相は覚えております。さあ、これから世の中が良くなるはずだ、という上向きの気分です。でも、写真なんか見ると、まだまだ貧しい世の中でしたわね。舗装道路なんかなくて、街灯もない泥道を女の人が裾をからげて歩いていたりして。まだ米兵がたくさんいて、母なんか派手でしたから、よくからかわれていましたよ。

母は、文学好きでした。本をよく読んでいましたよ。かといって、才能はありませんから、書き手中心の文学サークルに入れるわけではないのです。そういう人はどうするかと言いますと、当時あった同人誌の作家に目を付け、追っかけをやったのです。今で言うところのグルーピーですわね。おかしいでしょう。作家がそういう対象になるなんて。図書館の若い人が、こんなことを言ってましたよ。それって、ライブハウスに出ているバンドを追っかけるようなもんですねって。あるいは、コミケの同人誌の追っかけですねって。コミケの方はよく知りませんが、要するに、全国区じゃないんですよね。でも、今に全国区に出て行くかもしれない人に目を付けて、ずっと追っかけて行くんです。そして、有名になれば、自分に見る目があったことを自慢するのです。でも、それだけでなく、青白い文学青年というものを、若い女の人たちが好んでいたように思います。

緑川未来男先生に目を付けたのは、母だけではなかったようです。写真をご覧になったらおわかりでしょうけれど、若い頃の緑川先生は、甘い顔立ちのハンサムでしたからね。背がすらっと高くて、黒々とした濃い髪が広いおでこに掛かっているんです。その素敵なことと言ったら、キムタクも目ではありません。ナボコフに似ているという人もいました。それに、何せ先生は特攻帰りですからね、滅多に笑わない。頰の辺りに、世界の終わりを見た虚無のようなものが漂っていて、それはそれは好男子だった、と母が話しておりました。でも、勿論、緑川先生が結婚されていて、お子さんがいらっしゃることも承知の上だったと思います。恋愛の対象ではなく、あくまでも憧れと支援の対象なのです。

母ですか。離婚したのではなく、戦争未亡人なのです。父は昭和十九年の夏、テニアン島で亡くなったと聞いています。あたしは一度も父とは会ったことがありません。父もあたしと対面したのは写真だったと聞いていますので、お互いに写真だけです。寂しいことですわね。母は三歳のあたしを連れて、実家に戻りました。母の実家は、倉亦市の素封家でございましてね、かなり裕福だったそうです。だから、母はそこでまた娘に戻ってしまったのですよ。まだ二十一、二歳だったと言いますから、仕方ないでしょう。あたしとは、だから、ずっと姉妹のようでした。あたしは、まるで母の父のもとに養女に入ったかのような育ち方をして、祖父の庇護の下で暮らしておりました。

緑川先生が当時入っていらした同人誌の名ですか？　「取水《しゅすい》」というのです。後に有名になった作家がかなり輩出しました。例えば、芥川賞を取られた宮城洋先生、芥川賞の候補に二度なられた里美大幸先生、一度候補になった藤山まもる先生、女流の内堀亜矢先生。作詞などで有名になった祠口安直先生。鈴木さんもお名前をご存じかと思いますが、皆さん、亡くなられて久しいです。

母は「取水」の同人にはなれませんでしたが、ファンの一人として、そして資金面で同人誌を支える支援者として、年に何回か催される会合などには出席できたようなのです。今で言う「ファンの集い」ですわね。その会合に、母はまだ子供のあたしを連れて行ったのでした。まだ覚えておりますよ。神楽坂にあるカフェなどで会合がありますと、母はあたしとお揃いの洋装で参加するのです。それも、わざわざ洋装店で誂《あつら》えた服で。なぜ、そんな場所に子供を連れて行ったのか、ですか。確かに、謎ですね。祖母がおりましたから、あたしを預ければ済んだことでしたし、母も一人で遊んだ方が楽しかったとは思います。でも、あたしの口から言うのは、ちょっとあれですが、多分、母はあたしを連れて歩くのが自慢だったのだと思います。あたしは、小さな頃からよく呼び止められては、「人形のように可愛い」と言われていたものですから。

緑川先生が初めてあたしにお声をかけてくださった時のことは、まだよく覚えています。あたしは母と揃いの、赤地に小さな黒い水玉が散らばったコットンのワンピースを着ていました。その日のために、日本橋三越で作った服でした。母のは襟ぐりが広く開いて、黒いシルクのサッシュベルトで締める大人っぽいドレスなのですが、あたしのは、白い大きなカラーが付いていて洒落たセーラー服のようなデザインでした。余り布で、お人形のお揃いの服も作って貰ったので、とてもよく覚えております。あたしたち親子が、その格好で会場に入って行きますと、みんな、ほうっと見惚《みと》れておられました。大袈裟ではありません。いえ、勿論、あたしたちにではありませんよ、洋服にです。その時、緑川先生がわざわざ寄って来られて、あたしに声をかけたのです。

「お嬢ちゃん、幾つですか」

あたしは「十歳になったばかりです」と、きちんと答えました。すると、緑川先生は確か、こう仰いました。

「僕にも、四歳と二歳と赤ん坊の、三人の子供がいます。お嬢ちゃんが、もし僕の子供になるのなら、一番上のお姉さんになるんだね」

母がはっとしたように緑川先生の顔を見ました。母の顔が少し赤らんでいました。母は、おそらく追っかけや支援者の域を超えて、緑川先生が好きだったのでしょう。その時の緑川先生は、三十二歳。母はまだ二十九歳でした。母の心に、緑川先生と一緒になる夢が一瞬広がったのではないかと、私は想像しているのですが、どうでしょう。

ああ、母ですか。母は三年ほど前に事故で亡くなりました。海外旅行中にバスの事故で。享年八十でした。思いもかけない最期でしたが、お金に不自由もなく、健康でしたし、それなりに楽しい人生だったのではないでしょうか。母は、緑川先生のことは、ある出来事があって以来、もう興味をなくしてしまったと言いますか、恋愛沙汰が怖くなったようで、追っかけからすっかり足を洗ってしまいました。だから、先生が亡くなられたことも知らなかったみたいです。

で、緑川先生にお会いした時に話を戻しますと、母は緑川先生に恐縮したのです。

「緑川さん、すみません。子供を連れて来てしまって。お邪魔でしたら、外に連れて行きますが」

母が謝りますと、緑川先生は首を何度も横に振られました。その度に、額にかかった脂気のない髪が揺れました。

「いや、僕は子供が好きなので、よろしいですよ」

先生は身を屈《かが》めて、あたしの高さに目線を合わせると、正面から顔をじっとご覧になったのでした。

「ロシアの女の子みたいだね」

さっきも申し上げましたが、子供の頃のあたしは、色白でとても可愛らしかったのです。母もそれを承知であたしを着飾らせ、連れて歩いたに違いないのです。母は目が細くて不美人でしたが、亡くなった父が外国人のような容貌だったと聞いたことがありますから、あたしは父に似たのでしょう。はい、李香蘭に似ていると言われたことは何度もあります。あたしはちょっと古いと思っていましたけどね。ええ、東宝映画からスカウトが来たこともあります。

で、先生にあたしの名前を聞かれて、母が答えたのです。

「茂斗子です。亡くなった主人が戦地から、そう命名するように報《しら》せてきたものですから」

「茂斗子さんか。いい名前だ」

先生は、しばらく考えておられましたが、そっとあたしの耳許に囁いたのです。

「これから、きみのことをモーチャと呼んでもいいかな。モーチャというのはね、ロシアの女の子の名前だよ。可愛いでしょう」

十歳の女の子でも、自分が男の人に気に入られたことくらいわかります。あたしは、その時、有頂天でした。だって、母を始めとして、着飾った女の人たちがその場にたくさんいて、みんながみんな、緑川先生の関心を惹こうとしていたのですから。そうです、先生は女性たちに一番もてました。宮城先生や藤山先生も人気がありましたが、緑川先生ほどではありませんでした。しかも、大人の中にいて次第に退屈したあたしが、母のところに行って「早く帰りましょう」とせっついていると、先生が戻っていらして、母にこう仰ったのです。

「奈佐子《なさこ》さん。今度みんなで、お宅に遊びに伺ってもいいですか」

奈佐子というのは、母の名前です。母は舞い上がって喜んでおりました。

「それは勿論です。是非いらしてくださいませ」

あたしにはわかっていました。先生は、きっと「モーチャ」に会いに来るのだと。実際に、そうでした。先生は約束通り一カ月後に、作家仲間と一緒にうちに遊びにいらっしゃいました。そして、皆にあたしを自慢するのです。

「こんな完璧な顔の少女は、日本中どこを探したっていないよ」

先生は、顔マニアでした。そんな言葉はありませんよね。今、鈴木さんに言ってから、自分でも笑いそうになりました。でも、多分そうだったのだと思います。先生は、ご自分のお顔も気に入ってらっしゃいました。よく鏡を見つめて、右から左から眺めておられました。「ナルシスト」と作家仲間にからかわれると、真剣な表情で怒っていました。「顔って不思議だよ。よく見てご覧。穴だらけで怖い。顔に空いた穴の造作が美醜を作っているのだ」と。でも、先生はあたしの顔がとても気に入られて、自分でもカメラを借りて来て撮影したり、好んで一緒に写りたがったりなさいました。そして、あちこちの出版社に持ち込んだり、友達にあげたりしてばらまいたのです。そのために、あたしの写真は、巷《ちまた》に大量に存在しているのです。

先生はあたしの顔を両手で挟んでじっとご覧になり、こう呟いたこともありました。

「こうしているうちに、時間が経っていく。きみの顔は、どんどん変わってしまうんだね。ああ、時を止めることはできないのだろうか」

そう聞いて、子供のあたしも気が気ではありませんでした。先生の言い方には切迫感があって、すぐに自分の顔が変わってしまうのではないか、と不安になったものです。

母は、先生が足繁く自分の家にいらっしゃることに、とても喜びを感じている様子でした。母とあたしが暮らしている家は五反田と池田山の間にありました。祖父が東京に買ってくれたのです。小さな家でしたが、金持ちが妾《めかけ》に住まわせようと造ったのか、意外にも金のかかった数寄屋《すきや》造りでした。先生はそれも気に入られた様子で、「いい家だね」と何度も母に仰っておられました。

母が気に入ったのか、家が好きなのか、あたしがいたせいか、それとも全部か。緑川先生とその仲間の作家の方々は、母の家をサロンのようにして、週に何度もいらっしゃるようになったのでした。あたしは楽しくて仕方ありませんでした。学校から帰ると、すぐにランドセルを放り出して、先生のお姿を探します。先生はほとんど毎日、あたしの家に入り浸っていましたから、あたしは特等席のようにして先生のお膝の上に座り、大人たちの話に聞き入ったものです。そして、小学校を卒業し、中学生になり、大人の女へと一歩一歩近付いていったのです。

緑川先生と恋愛関係になったのか、とお尋ねなのですね。

鈴木さん、あなたは聞きにくいことを堂々と聞かれますね。では、鈴木さんは、緑川先生と、思想家の増田豪毅先生との対談をお読みになったことはありますか？　豪毅先生は、あなたのように「聞きにくいことばかり聞きますが」と前置きされて、ずばずばと聞いていらっしゃるのです。やはりその本もお読みになったのですね。では、話は早いですわね。同じことを豪毅先生が尋ねておられます。

「聞きにくいことを聞くけれども、きみは、あの少女を好きだったのかね」

「とんでもない。子供じゃないですか」

こういうくだりでした。すでに、緑川先生は六十歳を過ぎ、あたしも四十代に入ろうとしていました。だから、もう先生がどう答えようと構わないのですけれども、「子供じゃないですか」という答えには、失望致しましたね。どうして正直に言わないのだ、と腹が立ちました。あたしは、自分の遥か年上で大文豪の緑川先生を、怒鳴ってやりたい衝動に駆られたものです。

あたしも六十四歳になりました。当時の関係者は、先生の奥様以外は、みんな鬼籍に入られました。もうこんなことを喋るのは最後だと思いますので、はっきり申し上げますね。あたしと先生は、会った時から恋をしていました。先生は三十二歳で、あたしはたったの十歳でしたが、恋愛関係にあったと断言致します。はい、六年後に先生が北海道に移住されるまで続きました。年齢は関係ありません。と言いますか、先生は、少女しか愛せない方だったのです。

では、あたしが少女でなくなった時、つまり歳を取った後、あたしと先生の恋愛はどうなったのか、ということですよね。お付き合いはなくなりました。というのも、先生は少女しか愛せませんでしたが、あたしの顔の経年変化というものにも囚《とら》われておいでだったからです。最初は激しい愛があって、その後は、年齢を経て変化することの不思議をお感じになられたと言いますか、あたしを実験台にされたと言いますか、あたしの顔をじっとご覧になるだけで満足されていたご様子でしたよ。でも、あたしは「モーチャ」は、先生の生涯の愛人だったと自負しております。どなたもご存じありませんが。先生が北海道にいらしてからは、手紙も電話もご法度でしたから、出版社の編集者を通じてこっそりとお手紙を頂いたり致しました。あと、ふた月に一回ほど、先生が用事を作って上京してくるのです。この時に、必ずお会いしました。

ただね、鈴木さん、このことは、まだお書きにならないでいただけますでしょうか。差し障りがありますもの。あちらこちらの生きている人たち、もう亡くなっているけれども、遺族が必死に名誉を守っている人もいます。生者も亡者も、それぞれに真実というものがあるのです。あたしの真実ですか？　ありますとも。あたしの中に、はっきりと存在しております。けれども、それがあたしだけの真実故に、そんなものは真実ではない、と否定したい人も大勢いるのです。本当の真実とは、誰も納得しないものなのだと思います。

さて、母に起きたある出来事とは何だったのか、というお尋ねですね。こんなことを申し上げていいのかどうかわかりませんが、緑川先生の奥様が待ち伏せしておられて、母が刺されかけた事件があったのです。と言いますのも、これは神様の悪戯《いたずら》なのか、あるいは神様の思し召《おぼめ》しなのか、皆さんが次々と鬼籍に入られましたのに、先生の奥様だけは、ご健在でいらっしゃるからです。先生の奥様は先生と同じ歳ですから、すでに八十六歳でいらっしゃいます。この事件は、誰にも喋ったことがありませんので、ご内密に願います。

奥様は、先生の著作にもありますように、激しい方でした。奥様は、あたしでなく、あたしの母が緑川先生を誘惑し、ずっと付き合っているのだと思い込んだのです。そして、懐に出刃包丁を隠し持って、母の帰りを待っていたのでした。

三月の埃《ほこり》っぽい風の吹く夕方のことでした。母とあたしは、いつものように先生や他の作家の方が集まると言うので、駅前のマーケットまで、肉や豆腐、葱《ねぎ》などを買いに行った帰りでした。当時は、二人共、どことなく集まりに倦《う》んでいたと言いましょうか。すでに、サロンに飽き飽きしていたのでした。あたしはすでに十六歳になっていました。先生とのお付き合いも六年越しで、大人の女に近付いていました。でも、あたしにはまだ先生を惹き付けているという強烈な自信がありましたの。それどころか、先生はもっとあたしが好きになっているのだ、と思い込んでおりました。だから、サロンなどで会いたくなかった。自信の根拠は、と聞かれても困るのですが、何と言いますか、あの先生は、ご自分が狂乱している様を、相手に恥ずかしげもなく露わにする方だったのですよ。そして、そのやり方がとっても上手になってきていたのです。だから、あたしはもっと「恋愛」に溺れたと言いましょうか。互いに、好きでいる工夫が、そのテクニックが、とてもうまくなっていたのです。あたしは、先生を変わらず好きでしたが、時々、そのテクニックを磨くだけのために、二人は付き合っているのかなと思ったこともあります。狂乱の素振りと言いますか、どこか贋物《にせもの》めいた狂乱を楽しんでいたのかもしれません。

母は、先生とあたしのことはまったく気付いていませんでした。宿題を見ると言って、あたしの部屋に二人で引っ込むことを露ほども疑ってはいなかったのです。母は最初の思惑とは違い緑川先生が振り向きもしないので、文学サロンそのものに飽きていたのでした。そこに、出刃包丁を手にした女が突然現れたのですから、あたしも母も仰天して、腰を抜かしてしまいました。予期せぬ出来事と言いましょうか、何が出来《しゅったい》したのか、咄嗟《とっさ》に考えることもできなかったのです。

「あんたが奈佐子か」

突然現れた女は、震える声で母を問い詰めました。そして、横目であたしを見て、困惑した風に眉を顰《ひそ》めます。女は黒っぽいハーフコートを着て、中に灰色のスカートを穿《は》いていました。毛玉だらけの貧相な服装でした。女は、ざんばら髪で青白い顔色をして、大きな目が据わっています。あたしは怖くてがたがた震えながら、母の後ろに隠れました。

「あんた誰ですか」

母が必死に聞くと、女は出刃包丁を振り回す勇気もないらしく、鈍い仕種《しぐさ》で包丁の先を下ろし、小さな声で答えました。

「緑川の妻です」

あたしは驚愕しました。だって、あたしと緑川先生との恋愛には、ここにいる奥様のようなどす黒いものは、微塵も登場しなかったのです。観念と観念が絡む、美しく、あえかな夢のようなものだったのです。なのに、緑川先生にこんな老いた奥様がいて、青洟《あおばな》を垂らした子供たちや、じめじめした暗い台所や、ぬめる風呂がある、ということが衝撃でした。

「あたしは緑川先生と関係ありません。何かのお間違いですわ」

母が澄まして言いました。すると、奥様が包丁をあたしの方に向けました。

「そっちは」

「失礼な。娘はまだ高校生ですよ。帰ってください」

奥様は、高校生と聞いて、みるみるうちにしゅんと肩を落とし、哀れな様子で帰って行かれましたが、その後ろ姿は悲しかったです。恥で肩が落ちているのに、怒りで首が前につんのめっているのです。

あの方は今、地獄の中にいるのだ、とあたしは思いました。そして、一人の男の中に、天国と地獄、それぞれにいい顔をする部分があるのか、と薄気味悪くなったのでした。しかし、一方で、緑川先生はこういう奥様に愛想を尽かし、ますますあたしを好きになるに違いないと高慢になってもいるのです。事実、そうでした。

でも、そうは言っても、あたしは多分、奥様のような恋愛を何も知らないのでしょうね。あたしが天国の側にいたのかどうかはわかりません。地獄だと認識していない地獄もあるのかもしれませんものね。奥様は、本物の狂乱の中にいらしたと思います。いえいえ、羨ましくはありませんよ、勿論。

他の方とのお付き合いですか。いいえ、一度もありませんでした。先生が、あたしの生涯たった一人の男の人です。鈴木さん、あたしは五十年間、誰にも喋ったことのない話をしているのですよ。口を衝《つ》いて出る、この言葉。これは本当の話なのか、と何よりも当人が不思議でなりません。あたしは、先生の何だったのでしょうね。

2

緑川先生が、あたしに一番望まれたことですか。あ、今、ひとつ思い出しました。先生の口癖がございました。「モーチャ、いつまでも変わらない、可愛いお顔と体でいてくださいね。指切りげんまんいたしましょう」と言うのでした。そして、あたしの右手の小指を、節の目立つ男らしい小指で、まるで釣りでもするように軽々と掬《すく》って、無理矢理、指切りげんまんさせてしまうんですの。先生は、そのままあたしの小指を強く握って吊り上げ、口に当てたりもなさいました。「ああ、美味しそう。食べられるものなら、食べてしまいたいなあ」なんて口走ってね。実際、小指の関節にこりこりと歯を当てられたこともございました。まさか、先生が怖いなんて、思ったことはありません。お優しい緑川先生がなさることですから、甘嚙みですもの。怖いどころか、子供のあたしでさえも、何となく恍惚とした心持ちになったものです。いえいえ、いやらしい意味じゃございませんことよ。ちっぽけなあたしにも、こんなに心を懸けてくださる方がいるんだっていう感動、という意味でございます。それと、口許や顎の鬚《ひげ》が指に当たったりしますと、痛いものですから思わず身を竦《すく》め、男という生き物は、何と無骨な姿形をしているものであろうかと実感したりしました。髪も骨も鬚も、何もかもが厳《いか》つくて固いのですから。はい、父は戦死しましたので、あたしと母は、壮年の男の人とは無縁の生活をしていたのです。

緑川先生は、常に少女のままでいなさい、と私に望まれたんですわ。でも、そればかりは自分の力でどうにかなるものじゃありません。可愛い子犬に、ずっと子犬のままでいなさい、と言うようなものじゃありませんか。先《せん》も言いましたが、そのお言葉を聞く度に、成長するなと言われているみたいで、悲しくなったものです。

十歳のあたしが、三十二歳の緑川先生とどういうお付き合いをしていたのか、赤裸々に聞きたいと仰るのですか。鈴木さんも、ずばりと言いますわね。そういうあけすけなことも書かないと、作家としては一人前じゃないんでしょうけど、今の聞き方はまるでワイドショーの突撃レポーターみたいじゃないですか。だけど、あたしが一生懸命答えても、恥じ入るわけでもなく、本当に作家という人たちは、何かこう、しれっとしているると言いますか、鉄面皮ですわね。時々、腹が立ってしようがなくなることってありますわ。作家だったら、何でも許されると思っているのかって。

ごめんなさい、あなたに言ってるのではないですよ。では、緑川先生に言いたかったのかと聞かれれば、少し違いますわね。つまり、緑川先生にも垣間見られた、作家の本性とでもいうものに対して、なのです。鈴木さんは、作家の本性って何だとお思いになりますか。あたしはね、怖ろしいほどの冷たい視線だと思います。自分のことでも、他人事《ひとごと》みたいに見ているのです。そうそう、チベットだか、ネパールだか、額に目がある絵を見たことがあります。あの額に開く第三の目、あの目そのものが、作家の姿なのです。あなたはにこにこして聞いていらっしゃるけど、あなたもあの第三の目なのだ、と思ったら気持ち悪くないですか。

緑川先生は、実に勝手でいらっしゃいました。来るとも何とも言わずに、いきなりお見えになるんですの。あたし、六つの時から、ピアノとお習字を習っておりましたのよ。でも、お稽古の日を何度申し上げても、忘れてしまったみたいに突然いらっしゃるんです。「先生、少しお待ちになってください。茂斗子はすぐ戻りますから」と母が申し上げても、先生はすっかりつむじを曲げられて、文句を言うんですよ。「忙しいところを折角来たのに、モーチャが出掛けてしまうんじゃ、わざわざ来た甲斐がない。私はもうここには来ないよ」って。そう言われてしまうと母も困って、お稽古に行くのを取りやめるよう、あたしに言うんです。しかも、先生は気分屋でしたから、一度でもそういう遣り取りがあると、すっかりお冠《かんむり》になって、まったく口を利かなくなってしまうこともありました。いつまでも機嫌が直らないので、とっても厄介なんですの。面倒臭い人でした。他人のうちに勝手にやって来て、ちやほやされないと気分を損ねてしまうのですから。母が文学サロンに嫌気が差したのは、そのこともあったと思います。客人の癖に、好きなように振る舞われ、しかもこちらが機嫌を取らなくてはならないのですよ。作家というのは、恋人にでもならなければ到底やっていけない種族だ、と晩年の母は笑いながら言っておりましたっけ。

それでもね、可笑《おか》しかったのは、先生は家の外だけで我儘《わがまま》を言っておられた、家では、あの奥様にかしずいて、何もかも奥様のいいようにされていた、と後で知ったことでございましょうか。つまり、先生は、あたしの家では暴君を気取っておられたのです。あたしの家では、ご自分が中心でないと許さなかった。作家の方って、皆さん、そうなんでしょう。家では恐妻家なのに、編集者の前では威張りん坊がたくさんいる、と山田さんに聞いたことがあります。ということは、先生はあたしと母を自在に扱えるとお思いだったのでしょうか。あるいは、母が熱烈なファンだったことに、胡坐《あぐら》を掻いておられたのかもしれませんね。母の方は無情にも、数年で熱が冷めてしまったというのに。

そうなんです。うちにお見えになっていた六年のうちの後半は、母は先生に、あたしの家庭教師に接するような態度を取っていました。あたしと先生が勉強部屋に引っ込んでしばらく経つと、紅茶とケーキを運んで来るんです。その時、ちょっと世間話をして、また引っ込んでしまう。あたしと先生は、その時だけ緊張して離れてますけれども、母が消えるとすぐにべたべたとくっついていました。他の先生方ですか。いいえ、もうその頃はまったくいらっしゃらなくなりました。理由は、緑川先生の文壇一人勝ちだったからでしょう。先生は、どういう星の巡り合わせか、芥川賞はお取りになりませんでしたが、文壇での評価はそれはそれは高かったと聞いております。ええ、あたしも誇らしいです。先生のことだと思います。芥川賞を取れなかったことについてですか。真の巨人とは、先生は内心、悔しかったと思いますよ。作家というのは、第三の目である、と申し上げましたが、現世的な毀誉褒貶《きよほうへん》にもとっても敏感でいらっしゃる。あなたも同じでしょう、鈴木さん。先生はとても弱い人でした。他人からご自分がどう評価されているか、ということに関しては、異常に気にしました。ですから、先生の一生の痛恨事は芥川賞を取れなかったことだったように思います。はい、あの有名な奥様の家出や、自殺未遂よりも、です。ほほほ。

それにね、最近気が付いたことがありますの。先生はあたしのお稽古日を知っていて、わざといらしたんじゃないかということです。理由は、決まっています。あたしが誰かに何かを教わることが死ぬほど嫌だったんです。自分だけが影響を与えたかったんです。あたしの小さな宇宙を、自分という全能の神で満たそうとしたんだと思います。そうですね。ご自宅ではできなかったからかもしれません。ええ、ええ、奥様も先生によって満たされていた方だったと伺いました。爪の先から髪の毛の先まで、先生という存在でいっぱいいっぱいだったと。もう、ちょっと揺れただけで水がこぼれるほどいっぱいな。奥様には、もうこれ以上、先生が何かを入れる余地はなかったのです。先生は、そのことがつまらなくて、奥様が少し鬱陶しかったんじゃないでしょうか。だから、あたしのような少女を好きになったのです。少女は少女でしかなくて、誰のものでもありませんものね。

緑川先生はね、家に遊びに来ると、必ずあたしの部屋でお過ごしになられました。勉強を見る、という名目でした。そしてね、母がいなくなりますと、初めて会った時に着ていた赤地に黒の水玉模様のワンピースを着てください、とあたしに頼むんですの。「モーチャ、水玉の服を着てください」ってね。でもね、十歳から十六歳までの少女って、体付きがとても変わる時でしょう。だから、すぐに服がきつくなって、入らなくなりました。すると、先生はとても怒るんですの。「何で大きくなるんだ。モーチャはいつまでも変わらないお顔と体のはずでしょう。指切りげんまんしたでしょう」って。そう言われますと、あたしはあたしで気が気でなくて、もう先生はあたしを好きでなくなってしまわれる、と焦りました。だから、いつまでも服が着られるように、ご飯を食べないで小さくいようとしたり、膨らむ胸を下着で押さえつけたりして、それはそれは涙ぐましい努力をしたものでございます。だけど、成長する体はどうしようもありません。まるで筍《たけのこ》のようにむくむくと背が伸びたりすると、あたしは悲しくてなりませんでした。だって、あたしは緑川先生を好きで好きで仕方がなかったのです。先生もそうだったと思います。だけど、どうやって愛し合ったらいいかわからなかったのですよ。そうじゃありませんか。あたしは子供の体なんですから。でも、愛し合えるような大人の体になれば、先生はあたしを愛さなくなる、ということもわかっているのです。こういうことを悲劇と人は言いませんでしょうか。

え、あたしたちって異常ですか。そうですわね、確かに。このように言葉にして他人《ひと》様《さま》に話していますと、何かとっても恥ずかしいことのような気がします。それも、作家の先生に話していますと、殊更《ことさら》にいやらしくなる。作家は人間の欲望を考える仕事なのだ、と緑川先生が仰ったことがあります。だから、ではないでしょうか。鈴木さんのお仕事はどうか知りませんけれども。でもね、作家と言われる人とお会いして、どこか浮き立つ自分もおりますのよ、鈴木さん。あたしの中の、自分では宝だとも思ってもいなかった玉を光らせてくれる人が作家だ、とも思っていますから。でもね、あたしにも、まだ玉があるんでしょうか。あたしは、とっくに玉の行方を失ったような気がするんですの。いつからかって。さあ、いつからでしょう。先生が北海道に行かれた頃なんでしょうね。つまり、あたしが少女でなくなった時からじゃないでしょうか。あたしの玉は、成長したら失われるものだったんですよ、きっと。

少女じゃなくなった時って、いつでしょうね。判然としません。いつの間にか、先生が離れていかれた感じがします。ええ、寂しかったです。

鈴木さん、あなたと話してましたら、嫌なことを思い出しました。あたしと緑川先生とのことに勘付いた者がおりましたの。祖父の後妻です。澄子という名でした。祖母と言うべき立場ですけれども、母とあまり歳が違わなかったので、「おばあさま」なんて、一度も呼んだことはありません。澄子も、そんな呼び方を許しておりませんでしたしね。澄子は、母や叔父とも大層仲が悪かったようですよ。叔父は母の弟で、あたしよりたった十六歳しか上でありません。出戻りの母も、まだ高校生だった叔父も、澄子にとっては邪魔者ではあるけれども、世間知らずの、甘い子供たちに思えたことでしょう。澄子は、祖父宅のお手伝いだったのです。十五歳の時に長野の田舎から奉公に来て、祖母の看病をずっとしていたそうです。祖母は結核でした。ですから、嫁入り前の母や、中学生の叔父は病室に出入りもできず、澄子が一人で引き受けていたようなのです。それをいいことに、母は遊びに出掛けていたらしいのですが。で、祖母が亡くなる時に、澄子の献身的な看病ぶりに感動して、祖父を頼む、と言い残したとか。それも澄子の弁ですから、どうかわかりません。でも、とっくに祖父は澄子に手を付けていたようなのです。祖母もそのことに気付いていたはずだから、そんなことを言うはずがない。母と叔父は怒って、澄子としばらく口を利かなかったそうです。澄子は澄子で、母たちが祖母の看病を全然しなかったことを、暗に責めていたみたいですしね。澄子は、お嬢さん育ちの母が敵《かな》うはずもない、気の強い女だったのです。祖父も若いお手伝いと結婚したことに、ちょっと引け目を感じていたのでしょう。母が戦後間もなく東京に家を買って貰った経緯にはそんなこともあったようです。

澄子は澄子で、そんな母の我儘ぶりが癪《しやく》に障っていたのでしょう。後添いに居座ってからは、何かと母の揚げ足を取ったり、母の行動を見張って祖父に言い付けたりしていたようです。そんな時、あたしの家が文学サロンになっていたものですから、澄子は始終、東京に見に来たのです。覗き見趣味で詮索好きだ、と母はとても嫌っておりました。けれども、祖父の言い付けで、月々のお金を持って来ますので邪慳《じやけん》にできません。母の生涯は幸せだったと申し上げましたが、澄子の存在さえなければ、という条件付きです。澄子は、表向きは控えめで、楚々とした印象なのですが、心の中は真っ黒で妬《ねた》みと嫉《そね》みがいっぱい詰まっている、と母は言ってましたっけ。

そんな澄子が、あたしと緑川先生の仲を見抜いたということは、澄子にも第三の目があったということでしょうか。それに、澄子はどこか人間の弱いところ、嫌なところを看破する能力にも長《た》けていました。それも作家と似てますわね。作家は、人間の欲望を考える人たちですから、水源を見付けるように、欲望の根源である弱さをすぐに見抜いてしまいます。悔しいですが、その意味では、澄子にも作家の資質はある、ということになりますわね。また三段論法でいきますと、作家の心の中には、澄子のような妬みや嫉みがいっぱい詰まっているということにもなりますかしら。緑川先生にも、そういう負の部分がなかったとは思いませんけれども、創作の喜びで雲散霧消されていたようにも思うんですの。作家の悪口ばかり言ってるようですが、真の作家は、負の部分を原動力にして、前に進んでいくのだと思いますよ。鈴木さんはいかがでしょうね。ほほほ。心の中は黒いですか。だったら、あなた、しっかり書かないと駄目ですよ。

澄子の話でしたわね。たまたま澄子が来ていた時に、緑川先生がいらしたんですの。今でも覚えておりますわ。先生は、澄子を見て目を丸くされました。それもそのはず、澄子は珍妙な格好をしているんです。金持ちの祖父の後添いなんですから、お金はあるはずなのに、まるで母や叔父に対する嫌がらせのように、着物や服にはお金をかけないのです。母は着道楽でしたからね。

澄子は、その日も、着物を洋服に作り直した自作の服を着ていました。ラクダ色の単《ひと》衣《え》のメリンスで、黒い木の葉が散っている模様でした。それを筒袖のワンピースに仕立るみたいで、子供心にも恥ずかしい格好でした。

「緑川未来男です」

先生は、上の空で挨拶されました。澄子のワンピースから目を逸らすことができなかったのです。先生はとってもダンディでお洒落でしたから、奇天烈《きてれつ》な服装をしていることと自体が信じられない様子でした。

「奈佐子の義理の母でございます」

澄子が立ち上がり、丁寧に挨拶を返しました。その時、大きく開いた胸元から、白い肌着ばかりか、お乳が半分くらいまで見えてしまいました。母が慌てて顔を背けました。先生もご覧になったとみえて、うろたえておられました。

「ずいぶん、若いお母さんですね」

「はあ、奈佐子さんとは七歳しか違いませんの」

澄子が気取って答えます。澄子は小説などまったく読みませんので、緑川先生のことは知りません。それに根が田舎者ですから、じろじろと遠慮会釈なく、先生を観察しておりました。初夏でしたから、先生はカーキ色のズボンに、白い開襟シャツをお召しでした。母は、黒い細身の短めのパンツに、白いサマーセーターを着て、首元に赤いネッカチーフを巻いていました。そうそう、オードリー・ヘップバーンのようなスタイルでした。外出する時には、小さなベレー帽を被って完成です。あたしは、先生がいらっしゃるので、久しぶりに「水玉の服」を着ておりました。すでに胴回りがきつくなっていて、裾もちんちくりんで、あたしも澄子に負けず劣らず、相当に珍妙な格好だったと思います。

「先生、澄子さんは亡くなった母の最期を看取ってくださったんですよ」

母がいつになく神妙に答えました。実家の事情をそれとなく察してくれ、と言いたそうでした。が、先生は「はあ、それはそれは」などと適当に答えながら、澄子の体付きを観察しています。澄子は背が低く、貧相な体付きをしていました。先生は、そういう女が好きなのです。あたしは少しやきもきしました。すると、澄子が好奇心丸出しで聞いたのです。

「先生ということは、学校の先生ですか」

「いや、モーチャの家庭教師です」

先生がふざけて答えたのがよくなかったのです。澄子は、家庭教師にしては年配だと思ったらしく、疑り深い表情で母と先生を交互に眺めていました。最初は、母との仲を疑ったんですの。そのうち、あたしの横に来てこう囁くのです。

「茂斗子ちゃん。スカート短過ぎる。それじゃ、パンツ見えちゃうでしょ」

そして、力いっぱいに裾を下に引っ張るのです。あたしは澄子の手を払い除け、自分で裾を下げようとしましたが、ワンピースですのでできっこありません。内心は不快で堪りませんでした。何しろ、澄子自身も変梃《へんてこ》な服を着ているのですから。

「着替えてらっしゃい」

澄子があたしに命じました。あたしは唇を尖《とが》らせて先生を眺めながら言いました。

「だって、この服、好きなんだもん」

先生は素知らぬ顔をしていましたが、澄子はあたしが先生をちらっと見た視線を目撃したのでした。

「じゃ、モーチャ、早く勉強しよう。算数やろう」

先生が素早くウィンクしながら言いました。居間に澄子と残されてしまった母は、慌てて言いました。

「澄子さん、すみません。あたし、修繕に出した腕時計を取りに行かなくちゃならないんですの」

「それはどこなんですか」

澄子が付いて来ると思った母は、早口になりました。

「銀座の和光ですの」

澄子は銀座には気後れがするらしく、諦めた様子でした。

「じゃ、少し休ませて頂いて、あたしは失礼しますから」

「すみません。行って来ます」

母はベレー帽を被ると、飛ぶように出掛けて行ってしまいました。祖父の使いで澄子が持参した金は、毎月三万円ほどありました。昭和二十七、八年当時は、五十万くらいの感じでしたかしら。母は、澄子に嘘を吐《つ》き、あたしを先生に預け、浮き立つ思いで銀座に洋服を買いに行ったに違いないのです。

「じゃ、澄子さん。あたし勉強しますから、失礼します」

あたしは澄子に丁寧に挨拶して、勉強部屋に行きました。すぐ後から、先生が来ます。先生が引き戸を閉めて、二人で顔を見合わせて忍び笑いをしました。先生が澄子の真似をしました。

「茂斗子ちゃん、それじゃパンツ見えちゃうでしょ」

水玉の服の裾に手をやり、スカートの裾を乱暴に下ろそうとします。あたしはくすぐったくて、思わず笑ってしまいました。しっ、と先生があたしの唇に指を置きました。その指が、あたしの唇をなぞり、ほっぺたを突きます。澄子のお蔭で、今日の新しいゲームが始まったのです。

「パンツ見えちゃう、パンツ見えちゃう」

先生はあたしを立たせたまま、あたしの剝き出《むだ》しの太腿にそっと手で触れました。これまで小指を齧《かじ》られたり、頰ずりされたり、抱き締められたりしたことは始終ありましたが、先生の指が太腿に触れたのは初めてでした。その日の先生は大胆でした。内腿の付け根の辺りにまで指を這わせて、ずっと囁き続けるのです。パンツ見えちゃう、パンツ見えちゃう、と。あたしは目を閉じて、少し両脚を広げました。どうしてでしょうね。なぜか、そういう気分になったんです。ええ、あたしも気持ちよかったんですよ。

あたしは当時、白いブロードで出来たパンツを穿いていました。ウエストと裾にゴムが入っていて、縁に綿のレースが付いているのです。市販品では気に入ったのがなかったので、近所の洋裁をやる女性が、わざわざ作ってくれた手作りの下着でした。

「可愛いパンツが見えちゃった」

先生があたしの足元に蹲《うずくま》った気配がしました。吐息が太腿にかかるんで、わかったんです。だから、あたしも緊張しましたが、こんなスリリングな遊びをやめることはできませんでした。あたしたちは、澄子が家に居ることなど、すっかり忘れていました。先生の指が綿レースに触ります。「可愛いパンツが見えちゃった」と囁く声も、はあはあと息が切れている。レースを引っ張ってゴムを伸ばし、その中に指が侵入しそうです。先生の太い指が素肌を這ってきます。ああ、どうするんだろう。あたしは目を固く瞑《つむ》りました。先生の指が、あたしの体の中心に触れた感触がありました。その衝撃で、あたしは思わずのけぞり、小さな声を上げてしまいました。すると、その瞬間、外でガタンと音がして、先生は飛びすさりました。誰かが引き戸の向こうにいて、中の様子を窺っているのです。澄子でした。

「さ、算数、どこから」

先生の声に痰が絡んでいます。あたしは慌てて、足元にあったランドセルの蓋を勢いよく開けました。留め金が床に当たって、がっと音を立てます。スリッパの足音が、遠のいて行く気配がしました。危なかった。あそこで引き戸を開けられたら、先生もあたしもとんでもない行為を見られたことでしょう。危ない橋を渡っていたのです。先生とあたしは、目を合わせて大きく嘆息しました。

しかし、この日の遊びが、それまでの二人の遊びを画期的に変えることになったのです。鈴木さん、ご満足ですか。あたしも、こんな話を人にするとは思いませんでした。このことは先生の奥様が亡くなられるまで、他言なさらないようお願い申し上げます。ほんとですよ。あ、指切りげんまんですか。ほほほ。

そうですね。先生との遊びは、この「パンツ見えちゃった」ごっこ、あと「劣等生」ゲーム、「煙草の練習」ごっこ、というのもありました。次々と先生が編み出すんです。え、それぞれの遊びの説明ですか。勘弁してください。あたしも、六十四歳になりました。さっきの話をしただけで、冷や汗がたくさん出ています。限りなく、エッチな遊びと思ってください。性行為ですか。さすがにしませんでしたね。あたしは十五、六歳の頃から、先生となら構わないと思ったし、頼んだのですが、先生は性行為が目的ではないのだと仰って、抱いてくれませんでした。ただ、それに近いことは致しました。あたしは先生とのゲームで、男の人の体がどうなっているのかも知りましたし、自分の体も教えて貰いました。え、意味ないですか。そんなことありませんよ。豊かな経験をしたと思っています。結婚ですか。しておりません。前にも申し上げましたが、十六歳の時に先生とお別れしてから、どなたともお付き合いしておりませんし、またする気もありませんでした。

あ、すみません。澄子の話に戻しますね。どうやら、澄子はしばらく勉強部屋の前で立ち聞きしていたらしいんです。もしかすると、こっそり扉を引いて、覗き見くらいはしたかもしれません。だけど、不思議なのは、澄子は母にも祖父にも言い付けないんですの。数カ月後に、あたしにだけ言いました。

「茂斗子ちゃん、あんた、子供なのにいいことしてるわね」

澄子に叱られたり、母や祖父に言い付けられたりしたら、あたしは恥ずかしさのあまり、死んでしまったかもしれません。でも、澄子は羨ましそうに言うのです。早速あたしは、緑川先生に言いました。澄子さんにこう言われた、と。すると、先生はしばらく考えておられましたが、笑いながら言うのです。

「今度、澄子さんが来たら、一緒に交ぜてあげよう」

あたしは絶対に嫌だ、と強く言いました。当たり前じゃないですか。あたしと先生のゲームなんですから。その時、あたしは少々傷付きました。どうしてそんなことを言うのかわからなかったのですね。長じてからは、男って嫌だなと男全般を厭《いと》い、ひいては、緑川未来男という男が嫌いになりかかりました。ええ、作家が嫌になったのかもしれませんね。最近はまた、緑川未来男が好きです。また会いたいと思いますが、もう亡くなりましたから叶いません。

澄子ですか。澄子は祖父の世話をして、財産を少し貰って、田舎に土地を買いました。そこでのんびり暮らしていたみたいですけど、強盗に入られて殺されてしまいました。意外な最期でした。母もびっくりしたみたいで、確かテレビのニュースかなんかを見て、すぐにあたしのところに電話をくれました。「あなた、見た？　あの澄子さんが殺されたのよ。殺されて、この世から消えるってどういう感じでしょう」って。

正直に申しますと、澄子の死後、少し心配したんですの。何せ、緑川先生は、北海道に移住されてから、『無垢人』という名著を書かれて、とても有名になられましたでしょう。いくら文学音痴の澄子でさえも、緑川未来男の名前を目にするでしょうから、あたしと先生のことを他言するのではないか、あるいはどこかに書き残したのではないか、と心配になりました。この時、やっと気付いたんです。先生は狡《ずる》いほどに賢い、ということに。だって、ゲームの仲間になってしまえば、人には言えないでしょうからね。共犯者を作ろうとしたんだと思います。ほほほ。先生はこと色事に関しては、深謀遠慮派だったんですね。

まだ聞きたいことがあるんですか。何でしょう。そろそろ、図書館も終わりですよ。チャイムが鳴っております。あれは、貸し出し時間が終わったという合図ですの。ほら、みんなパソコンの電源を落としている。あたしが勤めていた頃は、パソコンなんてありませんでしたから、みんなカードに書き入れてましたね。そのうち、パソコンできなきゃ人でない、みたいな言われ方をして。その頃からですかしら。本が読まれなくなってきたのは。パソコンの普及と、本が読まれなくなったことは大きな関係がありますの。

文豪・緑川未来男の愛人だったモーチャが言うんですから、間違いありませんよ。

え、少女が終わったという実感ですか。まあ、難しい質問ですわね。さっきもちょっと言いましたけど、なぜか先生の足が遠退き始めましてね。理由ですか。あたしが、大人の女がするような性行為をしたいとねだったせいかもしれません。「先生、モーチャを抱いてちょうだい」と言ったんだったかしら。途端に、先生のお顔から、ひゅーっと血の気が引いたのを覚えております。お嫌だったんでしょうね。あたしですか？　同年代の男の子になんか惹かれませんから、その後は青春もなく、何となくうら寂しく生きてまいりました。母はどうしてあたしが男の子と付き合わないのか、不思議がりましたけれども、もう駄目なんですの、つまらなくて。その意味で、あたしの生涯の恋人は、緑川未来男なんです。『無垢人』ですか。びっくりしましたねえ。先生が、あたしとだけでなく、他にも愛人がいたなんて。そっちではちゃんと性行為をして、あたしとはゲームをして、あたしの生涯を損ねたなんて。『無垢人』を読む限り、奥様はずいぶん暴れたようですけど、あたしだって、あの夫婦に言いたいことはたくさんありますのよ。今なら、セクハラなんてものじゃありませんよね。これって犯罪じゃありませんこと？　愛情？　間違いなく、ありました。そうですね、鈴木さん。愛情があれば犯罪ってことはないですね。でも、今の話でどうお感じになりますか。あたしって、弄《もてあそ》ばれたのでしょうか。まさか、そんなことありえません。

3

鈴木タマキは取材ノートを閉じて、モーチャこと石川茂斗子の顔を眺めた。六十四歳の茂斗子は、おかっぱにした髪は真っ白なのに、顔だけが妙に若々しかった。膚《はだ》は艶があって頰は桃色だし、目許は皺ひとつなくピンと張り詰めている。白髪を染めたらもっと若く見えるだろうに、なぜ染めないのだろうか。その理由をわざわざ考えてしまうほどに、茂斗子の髪と顔の差は著しかった。髪が黒かったら、茂斗子は四十代、いや三十代と言っても通る。が、そう思い至ると、急いでその場を逃げ出したくなるような恐怖を感じるのだった。茂斗子は異様に若い自分を隠すために、わざと白髪のままにしているのかもしれない。でも、自慢の顔だけはきっと死ぬまで華やいで、隠しようがないのだ。茂斗子は顔の化け物だった。顔マニアだった緑川は、老女になった茂斗子の顔も見るべきだったのだ。だが、茂斗子は、タマキの怯《ひる》みにも気付かずに、空を見ながら暢気《のんき》に鼻歌を歌っていた。

「失礼な言い方かもしれませんが」

タマキが断ると、茂斗子は楽しそうに振り向いた。その目には、タマキがどんな言葉を探し出しても、自分たちの関係の本質はわかりっこない、とでも言いたげな自信が仄《ほの》見《み》えた。

「緑川さんの『無垢人』には、あなたとのことはひとつも出てこないと仰った。そのことはショックじゃないですか」

「だって、小説はフィクションですもの。あなた、作家ならフィクションと事実が違うことくらいおわかりでしょうに」

さっきは、「あたしだって、あの夫婦に言いたいことはたくさんありますのよ」と悔しそうに言った癖に、茂斗子は澄まして答えた。

「じゃ、あの『無垢人』に書いてある愛人というのは、どなたでしょうか。私は、もしかすると茂斗子さんではないか、と思って参ったのですが、お話を伺っていると違うようですね。じゃ、愛人の存在も、奥さんの狂乱も、すべてフィクションなんでしょうか」

茂斗子は、帰り支度を始めた図書館員の動向を気にして、落ち着きなく視線を泳がせた。眉を顰めると瞼《まぶた》に皺が寄って、瞬間だけ年相応の顔になる。

「あたしの話は本当のことですよ。最初に申し上げたじゃないですか。先生の奥様が、あたしの母が愛人かと思って包丁を持って乗り込んで来たことがあるって。あの時に、間違えたことに気付いたんでしょう。奥様はうちには二度といらっしゃいませんでしたけど、そういう方なんですよ。緑川先生が好きで好きでしようがないから、すごい焼き餅焼き。でも、まさか、子供のあたしが先生と仲良くしているなんて思いもしなかったでしょうし、小説に書いてあるのは、あたしのことではありませんの、残念ながら。先生は小説にもできない秘密を、あたしと共有されたんですよ」

茂斗子は笑ったが、小説にもできない秘密は秘密ではない、とタマキは思った。作家は真の秘密を小説で何度も描くのだ。茂斗子とのことが緑川の秘密ではないのだとしたら、茂斗子の創作か、とタマキは愕然とする。が、真偽の確かめようもないのだった。

茂斗子が立ち上がった。

「あたしはこれで失礼します。猫ちゃんたちが待ってますから」

ここで茂斗子から聞き出せなかったら、もう何の伝《つて》もない。タマキは追《お》い縋《すが》った。

「ちょっと待ってください。緑川未来男は、あなたの他に誰と付き合ってたんですか。

ご存じでしたら、教えてください」

タマキは、「○子」の正体が知りたい。『無垢人』では「○子」と書いてあるだけで、名前も職業も、どんな人間かもわからないのだ。しかし、何度か緑川の家に現れ、妻の千代子とやり合ったりするから、「○子」には薄気味悪いほどの存在感があるのに、何もわからないのだった。緑川は、小説上で抹殺を行った。「○子」は、小説に書かれるだけ書かれて、その後をどう生きたのだろうか。夫婦の修羅場を知って安堵したのか、それとも千代子の激しい嫉妬に虚しくなったのか。茂斗子はその後、存在すらもまったく知られずに写真だけが出回り、「○子」は『無垢人』によって有名にはなっても、実体は皆目わからない、幽霊のような存在になっているのだった。

「だから、あたしは何も知らないんです」

茂斗子は手を振って、予想外の素早さで階段を下りて行く。タマキは急いで後を追ったけれども、茂斗子があからさまに迷惑そうな素振りをするので、さすがに留まった。タマキは茂斗子の背中を見て、溜息を吐いた。この先、何をどう調べればいいのか、見当が付かない。

それにしても、茂斗子の口から語られる緑川未来男は、自分勝手な男だった。美しい少女の茂斗子をひと目見て気に入り、家に上がり込んで六年間も弄んだ。そして、茂斗子が大人になりかかると、つまらなくなって遠くへ去った。性的関係を持つほど踏み込むことはせず、性的な遊びで茂斗子を焦《じ》らせ、処女のまま閉じ込めたのだ。今の世なら、犯罪者扱いされそうな付き合いだったのに、茂斗子の口調には、緑川に対する尊敬と愛情がある。果たして、「○子」はどうであろうか。存命なら、是非会ってみたい。タマキは緑川未来男を取り巻く女たちに、心惹かれて止まないのだった。それは、『無垢人』という小説に取り憑かれていることでもあった。

タマキは『無垢人』を書棚から取った。奥付は、昭和四十八年初版発行となっている。だが、『無垢人』は、昭和二十年代後半に、緑川に愛人がいることを知って狂乱する妻の千代子と、次第に壊れていく家庭の様子を描いたものだった。その描写が鬼気迫るために、緑川は実際に起こったことをそのまま書いたのかと驚かれ、かつ呆れられたのだった。なぜ、そこまで赤裸々に自分の妻を、家族を、書けるのか、と。たとえ、緑川の創作だとしても、実名で出ている以上、世間はそうは思わないのだから、やはり家族を傷付けることになろう。それとも、作家の妻や子供でいることも、ある運命なのだから甘んじて受けろ、ということだろうか。

タマキは『無垢人』に激しく引き付けられると共に、その率直さ、愚直さに嫌悪も感じるのだった。が、その嫌悪は、緑川未来男個人に向けられたものではない。小説そのものに対してだった。緑川も何かに突き動かされて書いているのだ。小説という虚構が、次々と人を吸い上げ、血祭りに上げていく。

　次に掲げるのは、『無垢人』の冒頭である。


　神田に出たついでに、印鑑証明用の印鑑を作ろうかと思い付いて、印鑑屋の店先を覗いた。気に入った物は布張りの箱に入った立派な物ばかりで、どうにも高くて手が出ない。それでも立ち去りがたくて、ぼんやりとウィンドウを眺めていた。

　河倉書房にゲラを戻しに行ったのに、担当のT君が席を外したまま戻らなかったことで、心が乱れていた。わざとなのか、それとも偶然だったのか。あらかじめ、午後に行きます、と電報を打っていたのだから、間違えるはずはないのに。編集部の隅のソファで小一時間待っていたが、女の子が気の毒そうな顔をして何度も茶を替えに来るので、心を決めて立ち上がった。

　T君に、僕の原稿についての意見を聞こうと思ったのに、張り合いのないこと甚だしい。同人のKが、芥川賞の候補になったとも聞いているし、何となく意気消沈している。このまま当《あ》て所《ど》なく小説を書いていても、何とかなるのだろうか。Kが芥川賞を取れば、「取水」から二人目だ。ますます「取水」への注目度も上がるのだから嬉しいはずなのに、心は弾まないのだった。

　僕があんまり眺めているものだから、奥から店主が現れて手招きした。やむを得ずに店内に入った。すると、「これ、どうですか」と親指ほどの太さの、赤い斑《ふ》の入った灰色の石を見せた。「鶏血石です」と、一人で悦に入って頷いている。値段を聞いたら、一万円だと言うので驚いた。が、すぐに帰るのもどうかと思い、ぐずぐずした。柘植《つげ》で一本作ろうかと、別のショーケースを眺める。すると、店主が先ほどの鶏血石を見せて、「五千円にしますよ」と言う。いきなり半額はないだろうと思い、「二千円なら貰うよ」と言ったら、構わないと言われて、仕方なしに印鑑を作る羽目になった。が、これだけの石なら篆刻《てんこく》家に出さなければならない、という。篆刻代を合わせると五千円もかかる。怒る千代子の溜息の熱さを、肩口で感じるような気がして、僕ははっと顔を上げた。しかし、もう遅い。出来上がる三週間後に取りに来ることにして、有り金を全部払った。

馬鹿な金の遣い方をした、と千代子が怒るに決まっていた。僕は駅前のマーケットなんかを覗きながら、少し遅めに家に戻った。六時過ぎだった。が、家の中は、真っ暗だ。千代子はこんな時間になるまでどこに出掛けているのか、と今度は千代子に腹を立てて、玄関に入った。すると、薄暗い三和土《たたき》の上に尻を付けて、多佳子と三千子が下駄で遊んでいた。汚いよ、と声を掛けて三千子を抱き上げ、多佳子の手を引いて家に上がる。電灯を点け、千代子を探したが見当たらない。陽平はベビーベッドで寝ていたのでほっとして、書斎に入って電灯を点けた。僕は、あっと声を上げた。畳の上に、千代子が仰臥《ぎょうが》していたのだった。それも、僕の日記を開いたまま顔の上に載せている。

「どうしたの」

慌てたが、平静な声がうまく出た。千代子がしばらく黙っているので、もしかすると死んでいるのかもしれないと思ったほどだった。横に跪《ひざまず》いて、日記を持ち上げると涙で顔をぐしゃぐしゃにしたまま目を開けている。僕はぎょっとして飛びすさった。戦場で目を開けたまま死んだ兵士を見たことがあるが、そのことを思い出したのだった。

「びっくりした。死人みたいだよ」と言うと、千代子は「あたしは死んだも同然ですから」と答えて、嗚咽《おえつ》し始めた。そして、いきなり起き上がり、僕の頬を平手で打った。

「あなたって最低、ほんとに最低。軽蔑します」

千代子が示しているのは、○子と産婦人科に行った、という件《くだり》だった。しまった、と後悔したが、もうどうにもならない。こんなことを日記に書く自分が大甘なのだ。千代子を舐《な》めていた、とは思わなかった。むしろ、千代子は人の日記を盗み読むことなどすまい、高潔であろう、と思っていたのだった。だが、人間は嫉妬の前においては何でもする。いや、情痴と言うべきか。

「あなたはあたしを捨てて、○子と暮らしたいんでしょう」

「そんなことはないよ」

「そんなことがないはずがあるもんか。だって、だって、ここをご覧なさい」

もう示さなくてもわかっていた。が、千代子は必死の形相で指に唾を擦り付け、日記のページを繰って、僕が書き付けた箇所を探している。

「ほら、ほら」

〇子を堕胎させて帰る道すがら、僕は無言で俯《うつむ》く〇子の手を握り、こう囁いたのだった。いつか必ず一緒になるから、僕を信じて、ほら。千代子のささくれた細い指は、その行をしっかと指して微動だにしない。ほらほら、ほらほら。あなたはこんなこと言ってる、と。

「その時はそう思ったんだから、仕方ない」

事実だった。が、僕の弁に千代子が泣きながらむしゃぶり付いてきた。

「酷《ひど》いじゃないか、そんなことを一度でも考えるなんて。絶対、許さないよ。あんたに付いて来たあたしはどうなるんだ」

僕の着ていた開襟シャツのボタンが撥ね飛んだ。ランニングの伸びた生地に指がかかって、さらに伸びる。僕はその手を振り払った。

「やめなさい、生地が伸びるだろう」

そんなこと、どうでもいいじゃないの。食いしばった歯から、こんな言葉が洩れた。

僕らは揉《も》み合った。千代子の爪が頰を掠《かす》めたのにむかっ腹が立って、僕は千代子の胸元を軽く突いた。千代子は予想外に激しくよろめいて、タンスの角に腰を打って、仰向けに倒れた。大袈裟だった。千代子がどうと横向きに体を投げ出して泣きだした。後ろから大きな泣き声がしたので振り向くと、部屋の入り口に多佳子と三千子が立って、一緒に泣いているのだった。
地獄だ、と僕は思ったが、そんなものはほんの始まりでしかなかった。その夜から、僕と千代子はわけのわからない、そしていつ果てるとも知れない闘争に入ったのだった。愛憎と言えば、聞こえはいい。確かに、愛情が下敷きになっているからこそ、千代子は嫉妬するのだが、それだけではなく、傷付けられた獣が吠え狂っているような気がして怖ろしかった。そして、妻の尊厳を傷付けた男は、ぱっくり開いているらしい傷口をどうにもすることができずに、ひたすら千代子の機嫌を損じないようにと念じて暮らしている状態だった。

（緑川未来男『無垢人』より）

タマキはこの箇所を読む度に、青司を思い出した。「その時はそう思ったんだから、仕方ない」。一言一句違わない言葉は、まるで青司が『無垢人』を愛読していて、その台詞を借用したかのように見事に一致しているのだった。つまり、「あの時、あなたはこう言った」と責めたところで、約束や誓いなどに何の責任も負わなくていい関係なのだ、と暗に言われているに等しいのだ。とはいえ、「その時はそう思った」とは、恋愛の本質でもある、とタマキは思った。恋愛は時間の経過に堪えられずに、密かに変質していく。腐敗と言ってもいい。ガスが溜まり、一気に爆発する。爆発後は、二人とも、てんでんばらばらに投げ出され、周囲を見回すとまったく違う荒野が広がっている。

4

数日後、出版担当編集者・中城洋一が、次回作の打ち合わせにやって来た。西塔は所用で来られないという。タマキは、茂斗子の取材の結果を伝えた。中城は、手帳にメモを取りながら興味深そうに聞いていた。

「薄気味悪い婆さんですね」

実際の茂斗子を見たら、若い中城はやはり「婆さん」と呼ぶだろうかと、タマキは考えている。

「茂斗子さんの言うことが本当かどうかもわからないし、混乱の極みです。もうどこに行ったらいいかわからない」

「じゃ、またどん詰まりになっちゃったんですね」

「そういうことです」

タマキは、熱いコーヒーを火傷しないように注意深く口に運んだ。二人は渋谷マークシティのスターバックスで打ち合わせをしている。タマキは落ち着かないから嫌だったが、中城が急いでいるというので、駅ビルでの待ち合わせに妥協したのだった。

「僕の方も、同人誌関係とか存命の人に当たっているんですけど、みんな口が堅いです。あの『無垢人』に関しては、何かタブーがあるんでしょうかね」

中城が、あまり切迫感のない様子でのんびり言った。

「ところで、聞いてもいいですか。前に仰っていた阿部さんとのことなんですけど。あのう、どうしてタマキさんは、脅迫状というか、あの怪文書が来て嫌だったんですか」

タマキは言葉に詰まった。こんなことを説明しなくてはならないのかと正直、面倒臭かった。中城がタマキより二十歳も年下の編集者だとて、そのくらいは想像力を働かせて貰いたかった。悪意ある匿名の手紙には、確実に打ちのめされる。顔の見えぬ不安で尋常に暮らせなくなるし、夜の街を歩くのさえ躊躇《ためら》われるのだ。

その手紙は便箋二枚にわたって、このようなことが書いてあった。三月二十日午前一時四十分、車で通りかかったら喧嘩を目撃した。顔を見ると、作家の鈴木タマキではないか、そんな立派な小説家が人に乱暴してもいいのだろうか、とあった。そして、タマキの本を好きなファンではあるものの、今日の姿にはショックを受けたから、これでは不買運動もやむを得ないのではないか、と結んでいた。署名は「夜目の利く一ファン」だった。

タマキが何より怖れたのは、手紙が速達を装って、夜中にタマキの自宅の郵便受けに直接投げ込まれていたことだった。タマキは投函される音と、青司の声を聞いていた。

「え、聞こえたんですか」

中城はぎょっとしたように言った。その声音には、タマキの言を疑う色があった。男は皆、胡散《うさん》臭い顔をする。しかし、それは本当だった。

その晩は、翌朝早くから美容院を予約していたので、たまたま早く寝たのだった。翌々日、国際ブックフェスティバル出席のために、青司の上司である役員らとフランクフルトに行くことになっていたのだ。タマキの書斎は、木造住宅の一階の玄関脇にあって、門扉に据え付けられた金属製のポストの音がよく響く。タマキは、早朝必ず、朝刊の投げ込まれるポトンという音を聞く。それも、午前四時半と決まっていた。

その夜、タマキは夢現《ゆめうつつ》で青司の声を聞いたように思った。喧嘩からひと月以上経っていたから、薄らぼんやりと「あれ、青司がうちに来ている」と思ったのだった。青司の声は、「早く入れろ、早く入れろ」と誰かに囁いていた。部下を叱るような切迫した声だった。すぐに、ポトンとポストに何かが落ちる音がしたので、タマキは枕元の時計を反射的に眺めた。朝刊には早い、と思ったからだ。やはり、まだ午前二時半だった。

翌朝、そんなことなどすっかり忘れ、朝刊を取りに行った。すると、朝刊の下に薄茶の大きめの封書がある。その時も、青司の声やポストの音などは、すっかり失念していた。だが、封書を手にして不吉な気がしたのは事実である。上部に赤いボールペンで乱暴に線が引いてあるのは、速達の印だろう。切手もたくさん貼ってある。だが、「鈴木タマキ先生」と黒いボールペンで筆圧強く書かれた筆跡が禍々《まがまが》しく感じられたのだった。異様に丁寧で、年配者が力を入れて書いたようにも見える。裏を返すと、「都内世田谷区在住　鈴村玉男」とある。鈴木タマキのもじりだとすぐにわかった。気味悪さに手が震えた。タマキは部屋に戻って、注意深く鋏《はさみ》で封を切り、中身を取り出した。便箋二枚にワープロ打ち。しかも、悪質なことに、古切手を貼って郵便物に見せかけていたのだった。

タマキが親しい編集者に電話すると、話を聞いていた男性編集者は開口一番「阿部じゃないですか」と言った。タマキには、青天の霹靂《へきれき》だった。お目出度いことだが、青司にそこまでの仕打ちをされるとは、まったく思ってもいなかったのだ。タマキは、午前中美容院に行っても、まだ首を傾《かし》げていた。しかし、不意に夜中の声を思い出し、悲鳴を上げそうになった。それに、手紙の内容も不自然だったことに気付いた。喧嘩していた場所と、車から目撃したという場所が違う。夜中、通りすがりの車から顔を確認するというのも、おかしな話だった。また、普通のファンが、非公開のタマキの自宅を知っているはずもない。もし、調べたとしても、ただの嫌がらせのために、そんな危険を冒すだろうか。

青司の仕業だとしたら、一番辻褄が合うのだった。まず、出版社に勤めているから、クレーマーの実態をよく知っている。クレーマーの薄気味悪い文章も、尻尾を摑まれない方法も知っている。タマキの自宅も知っているし、タマキの生活スタイルも知っている。翌日から、青司の社の人間と海外旅行に出ることも知っている。タマキが、その手の手紙に怯えることも知っている。何もかも知っている青司に疑いがかかるのも、無理はなかった。

しかし、何よりもタマキを打ちのめしたのは、脅迫状から立ち上る憎しみの気配だった。憎い憎い憎い憎い。恨んでいる恨んでいる恨んでいる。それも、青司ならば、符合するのだった。タマキに家庭を滅茶苦茶にされ、会社での立場を汚され、これ以下はないところまで落ちた、と思っているのだろう。タマキも青司を憎み、青司もタマキを憎み、腐敗はどうしようもないところまでいって、ぱんと大きく破裂したのだった。

しかし、もし本当に青司がその手紙を出したのだとしたら、青司がタマキを憎む度合いは、タマキが青司を憎む度合いを遥かに上回っていたことになる。青司は、本気でタマキに対する復讐をあれこれ考えていたのだろう。その理由は、自分の家族をタマキによって損ねられたからなのだ。一時は、タマキを選ぼうとさえしていた男が、こうなるとは。青司は、タマキとの過去を「抹殺」した。緑川未来男は、日記から愛人の存在が千代子にばれて、「〇子」の存在そのものを消し去った。

「何でそんな風に思うの」

タマキが中城に聞くと、中城は眉根を寄せて聞き返した。

「そんな風って」

「脅迫状が来たら気持ち悪いし、嫌じゃない」

「ああ、そうですね」中城は頷く。「でも、僕は先方の関心を感じて、嫌じゃないかもしれません」

思ってもいない答えに、タマキは考え込む。しかし、あの手紙には憎しみしか感じられなかった。どう考えればいいのだろう。

「前に話されていた、阿部さんとの再会はどうだったんですか」

タマキは我に返った。

結局、再会ではあったものの、脅迫状の話から急に、青司のこれまでしたことについて、ひとつひとつタマキが質《ただ》す形になったのだった。

「じゃ、詫び状の中のサインは誰がしたの」

タマキは、青司の原稿放擲《ほうてき》に対する謝罪を文書で頂きたい、と希望していた。数カ月遅れて来た謝罪の手紙は、面妖な代物だった。封筒の宛名書きも裏書きも筆耕の字。まるでパーティの招待状である。そして、謝罪文はひと言も自分が悪いとは書いておらず、謝罪もなく、事実を羅列したのみ。最後の名前のサインが、最も悪質だった。よく見知った青司の筆跡ではなく、「阿部青司」と書いたのは、明らかに青司の左手か、赤の他人だった。嘲笑う意志が透けて見えて、薄気味悪かった。

「俺が書いたんだよ」

青司は困ったように笑って言うのだが、もう終わったことじゃないか、という甘えが感じられた。

「サインが別人だったから、誰が書いたのかと思ってびっくりした」

「俺が書いたんだけどさ。いやあ、みんなが謝れ謝れって、うるさく言うから、頭に来てやったんだよ」

これも、青司らしい復讐だった。上司から言われれば仕方なく謝る振りをしなければならない。しかし、それも癪だから、何とかタマキに嫌な気持ちを与えるべく努力をする、というわけだ。怪文書と同じだった。すべては、タマキの気分を損ねるための所業なのだ。タマキはだんだんと虚しくなってきた。やはり、ここにいるのは、かつてよく知っていて好きだった男ではもうない。文芸に興味がないとか、禁煙しているとか、そんな瑣末《さまつ》なことではなく、根本から違っているのだった。タマキは、青司が邪悪を全開にして、こちらに振り向けたことが衝撃だった。自分たちの見失ったものは取り返しが付かないほど大きく、青司と話していると憂鬱になった。タマキは時計を見ながら言った。

「そろそろ帰るね、私」

青司は一緒に立ち上がったが、タマキの急変にやや戸惑っている様子だった。確かに、会って、まだ一時間しか経っていなかった。コーヒー代を青司が支払い、タマキはホテルの廊下で待っていた。青司が追い付いて、明るい顔で言う。

「今度、メシ奢《おご》ってよ」

コーヒー代を払わされたからだろうか。タマキは何も言わずに頷いた。タクシー乗り場で、じゃ、と手を挙げて乗り込もうとしたタマキの背を、青司がそっと撫でた。振り返ると、にこにこ笑っている。それが最後だった。

翌朝、青司からメールが来ていた。筆名ではなく、「鈴木裕美子」という本名の方を使っていたのは理由でもあったのだろうか。

鈴木裕美子さま
昨日はありがとう。いまだに現実感がないというか、何か不思議な感じです。
この一年は何だったんだろう、会えばあっという間にこの一年間がなかったような、まぼろしの一年間だったような、何とも言えない気持ちです。
また会える時を楽しみにしています。

じゃあね。
阿部青司

阿部青司様
こちらこそ、短い時間でしたが、お会いできて嬉しかったです。
私も浦島太郎のように、昨年の自分の狂乱ぶりを不思議に感じました。そして、一年ぶりに会うあなたも、違う人になってしまったようで、少々戸惑いました。
まず、煙草を吸わない。そして、文芸には興味がない。(仕方のないことでしょうが、私は寂しいです。私が命を懸けている生業ですので。この、命を懸けている、という言葉も、今のあなたには笑止かもしれないとも思いました)
あなたも、私も、昨年は何と馬鹿馬鹿しい目に遭ったのだろうか、と思わずにいられませんでした。しかし、そうしなければ、私は生きていけなかったのです。
なぜ、何のために、そしてどうなるのかわかりませんが、またお会いしましょう。ではまた。
鈴木裕美子

鈴木裕美子様

馬鹿馬鹿しい世の中、そして人生で、逃避したり、諦めたりしないで生きなければいけないと思っています。ですから、命を懸けるという言葉を笑止だとは思いません。

が、
私はもっと笑いながら生きていたいです。

タバコを吸わない私も、文芸に興味のない私も、私は私ですよー。

では、また。

阿部青司

最後のメールがタマキを打ちのめした。青司だけでなく、自分も相手を抹殺したのだと感じたせいだった。茂斗子は茂斗子のやり方で、「○子」は「○子」のやり方で、緑川未来男を「抹殺」したのかもしれない。

第三章　『無垢人』（緑川未来男作）

1

郵便屋が来る時刻だった。行くと言ったまま、しばらく動けなかったので、焦《じ》れた○子からそろそろ手紙が来るかもしれない。そう思うと気もそぞろで、机の前になど座っていられなかった。ポストを見に行こうと玄関に向かったところ、雨降りで遊びに行けない多佳子と三千子が、上がり框《がまち》で広告紙を折ったり、破ったりして遊んでいた。

「お父さん、どこ行くの」

多佳子が尋ねるので、つい答えた。

「郵便屋さんが来たかどうか、見に行くんだよ」

台所に居たはずの千代子が、突風のように走り出て来た。気迫が漲《みなぎ》って、その勢いたるや凄まじい。しかも、大根の皮でも剝《む》いていたのか、右手にはまだ皮剝き器を握っている。子供たちが、呆気に取られて母親を見上げた。いつもと違う母親を感じたらしく、目の端に怖れが浮かんでいた。

「郵便はあたしが取りに行くから」

有無を言わせぬ口調にたじろぎ、思わず千代子の赤らんだ顔を見た。千代子は平然と見返してくる。僕らは、しばし見つめ合った。こういう女だっけ。千代子を見失って久しい気がした。三年を措《お》かずに三人もの子を出産したせいか、体に付いた肉が取れる暇がないのだろう。出会った頃の細い腰をした女とは、別人のような変わりようだった。それに、子を産ませたのは僕なのに、女という性の責任のような気がしてならなかった。それに、立派な母親となった千代子が、女としての自分を主張するのも腑に落ちない。そんな理不尽な思いが僕の身裡《みうち》を満たしているのだった。

割烹着の下は、臙脂色《えんじいろ》の分厚いセーターに、茶色のウールスカート。重苦しい色合いだった。千代子は、郷里の北海道から持参した冬の普段着を、まるで制服のように毎日着ている。それも、稼ぎの悪い僕のせいかもしれないのに、なぜか千代子の色彩感覚は少々おかしい、と違う方向に怒りが向かうのだ。寒色と暖色、彩度と明度の組み合わせが、何とも居心地悪い。幼稚園に通う多佳子の服装も、少し気を付けてやらねば、馬鹿にされるのではないか。桃色と群青色など、考えられないような組み合わせの色の服は下品だ、等々。そんなことまで思い至った。ふと、千代子の履いている、黒い靴下の踵が丁寧にかがられているのに気付いた。ああ、と溜息が出た。疎ましかった。以前は、すべてがいじらしく健気に感じられたものだが、その以前とは、いったいいつ頃だっただろう。そんなことを考えていると、千代子は、僕の無遠慮な視線に抗《あらが》うように、四角い顎を上げた。

「何見てるの」

「別に」

千代子は忌々しそうに、持っていた皮剝き器を下駄箱の上に置いた。木製の古い皮剝き器は、千代子の器用な祖父が、ベイマツの破片で何本も作ったうちのひとつだった。千代子の実家は、帯広で林業を営んでいる。僕が通信社に籍を置いていた時代、その帯広支社で千代子と知り合ったのだ。たった二人の記者しかいない帯広支社で、千代子は事務員をしていた。

帯広時代の懐かしさも手伝って、僕は、小さな鉋《かんな》に似た道具をしげしげと観察した。千代子は身を屈《かが》めて、下駄箱の下に潜り込んだらしい自分の下駄を探している。僕は、皮剝き器を指差した。

「この皮剝き器はよく出来てるね」

千代子が顔を上げた。射るような視線だった。

「誤魔化さないでよ」

「誤魔化してなんかいない。何を誤魔化すんだ」

千代子は眉を顰《ひそ》めた。

「あなたはどうしてポストを見に行くの」

「ゲラが来ないかと思ってだよ」

「いつもはあたしに行かせる癖に」千代子の目が据わり始めた。「○子から手紙が来るんじゃないかと心配してるんでしょう」

「何言ってるんだ、いい加減にしろよ」

今度は恫喝《どうかつ》しようと、声を荒らげてみせた。だが、千代子は動じないどころか、ますます挑戦的だった。

「ねえ、あなた。今、あたしのことをジロジロ見てたけど、あたしが不細工になったと思ってるんじゃない。子供を産ませておいて、それはないんでない」

図星だったことに後ろめたさを感じながらも、僕は平然と嘆息した。

「思ってないよ。何だよ、きみは最近変だよ。被害妄想って言うんだ、そういうのを」

「妄想かしら。違うわよ、あなたは本気で思ってる」

千代子は自信ありげに言う。僕は僕で、千代子の勘の良さが腹立たしく、何とかやり込めて嘲笑ってやろう、とまで思う。

「妄想だよ。一から十まで妄想だ。きみは、妄想で人を縛ろうとしている醜い人間だよ」

案の定、千代子の横顔が歪んだ。

「あたしが醜いって言うのかい。じゃ、あんたは嘘吐《うそつ》きで、だらしのない人間だあ。あたしを傷付ける、本物の悪人だべさ」

千代子が急に北海道弁で罵ったので、僕は見知らぬ女から突き放されたような気がした。

「だからさ、そこがお前の妄想だって言うんだよ」

千代子は辺りを圧倒するような勢いで、傲然《ごうぜん》と首を振った。

「違う、妄想でない。あんたが○子を堕胎させたのは、ほんとでないかい。○子と付き合ってたのは、ほんとでないかい」

「本当じゃないよ」

「じゃ、あの日記に書いていたことは何なんだあ。その時はそう思ったたって言ったばかりでないかい」

僕は沈黙した。他人の日記を盗み読むことの是非を問うことくらいしか、反論できないのはわかっていた。しかし、盗み読みに対して非難したところで、ばれた以上、もう何の意味もないのだった。あれは創作だ、と言ってみようか。

「蒸し返すなよ」

やっとの思いでひと言言うと、千代子が急に叫びだした。

「何言ってるのさ。何が蒸し返す、だ。あたしは一生言ってやる。あんたは汚いよ、凄く汚い。前は、そんな人じゃなかったよね」

「やめろよ、外に聞こえるじゃないか」

肩に手を置くと、乱暴に振り払われた。千代子は、汚い、汚い、とヒステリックに繰り返して、頭を振っている。多佳子と三千子は口をぽかんと開けて、またも壊れ始めた母親を眺めている。顔に恐怖がこびりついていた。先夜の繰り返しになりそうだ。嫌な心持ちがして、僕はたちまち反省した。何とかして自分の腹立ちを抑えなくては、千代子がだんだんおかしくなる。今だって知らない女なのに、これ以上、知らない女になったら、僕は怖ろしくて一緒に住めない。

「あんたは汚い人間だし、裏切り者よ。あたしを一生愛するって言ったじゃないか。あたしのことを宝物だって言ったじゃないか。嘘吐き、嘘吐き。そうやってあたしを裏切って、平気な顔して、あたしを殺そうとするんだ。あたしなんか死んでしまった方がいいと思ってるんだろう」

「千代子、悪かった。ねえ、頼むからやめてくれよ」

だが、千代子は両手を頰に当てて、ムンクの絵のように叫び続けているのだった。あんたは汚い、汚い、裏切り者、裏切り者、と。千代子の肩を包み込むように抱いたが、千代子は激しく肩を捻《ひね》って僕の腕から抜け出した。そして、身を屈めて素早く、自分の下駄を摑んだ。僕に向かって投げ付けようとするので、慌てて毟《むし》り取る。落ちた下駄が裏返しになった。明日は雨か。子供の頃の天気占いを思い出し、僕はそんなことを連想する自分も変だと思った。

「やめろ、子供に当たったらどうする」

「関係ないべさ」

千代子は火が点いたような顔で、今度は子供たちを睨んだ。可哀相に、母親に睨《ね》めつけられた多佳子と三千子は、衝撃を受けたようにじりじりと壁際に後退して行く。怒りだした千代子は、手がつけられない。件《くだん》の皮剝き器を手に取り、僕に向かって投げつけた。皮剝き器は肩口に当たって、三和土《たたき》に落ちた。痛くはなかったが、千代子の祖父も自分の作った皮剝き器がそんな風に扱われているとは思わなかっただろう。僕は何となく可笑《おか》しみを感じて、千代子の狂乱を前に薄笑いを浮かべているのだった。千代子は僕に目を据えたまま、手探りで下駄箱の上の投げられそうな物を探していた。

「やめなさいよ」

僕は、千代子の充血した横目を覗き込み、やっとその手を押さえた。千代子が抵抗するので、満身の力で押さえ込む。千代子の目に悔し涙が浮かんだ。体を捩《よじ》って、絞るように声を張り上げた。

「ああ、悔しい。あんたは、女の力が弱いものだから、舐めてそういうことするんだろう。ほんとに、あたしが男だったらどんなにかいいか。あんたなんか、さんざん殴って酷《ひど》い目に遭わせてやるべさ」

その通りだった。家で子供の面倒も見ずに飯の支度もせずに、日がな一日原稿を書いて我儘《わがまま》放題できるのも、才能云々の前に僕が男だからだし、家事も育児もすべて千代子にやらせて、〇子と食事に行ったり、酒を飲んだり、楽しく付き合えるのも、すべて僕が男に生まれたからなのだ。僕が記者で千代子が事務員、付き合い始めた当時はまったく対等で、一緒に遊び暮らしていたのに、今や千代子は子供の世話と家事に追われ、細い指も太くなり、肝も据わり、違う女になってしまった。何もかもが前と同じではないのに、千代子は僕に愛されなくては嫌だ、自分は僕の最愛の女のはず、と叫ぶ。僕は、何だか千代子という女がひどく気の毒になって、力を抜いた。その刹那、顎の周辺を拳《げん》固《こ》で下から突かれた。不意を食らった分だけ、顎と、のけ反った首とが痛んだ。僕は、さすがにむかっ腹が立って怒鳴った。

「何するんだよ」

「いい気味だ」

千代子がもう一度殴ろうとしたので、僕は反射的に千代子の頬を張った。加減したつもりだったが、千代子は三和土にもんどり打って倒れた。もう少しで玄関のガラス戸に頭を突っ込むところだったから危なかった。僕は青くなり、千代子に近付いて懇願した。

「ごめん、悪かった。頼むから、抑えてくれよ。子供がいるんだから」

千代子は何も答えずに、俯《うつぶ》せになって、嗚咽している。僕と、多佳子と三千子は、泣きじゃくる千代子を無言で見下ろしていた。先夜はうろたえていた子供たちも僕も、実は、暴れ狂う千代子を持て余し始めている。この数日間で、千代子は皆に怖れられ、うんざりされていた。どうやったら、千代子の怒りが収まるのか予想がつかないし、いつその怒りが爆発するかもわからない。

千代子の後ろで纏《まと》めていた髪がほつれ、びっくりするような量の、黒く硬い髪が広がっていた。それが千代子の生命力の表れのように感じられ、僕は怖ろしさに後退《あとずさ》りする。こんなに髪が多い女だったか。こんなに背が低かったか。僕が結婚した女は、こんな激しい女だったのか。知らなかった。

千代子はもう二度と、美しくも、明るくもならないだろう。どんどん地底に落ちて行くのがわかっているのに、何も縋《すが》るものがなくて、茫然と滑り落ちるに任せているような、寄る辺ない気持ちだった。今まで生きていて、一度も味わったことのない、暗い思い。それは罪悪感というものとも違っていた。言うなれば、同志だった千代子と、大きな川の彼岸と此岸に別れたような寂しさだった。

何か物音を聞きつけたのだろう。噎《むせ》び泣いていた千代子が、動物のようにきっと顔を上げた。郵便が来たのだ。僕は慌てて下駄を履いたが、間に合わなかった。千代子が素早く起き上がり、素足のまま表に飛び出した。ついさっきまで泣いていたのに、変わり身が早くて白ける。その動物のような反応に、僕は項垂《うなだ》れたものの、忍び笑いが洩れた。ポストの扉を開ける軋《きし》む音が聞こえた。僕は郵便物のことなどとうに諦めて、ただ立ち尽くしている。強引に振る舞えば、僕に隠したいことがあるからだ、と勘繰られて揉めるのはわかっていた。困り果てて振り向くと、多佳子と目が合った。幼い娘は、何か言いたそうに唇を尖《とが》らせる。が、言ってごらんと言う風に目顔で問うと、そっぽを向いた。お母さんに叱られることとしたんでしょ、とでも言いたげな賢《さか》しらな顔だった。四歳の娘といえど、妙に勘のいい女ばかりが集まっている家は鬱陶しい。僕は下駄を履いたまま玄関先に立って、千代子がポストから戻って来るのを待っている。

玄関からたった十数メートルしか離れていないポストなのに、千代子はなかなか戻って来ない。○子の手紙が、千代子の手に落ちたのではあるまいか。そうなったら、○子の住所が知れてしまう。不安で堪らなくなり、とうとう表に出た。冷たい雨が顔に当たる。途端、千代子と鉢合わせした。千代子の体から、雨の匂いがした。雨の中、ポストの前に佇《たたず》んで、一心に僕に来た手紙を読む千代子を想像して、空恐ろしくなる。

「何してたんだ」

千代子は持っている郵便物を守るように胸の前で抱えた。大袈裟な所作だったので、僕は先日の喧嘩を思い出して不快になった。千代子を思わず突き飛ばしたら、タンスの角に腰をぶつけ、大仰にもんどり打って倒れ、なかなか起き上がらなかったことだ。子供じみている、と思った。不意に、新婚の頃、千代子がおおっぴらに甘えていたことを思い出した。千代子は、子供のようにいつも、僕の上着やセーターの裾を摑んで歩いていたのだった。初めて見る東京が広くて、人が多くて怖い、と。

「手紙来てるよ」

千代子は僕の手に捻じ込むように、葉書を二枚渡した。千代子の検閲を無事終えたらしい。僕は裏を返した。一通は同人誌「取水」の定期総会の報《しら》せだった。もう一通は、神保町の蘭田印形店からだった。先日は注文賜って有難うございます、見事な鶏血石に相応しい篆刻《てんこく》案が二案できましたので、どちらがいいか、近日中に来店して決めて頂きたい、という内容だった。

「これだけか」

千代子が頷いた。本当だろうか、と割烹着のポケットの辺りに目を遣った。勝ち誇ったように千代子がポケットを手で押さえて言った。

「この中にあったら、どうする」

「何のことだか、さっぱりわからない」

不安だったが、平然と書斎に戻ろうとした。すると、千代子が僕に纏わりついて質問を浴びせた。

「ねえねえ、印鑑作ったの。鶏血石って何。幾らだったの」

「安物だったからね、千円くらいだよ」

嘘を吐いたが、千代子は暗い顔付きになった。

「高い。あなたは、あたしたちがいつもお昼に何を食べているか、知ってるの」

「さっき、一緒に食べたじゃないか」

僕は辟易《へきえき》して答えた。大人二人と子供三人でうどん玉ふたつを分けて食べた。それでは足りないので、僕が朝買って来たパンと牛乳。

「僕はお腹いっぱいだよ」

「今日は、あなたがいるから、ちょっと張り込んだのよ。あたしと子供だけだったら、もっと質素よ」

「わかったよ。でもさ、印鑑くらい作ったっていいじゃないか。僕だって、サインすれば、気取った落款《らっかん》を押したいと思うことはあるよ。でも、金がないから作ってないんだ」

「そんなの、サインだけしとけばいいべさ」

千代子が語気荒く言い捨てたのが、癇に障った。僕は腹いせに、蘭田印形店まで出向くつもりになった。特に今日でなくても良かったが、言い逃れができる時にしておかないと、この先どうなるかわかったものじゃない。そして、そのまま近所の河倉書房に行って、編集担当のT君と会い、あわよくば「ライオン」でビールでも飲ませて貰い、◯子のところに寄って事情を説明しておかなければ、と思った。千代子に何もかもばれたことを報告し、当分連絡は取れないから、そちらも自重するように、と言っておかねばならない。でないと、毎日郵便が来る度に、激しい攻防が起きるだろう。

「印鑑を決めてくる。要り用になりそうなんだ」

外出の支度をしていると、千代子が普段着のままで、一緒に行きます、と言いに来た。僕は驚いて腰を浮かせた。子供はどうする、と聞くと、多佳子に三千子と陽平の面倒を見させると言う。多佳子はまだ四歳だ、馬鹿なことを言うな、と僕が怒鳴ると、千代子が叫んだ。

「何が馬鹿なんです。あなたは外で何をしてるんですか。あたしが家に閉じ込められていると思って、いい気になっているんじゃないですか。たとえ子供が死んだって、あたしはあなたに付いて行きますから」

またも尋常ならざる気配を察して、三千子が泣きべそをかいている。陽平もベビーベッドの端を掴んで立ち上がり、訳がわかっているかのような不安そうな表情で、僕らを眺めているのだった。多佳子だけが妙にしんとして、大人たちや妹、弟を観察している。

「じゃ、みんなで来ればいい」と、僕は叫んだ。どうにでもなれ、という気分だった。

結局、隣家の女子高生が子供たちを見てくれるというので、千代子だけが同行することになった。

僕は電車の中で千代子から離れて座ろうとしたが、千代子はぴたりと寄り添って来る。そして、窓際に立つ女や、向かい側の座席の女について、僕に囁くのだった。

「ねえ、あの人、どうですか。若いし、あなたの好みでしょう」

「いいね、綺麗だね」

とでも、うっかり答えようものなら、一気に豹変するだろうから、怖くて何も言えない。なのに、黙っていても、千代子は僕の顔を横から覗き込んで詰《なじ》るのだった。

「やっぱりそうだったんですね。あなたって、ほんとに油断も隙もない」

「何も言ってないよ」

「言わなくても、あたしにはわかるんです」

果ては人前でも泣きだしたりするかもしれないから、要注意だった。僕はびくびくしながら、それでも必死に平気なふりをしていた。

御茶ノ水駅で降りて、神保町交差点の角まで歩いた。蘭田印形店は、路地を九段下の方向に行った先にある。千代子は普段着、つまり臙脂色のセーター、茶色のスカート、継ぎの当たった黒い靴下、といった姿で、後からひたひたとついて来る。僕の愚かだった青春や、忘れたくて堪らない過去がどこまでもくっついてくるようで、不快だった。が、一方で、小説を書く僕の、犠牲になっている妻を捨て去りたいなどと言えるのか、と自分を責めてもいる。僕は自分勝手な最低の男かもしれない。そう思って、居ても立ってもいられなくなる。哀れに思って振り向くと、千代子はあちこちの古本屋や定食屋などを珍しそうに覗き込み、楽しそうでもあった。僕は、蘭田印形店を指差した。

「あそこだから、ここで待ってて」

ガラス戸を見た千代子は、素直に頷いた。逃げる裏口などないことを、確認したせいだろう。僕は印形店に入り、店主から篆刻案を見せて貰って、なるべく簡潔な方に決めた。店主があれこれと説明したがったが、僕は店の前に千代子が立っているので、気もそぞろだ。僕の視線の先を認めて、「お連れさんですか」と店主が尋ねたが、僕は何も言わずに言葉を濁した。千代子がみすぼらしい形《なり》をしているからだけでなく、その顔貌に表れた余裕のなさから、自分たちが陥っている醜い争いを見透かされるのが恥ずかしいのだった。

「どんな判子なんですか」

僕が店を出た途端、千代子が寄って来て聞いた。店主がこちらを窺っているのがわかっていたので、僕は何も言わずに歩きだした。どうして千代子は、神経が粗いのかと苛《いら》立《だ》ちながら。ああ、僕は人として男として、妻という一人の人間を卑しめているのはわかっているのだった。なのに、妻を救うことはもうできない、とわかってもいた。僕が身を慎んだとしても、いったん地獄に堕ちた千代子は、もう二度と天国に戻って来ることはできないのだ。

僕は角を曲がって店主の視線を完全に遮ってから、千代子に篆刻案を見せた。千代子は鼻を鳴らした。

「何か安っぽくないですか」

僕は、「いいんだ」と言って、紙を仕舞った。落款など、どうでもよかった。が、千代子は、僕が落款のことを話したくないのを知って、意外そうな、裏切られた顔をした。要り用だから、とわざわざ外出したのに、と釈然としないのだろう。河倉書房のビルディングが見えたので、僕は千代子に命じた。

「受付で待ってなさい。三十分くらいで戻るから」

「一緒に行ったら駄目？」

千代子は僕の顔を窺った。

「何で」

「Tさんて、どんな人かと思って」

「男だよ」

僕は不機嫌になって、さっさと河倉書房の社屋に入って行った。一緒に入りそびれた千代子は、重厚な回転ドアの向こうでぐずぐずしている。僕は構わず、受付の女性に挨拶してエレベーターに飛び乗った。千代子がどこでどう待つか、など気にしなかった。勝手について来たのだから、このままはぐれてもいいと思った。三階でエレベーターを降り、文芸書籍編集部の入り口から中を覗く。T君が窓際の席から僕を認めて走り出て来た。

「ああ、緑川さん。お会いできて良かったです。先日はすみませんでした。今ちょうど、詫び状を書いていたところだったんですよ」

先日は約束していたにも拘《かか》わらず、不在だったので内心不快だったのだが、T君が真心を籠めて謝っているのがわかったので、僕は機嫌を直した。

「下宿で水漏れ騒ぎがありましてね、どうしても立ち会う必要があったもんですから、本当にご無礼致しました。終わってから、急いで駆け付けたんですが、ちょうどお帰りになった後で、本当にすみません」

「そりゃ、大変だったね」

すんなりと労《ねぎら》いの言葉が出る。隅の応接セットに案内されて、僕はT君の聡明な額を見た。

「K君の芥川賞はどうだろうね。『取水』で二人目だから、『取水』が名を上げるチャンスだって、みんな言ってるよ」

「いや、その前に緑川さんが頑張らなきゃ。実力が違いますよ」

T君が煙草に火を点けながら言った。いやいや、とんでもない、と手を振った途端、女子社員の声が降ってきた。

「緑川さん。奥様がお見えですが」

声が大きかったので、その場に居合わせた十数人の編集部員が、はっとして入り口を見遣った。千代子が余裕のない顔で、僕を探していた。身を竦《すく》めて隠れてしまいたかったが、T君が素早く立ち上がって手を振った。

「奥さん、こちらです」

千代子がみすぼらしい普段着で、机の間を縫うようにこちらに向かって来る。僕は横を向いた。いくら僕が妻を裏切ったとはいえ、出しゃばり過ぎる。僕は自分の居場所が浸食されていくような不愉快さに堪えていた。T君が悪戯《いたずら》っぽい目で、僕を見た。

「今日は奥さんとデートですか」

「いや、まさか」僕はT君を小突いた。「ね、悪いけどさ。急いで、葉書を一枚くれないか」

いいですよ、とT君は軽く答えて、自分の机に戻った。その間に千代子は応接セットのある場所に到達した。

「突然消えるんだもん、焦っちゃった」

照れ臭いのか、言い方が子供じみていた。応接セット側に座っている部員が、ちらりとこちらを見る。僕は恥ずかしかった。太くなった妻の指先。不安そうに僕の上着の裾を摑んでいたのに。いや、最初は不安げでも、その後は甘える振る舞いを楽しんでいた指先。しかし、妻が夫との外出を楽しんでどこが悪いのだろう。僕の気持ちは千々に乱れた。千代子に対して、こんな風に思ったことはなかった。

「ここが編集部なんですね。皆さん、忙しそう」

千代子が気圧《けお》された風に周囲を見回した。「そうだろう」と、表向きは和やかに笑っている僕。T君が戻って来て、そっと葉書を手渡してくれた。僕はそれを背広のポケットに入れた。千代子にT君を紹介する。

「緑川がいつもお世話になっております」

T君が千代子の相手をしている間に廊下に出て、トイレに入った。僕は万年筆を出して、○子に手紙を認《したた》めた。

「前略　その後如何《いかが》。心配してます。こちらは不測の事態が起きました。千代子に要注意。お願いですから、連絡するまで動かないでください。未来男」

2

僕は、自分の書いた葉書を眺めているうちに、こんな物をいきなり送り付けられたら、○子はさぞかし不快な気持ちになるだろうと心配になった。どころか、妻が自分を殺しに来ると早合点して、騒ぎになるかもしれない。書き直そうかと迷ったが、葉書は一枚しかないし、別に間違ってはいないのだった。○子の住所を知りさえすれば、千代子が押しかけて行くのは間違いないのだから。とはいえ、この文面は我ながら不快だった。千代子の怒りにすべての原因があるかのように、書いているせいだろうか。自分が悪いのは確かなのだが、こうなったことの本当の原因がどこにあるのか、僕にはわからないのだ。

僕はぐずぐず悩み、決断できぬままに、鏡に映る己の顔を眺めている。脂が浮いて、余裕のない醜い顔が映っていた。隣で手を洗っている青年と、鏡越しに目が合った。薔薇色の頰をした若い社員だ。潑剌《はつらつ》として身だしなみがいいのは、営業部員でもあるのだろう。彼は、懐から糊の利いたハンカチを出して手を拭き、明るい面持ちで洗面所から出て行った。彼に清潔なハンカチを持たせるのは、母親か、新妻か。こんなことで悩んでいる自分が惨めに感じられる。僕は急に、○子に会いたくなった。

　廊下から、編集部の中を覗いた。部員が机に向かってゲラを読んだり、電話をしている向こう側で、T君と談笑している千代子が見えた。千代子は楽しそうに、口に手を当てて笑い転げていた。気付かない様子なので踵《きびす》を返し、廊下の端にある階段を一気に駆け下りた。何、構やしない。後で何か言われたら、うまく言い逃れてやる。昨夜から、千代子に責め立てられて縮かまっていたものが、急に空気が入ってどんどん膨らんでいく。このまま風船玉のように膨張して、どこか遠くへ飛んでゆきたい心持ちがしてならなかった。だが、僕がいなくなったことに気付いた千代子が、編集部で暴れでもしたら、と思うと、さすがに無断で行くのは躊躇《ためら》われた。僕は玄関ホールで逡巡《しゅんじゅん》し、とうとう受付嬢にT君の席に内線電話をかけて貰った。僕からと聞いて、不安そうな声でT君が出た。

「もしもし、今どちらにいらっしゃるんですか」

「受付だよ。T君、僕は急用を思い出したので、失敬するよ」

「でも、奥さんはまだこちらにいらっしゃいますよ」

　声を潜めたTが受話器を手で塞ぎ、振り返ったような気配がした。

「構わないよ。僕は急に用事を思い出したので、先に帰るように言ってた、と伝えてくれないか」

「僕が言うんですか。ご自分で仰《おつしや》ったらいかがですか。替わりますよ」

急に怖《お》じた様子でT君が言った。夫婦喧嘩に巻き込まれたくないのだろう。

「急ぐんだ。失敬」

僕は受話器を受付嬢に手渡し、河倉書房の重い回転扉を押して外に出た。師走の風が冷たい。取り返しのつかないことをしたような気がして、まだ迷っていた。だが、僕は決然とマフラーを巻き直した。逃げられたと知った千代子は、洗いざらいT君にぶちまけるのではあるまいか。それとも、家で暴れて子供たちを巻き添えにするかもしれない。しかし、それでもいい、と思う自分もいるのだった。そして、今なら引き返せる、と思う自分も。いずれにせよ、先夜の千代子の狂乱ぶりを見ると、ただでは済まない予感がして、背筋が寒くなった。僕らは、どうしてしまったのだろう。そして、どうなるのだろう。でも、自分を止めることもできないのだ。不安を必死に抑え、僕は国電の駅に向かった。


僕は、〇子の部屋のドアを叩き続けていた。応答がない。連絡もせずにいきなり来たのだから、外出していて会えないのなら仕方なかった。僕は葉書を取り出して、文面を読み直した。郵便受けに直接入れるつもりだった。が、読んでいるうちに言い足りない気がして、宛名の書いていない表側に加筆する。「君に会いに来たが、留守で残念。僕らのことがばれて、妻が怒っています。しばらくお目にかかることはできないと思いますので、誠に申し訳ないが、ご承知おきください」。ここまで書いたところで、背後から声がかかった。

「あら、ミッキーじゃない。どうしたの」

振り向くと、廊下の薄暗がりに、バッグを提げた○子が立っていた。華やかな黄色のコートを着て、黒い帽子に黒のマフラー、という洒落た格好で笑っている。古びたアパートのそこだけが、明るい光に満ちていた。会えたことにほっとして、無上の嬉しさを感じた。同時に、自分の妻がむさ苦しい形をして苦しんでいるのに、この女はこんなに軽々と洒落ている、となぜか妻が可哀相に思えてもくる。いったいどっちの味方をしているのかわからない、不思議な心境だった。

「どこへ行ってたんだ」

自分の声が刺々しくなるのを感じた。いつも部屋に居て、自分を待っていてほしいという勝手な気持ちもある。

「図書館に行って本を返した後、郵便局に回ったの」

その割にはお洒落しているじゃないか。不信の念が湧き起こる。僕は冷えた手をポケットに入れた。

「どうしたのよ、ミッキー。こんな時間に珍しいじゃない」

「ミッキーなんて、外で言うなよ」

○子が笑いながら、バッグから鍵を出してドアを開けた。僕は当然のように一緒に入った。週に一度は訪れる、よく見知った部屋だが、思いがけない時に来て、とんでもないものを発見するのではないかという怯えもある。僕は怖々《こわごわ》、部屋の中を見回した。長い時間、留守にしていたのか、部屋は冷え切っていた。午前中から出掛けていたに違いなく、夕暮れ時の室内は、冷蔵庫の中のように、湿っぽく寒かった。僕は震えながら、○子がコート姿のままで石油ストーブに火を点けたり、薬缶《やかん》をガスにかけたりするのを眺めていた。○子はやっとコートを脱いでハンガーに掛け、僕のマフラーも受け取って、横のフックに掛けてくれた。○子は振り返り、僕の顔を見ながら手を出した。

「さっき、廊下で何か書いていたでしょう。見せて」

僕は何の気なしに葉書を差し出して、女に渡した。

「留守だと思ったから、これを入れて帰るつもりだったんだ。でも、会えてよかったよ」

心を籠めて言ったのに、女は葉書から顔を上げない。何も反応がないので、僕は○子の硬い横顔を盗み見た。

「どうしたの」

○子が不快そうに顔を顰《しか》め、葉書をひらひら振った。

「ねえ、何でこういうことになるの。奥さんにどうしてわかったの」

「ばれたんだから、しょうがないよ。理由なんか、わかるもんか。あっちが勝手に僕の日記を読んだんだよ。まさか、日記を読むとは思わなかった。だから、きっと、以前から怪しいと睨んでいたんだろう。疑われ始めたら、どうにも防ぎようがないよ」

僕の声音も憮然としていたのだろう。外出から帰ったばかりの○子は、赤く塗った唇を尖らせた。

「あたしが言いたいのは、ばれたことじゃないわ。それはあなたのしくじりでしょう。日記にどうして書いたのかって、首を傾《かし》げるところはあるけど、それはあたしには関係ない。それより、奥さんにばれたからって、どうしてあたしと会えなくなるのかが、わからないのよ」

何でわからないのだ。単純なことではないか。

「無理に決まってるよ。だって、女房は、どこに行くったってついて来るんだよ。僕は隣の犬の散歩を時々買って出るけど、それにまでついて来ようとしてるんだ。僕がきみと連絡を取るんじゃないかと思って、目を光らせているのさ。今日だって出版社までついて来たのを、何とかまいてここに来たんだよ。きみに会いたいと思って、必死でやって来たのに、そういう言い方されると腹が立つなあ」

○子が無言で、石油ストーブの上に両手をかざした。僕たちは、ストーブを挟んで向かい合って立っていた。

感じよね」

「その言い方、恩着せがましく感じる」○子がぽつんと言った。「来てやってるって、

「そんなこと言ってないよ」

○子はしばらく僕の目を睨んだ後、葉書を指差した。

「でもね、ここ酷くない？『誠に申し訳ないが、ご承知おきください』って、これ何。事務的。あたしは、あなたの奥さんにばれると当然のように会えなくなるの」

「刺激しちゃまずいだろう」

そう言った途端、ストーブ越しに、勢いよく頰を張られた。いきなり殴られたことなどないので、僕は唖然とした。○子は逆に痛かったのか、打った掌を擦り合わせている。

「何すんだよ」

○子は対抗するように胸を張った。

「刺激するってどういうこと。つまり、あたしは、あなたたち夫婦の存続のために、我慢しなくちゃならない存在なわけ？　じゃ、どうしてあなたはここに来るの。あたしを好きだと言ったのは嘘だったの。奥さんと別れて一緒になると言ったのは何。あたしは、何も、歌謡曲みたいなことを言いたいわけじゃない。だけど、人を馬鹿にするのも、いい加減にしろって、言いたいだけ」

○子はそう叫んで、急に涙を溢れさせた。

「きみのことは好きに決まってるよ。一番好きだ。俺だって、本当に困ってるんだよ。子供が三人もいて、家族を見捨てることなんかできっこない。俺に、全部捨てろって言うのか。みんな見殺しにしろって言うのか。何でわかってくれないんだ」

自分でも支離滅裂だとわかっていたが、止められなかった。僕は千代子が暴れると、逆に冷静になろうと努めるのだが、○子が荒れ狂うと、それはたちまち自分にも伝播《でんぱ》し、手に手を取って共に狂乱の嵐の中を突き進んでしまうのだった。

「そんなこと、あたしはひと言も言ってない。あなたは、あたしが堕した後に、奥さんに三人目の子供を産ませたじゃない。あたしが次に妊娠した時も堕させた。あたしの子供は二人も殺しておいて、どうしてそっちの家族を捨てることはできないのよ。あなただって、申し訳ないと思ったからこそ、あたしに、結婚しよう、とか嘘八百を並べるわけでしょう」

女が血相を変えて喋っている。昂奮のあまり、口角から唾が飛んで、僕の首筋に当たった。僕は手の甲で拭い、女の顔に擦り付けてやった。

「唾飛ばすなよ。汚いじゃないか」

「汚くて悪かったわね」

「悪いよ」

「そんな汚い女のところに、三日にあげず来てたのは、どこの誰よ。ごまかさないで

「じゃ、ちゃんと答えなさいよ。認めなさいよ、自分が酷い人間だって。最低だって」

「ごまかしてなんかいないよ」


最低か。千代子にも言われたっけ。

「俺に抱かれるお前は、最低じゃないのか」

居間の端で、僕らは睨み合い、まくしたてた。○子が再び殴ろうとするので、両腕を押さえ付け、柔道の要領でソファにあびせ倒した。両腕を体側《たいそく》に押し付けられて、完全に体の自由を奪われた○子が、悔しそうに僕の顔に唾を吐いた。僕は顔を寄せて、唾を○子の頬に擦り付けてやった。二人共、○子の唾や涙にまみれて揉《も》み合っているうちに、どうとでもなれ、とヤケクソな気分になっていく。僕は、暴れて嫌がる○子の服を剝ぎ、ソファに俯せにしたまま、背後から犯そうとした。

「やめて、やめて」

泣き喚く○子の口を手で押さえ、無理矢理、挿入することに成功した。激しく動きながらも、頭の中は冷静で、これは強姦だと考えている。僕はとうとう強姦者になってしまったと恥じる一方、○子が僕を昂奮させるから悪いのだ、とも考えているのだった。脱げたズボンのポケットから、財布と家の鍵が音を立てて床に落ちた。○子が僕に突かれながら、それらを凝視している。少し怖かった。

「ごめん、昂奮した」

　僕は謝り、○子の薄い背中に被さって荒い息を吐いた。○子は僕に押し潰されながら、ソファに俯せになって、何も言わない。僕は身を離して、下半身を剝き出しにされた○子の後ろ姿を眺めた。白い高い尻。僕は、「この尻が悪いのだ」とぴしゃりと叩いた。○子がはっとしたように、身を縮める。僕はもう一度言った。

「お前の尻が悪いのだ」

　思い切り叩いた。白い尻に、掌の痕が赤く付いた。○子の体内には、僕の精液が満ちているはずだ。それらが今の打擲《ちょうちゃく》で振るい落とされまいか。そんなことを考えると、またも昂奮してきた。○子が燃えるような目で振り向いて言った。

「ねえ、ベッドに行かない？」

　僕は頷き、○子のセーターとブラウスを脱がせた。寒さに縮んだ乳首をそっと摘む。乳首は千代子の方が大きくて形が良い。比べてはいけない、いや比べろ、女を比べるなんて最低だ、最低な男なんだから比べても構わないのだ。自分の中にいる「男」が、その時の気分で、交互に囁いた。僕は、全裸の○子の手を引いてベッドに連れて行き、ベッドカバーを剝がして白いシーツの上に横たえた。

「冷たい」
○子が身震いする。僕は、暮れゆく部屋の中で白い光を増していく女の体を、上から眺めていた。焦れた◯子が両手を差し出した。

「早く来てよ」

「いいのか、さっきの問題は」

意地悪く言うと、◯子は僕のカーディガンの裾を引いた。

「後で考えようよ」

僕は床から財布と鍵を拾って、脱いだズボンのポケットの奥底に突っ込んだ。

空腹で目が覚めたら、部屋は真っ暗だった。このまま、ずっと二人で隠《こも》っていたいような気がする。◯子も起きた気配がしたので、僕はその滑らかな腹をくすぐった。やめて、と◯子が笑った。

「腹が減った。起きて何か食いに行こう」

「そうね。何にしようか」

「中華ソバと餃子はどう。ビールも飲んでさ」

「あなたは毎回同じね」

◯子が幸せそうに笑った。僕は半身を起こして、下着を探して穿《は》いた。ベッドサイドテーブルの照明を点け、置いてあった腕時計を眺める。八時過ぎだった。

「こんな時間か。早く食べないと終電に間に合わないな」

あっと気付いた時は、遅かった。空気が固まっていた。

「帰るつもりなのね」
○子が冷ややかな声で言う。
「そりゃそうだよ。いつもそうじゃないか」

しばらく沈黙があった。僕に背を向けた○子が目を開けている気配はあるのだが、何も言わないので不気味だった。僕は靴下を拾った。

「今日、泊まってよ」
○子が背を向けたまま言った。またか。嫌がらせで言っているのだ。僕はややうんざりして、もう片方の靴下を履こうとしたが、見当たらない。
「部屋の電気点けてくれよ」

「今日、泊まってよ」

「考えるから、電気点けてくれ」

「嫌よ」○子がきっぱり言った。「電気点けて、靴下が左右間違ってないかどうか、パンツが裏返しじゃないかどうか、キスマークとかが付いてないかどうか、を確かめたいんでしょう。そんなこと、絶対にさせないからね。そのまま帰んなさい」

僕は黙って、立ち上がった。スイッチの在処《ありか》など知っている。すると、○子が後ろから羽交い締めにしたので、何なく振り払った。○子が仰向けに柔らかなベッドに倒れるのを知っていたからだ。案の定、○子はベッドの上で軽くバウンドした。だが、歩きだした瞬間、僕は足を払われて前につんのめった。○子の意外に素早い動作に驚き、慌てて椅子を摑んだが、椅子ごと倒れて前に転んでしまった。大きな音がして、床が揺れる。膝を打って痛かった。

「何すんだよ。危ないじゃないか」

振り向いた瞬間、目覚まし時計が飛んで来て横に落ちた。

「やめろ。当たったら、どうするんだ」

怒鳴ると、今度は枕が顔に当たった。やめろって言うんだよ、と力いっぱい投げ返す。枕は再び飛んで来て、力なく僕の横に落ちた。僕は、○子の怒りなど放っておいて、帰り支度を始めた。○子が震える声で言った。

「あなたはずるいよ。もう来ないでよ」

「いいよ、もう来ない。来るもんか、こんなとこ」

「こんなとこって言うのね。酷いわ」

「ああ、何度でも言ってやる。こんなとこ、来るもんか」

売り言葉に買い言葉で、僕は言い放った。会いたくて来てるのに、こんなにうるさいことを言われるのなら、来てやるもんか、と心底思った。○子が号泣し始めた。「酷い人、酷い人」と言いながら、ベッドに顔を埋めて泣いている。ああ、面倒臭い。どうしたらいいのか、わからない。身勝手なのは百も承知。だが、そういう僕を許し、受け入れている○子に責任はないのか。さっきだって、「後で考えようよ」と言ったじゃないか。

「今ので、また妊娠しているかもしれない。暴力的だったし」

「金を払えばいいんだろう」

何かが壊れた音がした。二人の間に張ってあった糸が切れた音だったかもしれないし、○子の心を膨らませていた愛が萎《しぼ》んだ音だったかもしれないし、僕という人間の細い屋台骨が折れた音だったかもしれない。が、僕は知らん顔でズボンを穿いた。ポケットの中で、鍵が財布と触れ合って音を立てている。○子はもう何も言わなかった。ベッドから出ずに、ただ忍び泣いていた。そうなると、今度は哀れに思えてくるのだった。僕は、この女と別れられるのか。綺麗で楽しく、賢い女。楽しかった出来事や、切ない思い出が蘇り、僕は急に悲しくなった。それに、ここで喧嘩別れをすると、怒った○子がどう出るかわからないではないか。家にやって来たら、千代子が益々おかしくなって、家庭は崩壊するだろう。俄《にわか》に不安になった僕は、振り向いた。

「ねえ、○子。ごめんよ」
○子は黙っている。
「ねえ、聞いてくれ。お願いだから、少しだけ待っててくれないか」

○子は布団を被ったまま、くぐもった声で答える。
「何を待つって言うの」

「僕の家のごたごたが収まるまでだ。お願いだから、少し待って」
○子は泣きながら答えるから、声が一層くぐもった。
「つまり、あなたはごたごたを収めてしまいたいんでしょう。ごたごたをもっと起こして、壊してしまいたいとは、絶対に思ってないんでしょう」

絶対に思っていない。男は皆そうだ、と僕は思った。この手のトラブルを起こした男の十中八九は、家庭を崩壊させたいとは思ってもいないはずだ。

「じゃ、あなたは、あたしとどうしたいの」

「きみがいいなら、ずっと付き合っていきたいよ」

「よくわからない」と、○子は泣く。「付き合っていくって、それは奥さんが何も知らずに黙っていれば、という条件付きなんでしょう。身勝手よ」

「よくわかってるじゃないか。きみがそれが嫌なら、僕は引き下がるしかないってことなんだよ」

巧妙に恫喝していると思った。しかし、そうとしか言えないのだ。○子が頷いて、黙ってくれるのを期待するしかない。

「わかった。考える」

○子が答えて、くるりと壁の方を向いてしまった。僕は洗面所に入って用を足した後、鏡を見ながら髪を手櫛で梳《す》いたり、下着が裏返っていないかなどを検分して、○子の部屋を後にした。〇子はベッドで布団にくるまったまま、身じろぎもしない。
「じゃ、帰るから。少しの間だけど、元気で」

返事が返ってくるかとしばらく佇んで待っていたが、○子は沈黙している。ドアを閉めた瞬間、寂しさが胸に迫ってきて泣きそうになった。別れたくない。が、これでいいんだ、こうしないと、千代子の気は収まらないんだ、家族に平安が戻らないんだ、と心を鬼にして北風の吹く通りへ出る。しかし、今度は河倉書房に置き去りにした千代子との確執が待っていることを思い出し、たちまち憂鬱になるのだった。

駅から家までの十五分ほどの真っ暗な道のりを、懸命に不安を打ち消しながら歩いた。怒り狂った千代子が、子供たちと心中してはいまいか。家々に放火して回っているのではないか。あるいは、子供たちを連れて、北海道の実家に戻ってしまったのではないか。しかし、三番目の妄想は非現実的だった。なぜなら、そんな金は家の中のどこを探してもないからだった。僕の収入は、そう多くはない。専業作家となったのは早計だった、と父に詰られたほどだった。たまに掲載される文芸誌の稿料と、本の売り上げのみだが、新人の本などそう売れるはずもなく、最初に出した『未来記憶装置』などは、現品支払い、つまり本で支払われたのだった。家中に本が溢れ、来る人すべてに配ってもまだ余っていたほどだった。だから、家出する金など、どこにもないのだ。

ドキドキしながら角を曲がった。家は放火もされずに残っていた。ほっとしたが、真っ暗だ。僕は、玄関先で中の様子を窺った。

「あなた」

突然、玄関の戸が開いて、千代子が現れたのでびっくりした。千代子が暗い三和土に立っている。僕は、幽霊ではあるまいかとびくびくしながら千代子の全身を眺めた。まさか、血糊などは付いていないだろうな、と。だが、千代子は昼間と同じ服装で穏やかに笑っているのだった。僕はほっとして嘘を吐いた。

「どうしたの」

「そろそろ帰って来るかなと思って、気にしていたんです」

僕は千代子の顔色を見た。

「やあ、今日は悪かったな。同人誌の集まりがあったことを忘れていたんだ」

「いいんです。あたしもちょっとやり過ぎたかなと思って。あなたに恥を掻かせたらいけないのに、つい頭に血が昇ってしまって」

どういう風の吹き回しだろうか。少々、薄気味悪かった。僕は家の中に入って、靴を脱いだ。千代子が側にべったりと侍《はべ》っているので、悪事が露呈するのではないかと怖ろしい。びくびくしながら、マフラーを取った。が、千代子は伸びやかに話を続けている。

「あたしもTさんといろんなお話ができて楽しかったわ」

Tもさぞかし困惑しただろうと、僕は十歳ほど下の、Tの才槌頭《さいづちあたま》などを思い出している。

「何を話したんだ」

「あたしも詩や童話を書いているから一度見てください、とお願いしたんです」

僕は仰天して、千代子の顔を見た。千代子は誇らしそうに胸を張っている。創作をしている、など一度も聞いたことがなかった。僕は何食わぬ顔で立ち上がり、千代子の隙を見て、女の匂いなど付いていないだろうかと袖の匂いをそっと嗅いでみた。

「え、言わなかったですか」千代子は弾んだ声で言った。「言いましたよ。あたし、北海道でずっと短歌やってたんですよ。千代女《ちよじょ》という名前でした」

「加賀の千代女みたいだな」

僕の冗談に千代子は笑った。参ったな、と思わなくもなかったが、攻撃の芽が摘まれたことは有難いことだった。

「今度、河倉書房の児童文学の編集者を紹介してくださるそうなので、一生懸命書くことにしました」

それは良かった、と僕は口の中で言った。そして、今度は、別れてきたばかりの〇子が哀れになるのだった。この時の僕は、千代子が河倉書房から、別の女の家に行ったことなど、全然知らなかった。しかも、包丁を持って。

3

「あなた、あなた」

切迫した千代子の声で目が覚めた。僕の肩を邪慳《じやけん》に揺すっている。顔は見ずとも、その揺すり方と尖った声音とで、千代子が怒っていることは容易に想像できた。僕は、激怒している千代子と相対するのが怖くて、床の中でぐずぐずしていた。寝返りを打つ振りをして横を向き、布団を被る。そして、次第に冴えてきた頭で、何が出来《しゆつたい》したのか、あれこれ考えていた。

昨夜の千代子は、薄気味悪いほど機嫌がよかった。僕の布団に入って来て、無理矢理手を繋いだり、僕の手を自分の胸に押し当てたりして甘えた。僕も千代子の髪を撫でて、千代子がこっそり書いていたという童話や詩について、「いったい何時《いつ》から書いていたんだい。驚いたなあ」と尋ね、その話を聞いてやったりもした。その後も、一向に千代子が去らないため、僕らは久しぶりに抱き合ったのだった。その時は、○子のことなどまったく念頭になかったのも事実だ。家では千代子を、○子の家では○子を、それぞれ可愛がればいいのだ、と調子よく思っていた。千代子を裏切っているのに、当の千代子が赦してくれるのならもう大丈夫、という思い上がりがあったのだ。だから、寝耳に水、とはこのことだった。千代子はぶつぶつと低い声で吐き捨てている。

「あなた、早く起きてください。ほんとに、何も知らない顔で寝てるなんて、図々しいにもほどがある。まったく、何て人でしょう。○子も○子よ。あなたは性悪女に引っかかったんだわ。ほんとに非常識だったらありゃしない、最低だわ」

突然、紙の匂いがした。僕は仕方なしに目を開ける。まるで死人の顔に被せる白布のように、顔の上にぱさりと紙切れが置かれるところだった。どこからか告発の手紙でも来たのだろうか。僕は慌てて起き上がり、紙片を摑もうとした。すると、千代子が素早く取り上げた。まるで、じゃらされた猫よろしく、僕の手は虚しく宙を掻いた。

「どうしたの。今のは何だ。何が書いてある」

「まず自分の胸に聞いてみたらどうだい。不正直な人間と一緒に暮らしていると、何もかもが腐っていくっしょ。あんたと○子が、あたしや子供たちを腐らせて、しょうもない者に変えていくんだべさ。あたしたちと一緒にいるのが嫌なら、みんな一緒に投げてしまえばいいだけっしょ。一日も早く離婚した方がいいに決まってるべさ。あたしは子供全員連れて、北海道に帰るう」

千代子が、早口な北海道弁で一気に喋った。何となく観客を意識した風な口振りなので、ふと見回すと、布団の裾のところに多佳子と三千子がぺたんと座っていた。

「みーちゃんにも、れんぽーちょーだい」

三千子が回らぬ口で何か言っている。二人共、寝間着姿ということは、まだ八時頃なのだろうか。多佳子は絵本を手に、僕と千代子の顔を交互に見ている。三千子は、多佳子のお下がりの、ぼろぼろになった人形を引きずっていた。つまり、僕は何も知らずに、女たちに囲まれて寝顔を見られていたことになる。

「何だよ、わからないな。見せてくれ」

手を出すと、千代子が渡す振りをして、また取り上げた。バランスを崩した僕を嘲笑うような顔をしたので、僕は大きく舌打ちした。多佳子がさも嫌なものを見た、というように大人っぽい目つきをして、そっぽを向いた。

「いい加減にしろよ」

僕は苛々《いらいら》して叫んだ。千代子が紙片を投げ付けて寄越したので、僕は拾い上げて見て驚いた。電報だったのだ。

「サクヤカギ　ヲオワスレニナリマシタ　〇子」

ズボンのポケットから財布と一緒に滑り落ちた鍵を思い出した。そして、背後から僕に犯されながら、じっと落ちた鍵を見つめている〇子の眼差しも。やられた、と思った。僕の家で騒ぎが起きていることを知っている癖に、わざわざ電報で報せてくるなんて火に油を注ぐような仕業だ。○子も酷いことをする。何が、「オワスレニナリマシタ」だ。

　僕は、○子に強い怒りを滾《たぎ》らせた。朝に、電報と聞いて、慌てて玄関に走る千代子の様子が目に浮かんだ。夜中や朝の電報ほど、人を不安にさせるものはないのに。これまで知らなかった○子の悪意の有り様を知って、鼻白む思いもある。

「あなた、昨日あたしを放って、○子のところに行ったんですね」

　怒りで紅潮した千代子の朝の顔を見つめていると、出会った頃を思い出して懐かしかった。帯広支局での千代子は、いつも寒さで頬を赤く染めていたのだ。とんでもない窮地なのに、そんなことを考えている自分が不思議だった。きっと昨夜の同衾《どうきん》が、いつもより親しい気持ちにさせているのだ。それなのに、千代子は烈火のごとく怒っている。

「あたしを知らない会社に置き去りにしておいて、あんまりじゃないですか」

「行かないよ、行くわけないよ。同人誌の集まりだと言ったじゃないか」

「じゃ、この電報は何ですか。あたしは、あなたが途中で逃げたから、○子のところに行ったんじゃないかって疑ってたのよ。でも、あんまり疑心暗鬼になったら、あなたも苦しいに違いないと反省したの」

「そら、どうも」

　僕は破れかぶれになりつつあった。千代子は僕の合いの手など気付きもせずに、だらだらと話し続けている。

「あなたが同人誌の集まりと仰るのならそうだろう、信じていかなければ子供も可哀相だし、家庭も暗くなってしまう、と一生懸命、無理矢理、自分を納得させていたのよ。なのに、あなたはやっぱりあたしを裏切っていた。この大嘘吐き。裏切り者。あたしは、これまで生きてきて、こんなに馬鹿にされたことはありません」

「だからさ」僕は声を張り上げて遮った。「誓って言うけど、僕はそんなところに行ってません。鍵は家の中にあるはずだよ」

僕はズボンのポケットに、床に落ちた鍵と財布を突っ込んだことを思い出した。が、不意に不安になった。その後、落っことしたのだろうか。しかし、電車に乗ったのだから、財布は確かにあった。鍵だって、無事に家に入って来られたではないか。と、そこまで考えて、昨夜は解錠する前に、僕の帰りを待っていた千代子が、いち早く玄関の戸を内側から開けたことを思い出した。だから、鍵の所在はまだ不明なのだった。

「鍵なんかないわよ。あたしが全部見ましたもん」

千代子が勝ち誇ったように言う。もうとっくに、あちこち探したと見える。シャツやパンツや靴下の中まで。僕は布団に仰向けになって、嘆息した。どこにも居場所のない、寂しい気分だった。それは、自分が○子のところには当分の間行かない、と決めたせいでもあった。千代子が何も知らずにいた頃は、○子の部屋は二人の楽園であり、僕の唯一の居場所だったのだ。その楽園の場所を突き止めて、ずかずかと中に分け入って荒らしたのは千代子であり、千代子の侵入を知って怒り、今度は逆に僕らを追い詰めようとしているのは〇子なのだった。家にも〇子のところにも、すでに居場所はない。つまり、永久に楽園を追放されたのは、僕だけなのだ。僕は、急に自分勝手な怒りに赤く染まり、〇子と千代子をほぼ同等に憎んだ。女はつくづく嫌だ、と思う。どうしようもない疲労感が全身を脱力させる。

一方、人間の関係というものが、蜘蛛の糸のように互いに張り巡らされ、もう切ることなど不可能なほどに強度を増していることに、不安を感じて押し潰されそうだった。このままでは済まない。そのくらい、とんでもない事態が起きている。僕は二人の娘を眺めた。多佳子は僕と千代子の顔色を交互に窺い、三千子は不安そうに人形を抱いている。隣の部屋では、陽平がそろそろ泣きだす頃だ。これら子供たちも、僕の人間関係なのだった。成長すれば、この騒ぎを恨みに思っていることをいつか吐露するに違いない。怖ろしい、と僕は思った。

僕は、急に老人になった思いで、のろくさと立ち上がった。居間の長押《なげし》に掛かっている上着とズボンのポケットを探る。確かに財布はあるが、家の鍵はどこを探してもなかった。やれやれ。自分の失策に泣きたくなる。僕の自分勝手な仕打ちを恨んだ〇子が、鍵を見付けて小躍りする様子が目に浮かんだ。そして、鮮やかな黄色いコートを引っ掛けて、電報を打ちに走る姿を。

「鍵、どうしたんだろうね」

「何だよ、今頃気付きやがって。馬鹿野郎」

突然、千代子が罵りながら僕の膝裏に激烈な蹴りを食らわせたので、僕は前につんのめった。壁に手を付き、唖然として千代子を振り返った。僕のぎょっとした顔を見た千代子が、泣き笑いの表情になった。

「馬鹿野郎、不潔野郎、下司《げす》野郎、最低野郎」

なおも殴りかかろうとしたので、僕は千代子の両手を摑んだ。

「おい、乱暴はよせよ」

「じゃ、あたしはどうしたらいいの。どうしたら、この気持ちが収まるの。ねえ、答えてよ。あたしはこのままじゃ狂ってしまうよ。だってさ、電報だっていうから慌てて起きて、お父さんに何かあったんじゃないかって、不安で堪らなかったのに、これなのよ」

僕に両腕を押さえられた千代子が、安普請の家が揺れる勢いで、だんだんと地団駄を踏んだ。母親が暴れる様を目の当たりにした三千子が、顔を引きつらせて、じりじりと後退りして壁の方に行く。多佳子は三千子の手を取るでもなく、現実から逃避するように僕の布団の上で絵本に顔を埋めていた。

「怒鳴るなよ、近所に聞こえるだろう」

「あんたっていつもそう言うのね。見栄っ張りな癖に、家の中では見栄を張らないでやりたい放題なの。あたしはね、外に聞こえたって構わないですよ。それより、どうしたら気持ちが収まるのか、それだけ教えてくださいよ。でないと、あたしは狂って、一家心中しちゃいますよ。なあに、そんなの簡単です。多佳子と三千子の手を引いて、陽平をおぶって、百貨店の屋上に行けば訳もない。国電の駅から線路に飛び降りたって構わないし、いくらでも方法はあるんです」

目が据わっていて、恫喝とは思えなかった。返す言葉がない。申し開きのできない事実を前にした男は、まず絶句し、それから嘘を吐く。

「だからさ、これは〇子の陰謀なんだよ。騙されるな」

千代子が、本気で言ってるの、と言わんばかりの冷えた眼差しで僕の目を覗き込んだ。あたかも女という種が、醜いことを口走る男を哀れんで、結託したかのような気がした。僕はますます言い募った。

「いいかい、嘘じゃない。僕は本当に昨日、神田の『伊勢源』で会合があったんだよ。女のところには誓って行ってない。鍵をなくしたのは偶然だよ。だって、そうじゃないか。僕は『伊勢源』で海老原君や、多田さんらと会って、酒を飲んでたんだもの。疑うのなら、彼らに聞いてくれたっていいよ。で、もしもだよ、もしも。たとえ、そういうことがあったとしても、電報でわざわざ言ってくるのには魂胆があるんだ。見え見えだよ。相手が、僕とあんたを引き離してしまいたいからだよ。僕の家族を消滅させてやりたいと思って憎んでいるからだよ。いいかい、千代子があんまり興奮して見境のないことをすると、女の思う壺だよ。あっちは僕ら夫婦の仲が悪くなることを見越して、嫌がらせをし続けるよ。見ててごらん」

「そうは思わないわ」千代子が急に冷えた口調で言った。「きっと、〇子も怒っているのよ。あなたの不誠実にね」

僕はいとも簡単に千代子が真実を衝《つ》いたことが空恐ろしかった。その通りなのだ。どうしたらいいのかわからなくなって、それならいっそ、自分一人がおさらばしてしまえばそれでいいのか、とさえ思う。

「じゃ、どうすりゃいいんだ、僕たちは。〇子の思惑通り、ばらばらになって一家心中するか。そんなことになったら、僕もすぐに後追い自殺するよ。そうだろう。僕にとっては、この家族しかないんだからさ。得難いものだし、絶対に失ってはならないものだ。だからさ、相手は、僕の一番大事なものを奪いたいから、こういうことをするんだろう。朝に電報で人を起こすなんて、鬼の仕業だ。いいか、騙されるな、ちゃんと事実を見極めるんだ。お前ともあろう者がそんなこともわからないのなら、俺が先に死んでやる。だって、そうじゃないか。女の言うことをたやすく信じる馬鹿な女房に、子供を殺されてしまうんだからな。俺の身にもなってみろ。いいか、俺が先に死ぬぞ」

僕はそう言って家から出て行こうとした。必死だった。玄関先で振り向くと、千代子は僕を止める気配もない。僕と目を合わせようともせずに、暗い表情で娘たちを見ているのだった。僕は慌てて引き返した。絶望して心中すると言い張る千代子を説得するには、〇子を貶《おとし》めるしか方法はない。それに、喋っているうちに、〇子に対する怒りが沸々と湧いてきて、何とかして復讐してやりたい思いもなくはなかった。

「おかあさん、〇子ってだあれ」

多佳子が千代子の側にやって来て、不審そうに眉根を寄せて聞いた。千代子が一喝した。

「そんなこと、あんたがわからなくていい。お母さんはね、お父さんと大事な話をしてるんだから」

叱られた多佳子は、泣きそうな顔をして俯いてしまった。それを見て、三千子が近付いて慰めている。僕は千代子に注意した。

「子供にそういう言い方をするなよ。それがもう、〇子の思う壺に嵌《はま》っていることなんだからさあ」

千代子がはっとしたように僕の顔を見た。

「あなたは本気でそう言ってるんですか」

「本気だとも」

「なら、どうして○子のところに行くんです」

堂々巡りだった。僕はうんざりして、長押に掛かっていたズボンを穿いた。乱暴に箪《たん》笥《す》を開け、中からセーターを取り出して被る。

「どこに行くの」

千代子が僕に聞いた。少し慌てている風だった。

「さあな。わからん」

僕はズボンの中に入っている財布の在処だけ確かめて、玄関に向かった。行く当てもなかったが、ぐずぐず家の中にいると、永遠に千代子の繰り言を聞いている羽目になる。また、少しうまくいきかけていた雰囲気をぶち壊した○子に、ひどく腹が立っていた。千代子がおとなしくしていれば、○子の家にも通えて二人の関係は落ち着くのに、どうして自ら破壊しようとするのかが、まったく解《げ》せないのだった。要は、僕の家庭の平和が最優先されるべき事柄であって、それは○子を愛していないことではないのだ。むしろ逆で、家庭の平和が保たれていれば、僕の○子に対する愛情を深めさせ、長続きさせることに他ならないのだった。なのに、○子はなぜその真実がわからないのだろう。

「つまり、あたしは、あなたたち夫婦の存続のために、我慢しなくちゃならない存在なわけ？」○子の不可解でならないという面持ちを思い出し、僕は深い断絶を感じると同時に、忌々しく思うのだった。

「待って、あたしも行きます」

千代子が慌ててエプロンを外した。

「やめなさいよ。子供はどうするんだ」

まるで図ったかのように、隣の部屋のベビーベッドから、陽平の泣き声がした。だが、その弱々しさに不安を感じさせるような泣き方だった。七カ月になる陽平が産まれて以来、すべてがぎくしゃくし始めたことに思いが至った。堕胎した○子が不満を言い、あれこれと揉めているうちに、千代子の知るところとなったのだから。

「子供なんてどうなったって構いません。どうせあなたの知ったことじゃないでしょう。あなたは向こうの人にも作ったんだから、また作ればいいじゃないですか」

うわあ、やめてくれ。僕は頭を掻きむしった。言葉で謝っても、土下座しても、千代子も○子も僕を赦してくれないのだと知って、どうしたらいいのかわからず、気が狂いそうになっている。僕は構わず家を飛び出した。がしゃんと玄関のガラス戸を閉めて、様子を窺ったが、千代子は追いかけて来ない。ほっとして歩き始めたが、何だか拍子抜けして寂しくもあった。すぐ帰るのも癪《しゃく》なので、勤め人と同じように国電の駅に向かった。歩くと二十分以上かかる。僕は、早足で歩く勤め人の間で、顔も洗っていないのが気恥ずかしくて、何となくうらぶれた気持ちになり、下を向いて歩いた。

電車に乗ってどこかに行こうと切符を買い、上りホームで電車を待った。すぐにやって来たので、一番後ろの車輌に乗って吊革に摑まる。俄に、自分がこんなことをしているうちに、千代子が子供たちを殺して心中しているかもしれない、という考えが頭に浮かんだ。口先だけだ、と思ってはいても、千代子の暗い絶望の眼差しを思い出すと、心が凍えるのだった。まさかまさか、と必死に打ち消したものの、今帰らないと取り返しのつかないことが起きるかもしれないという強迫観念が、僕を苦しめ始めた。僕は慌てて次の駅で降り、元の駅に戻った。そして、我が家までの道のりを走った。

走りながら、○子に対して一層の腹立たしさを覚えている。僕の家族がこんな思いをしていることなど、○子は知りもしないだろう。それどころか、僕が家族を大事に思うことが、○子にとっては自分への裏切りと感じられるはず、と気付いた時、僕は愕然とした。何ということだろう。つまり、僕の家族を滅茶苦茶にすることが、○子の望みなのだ。その証拠が、電報ではないか。○子はちゃっかり他の男と遊んでいるかもしれないのに。

昨年の夏、○子の部屋で見付けた出版社の男からの手紙を思い出し、僕の怒りはますます燃え盛った。以前、○子と付き合っていた男は、どこかで見かけた○子に復縁を迫っていた。僕の次は、そいつか。○子を常々愛しいと思っていることなど消え去って、ただ家族の前に立ち塞がる邪魔者でしかなくなるばかりか、こちらは破壊しておきながら、自分は別の愉楽を追いかける狡猾な女にしか思えないのだった。

家の前で、多佳子と三千子が遊んでいた。良かった、生きていた。僕はほっとして、その場に頽《くずお》れそうになった。

「おとうさん、どこへ行ってたの」

多佳子が、千代子によく似た首の傾げ方をした。

「散歩だよ」と答え、安堵した僕は二人を抱き寄せた。夫婦の諍《いさか》いに気付いている多佳子は、いつもと違うことをする僕に対して身を固くしているが、三千子は素直に頬ずりしてきた。その頬の柔らかさ、清らかさに酩酊しそうになった。何て可愛いのだろう。この宝を失うところだったのだ。僕は三千子に聞いた。

「みーちゃん、ご飯どうしたの」

「たべたよ」

「何食べたの」

「ごはんとネギたべたよ」

三千子は意味もなく家の中や、庭を指差した。僕は二人を置いて家の中に入った。すぐさま、千代子を探した。千代子は、台所で洗い物をしていた。午前中の台所は薄暗く、そこで割烹着の袖を肘まで上げて仕事している千代子は、まるで下女だ。僕の胸は潰れそうになった。つい先程までは、嫌悪していたというのに。

「千代子、僕が悪かった」

僕は台所の板の間に土下座した。

「何よ、藪《やぶ》から棒に」

千代子は戸惑った風に後退った。

「藪から棒じゃない。ほんとに、今日の電報の件は申し訳なかった。僕も目が覚めたよ。あいつが、とんでもない女だと気付かなかったんだ。男は本当に馬鹿だよ。騙されていたんだ。最初は小説の指導を、と言うので来たんだが、それもこれもみんな、あいつなりの魂胆があったのかもしれない。僕は愚かで弱い人間だ。だから、ついふらふらしちまったが、もう二度とそんなことはしない。すべてお前に従うし、すべてお前の言う通りにする。お前が嫌なことは絶対にしないし、家から黙って離れたりもしない。無断で飲みにも行かない。誓うから、今回のことは赦してくれないだろうか」

僕は言うだけ言って頭を下げ、千代子の返答を待った。が、千代子は何も言わない。恐る恐る目を上げると、千代子は固い表情で流しの縁を布巾で擦っている。

「あなた、ご飯は」

義務感だけで無理矢理口にした感じだった。僕は愛想よく答えた。

「食べてる訳ないだろう。ずっと、行く当てもなくてほっつき歩いていたんだ。そのうち、お前が子供たちと死んでいたらどうしようと思ったら、怖くて仕方なかった」

そう言いながら、念のために居間にいる陽平を振り返った。陽平はベビー椅子に腰掛けて、こちらを眺めていた。平和な光景に涙が出そうになる。

「ねえ、ご飯食べますか。塩鯖《しおさば》しかないけど」

三千子が「ごはんとネギたべた」と変なことを口走っていたことを思い出し、僕は思わず笑った。幸福な笑いだった。釣られて千代子が小さな微笑を浮かべたので、ほっとして後ろから抱き付いた。千代子の背中が広くなったことも、尻が四角く大きくなったことも仕方がないことなのだった。愛している、信頼している、頼っている、と心の底から言いたかった。その分、千代子からも同等に扱われたいのだ。が、千代子は〇子に僕が愛情を浪費していると誤解している。〇子のことは、愛していない、信頼していない、頼っていない。それを千代子に証明したくてならない。目下の一番大事な人間が千代子だということを、どうしたらわかって貰えるのだろうか。

手早く七輪の火を熾《おこ》し、千代子は塩鯖を焼いた。同時にネギの味噌汁を沸かし、飯を盛る。たったそれだけの朝食だったが、僕は美味しく食べた。

「本当にお前を傷付けたね。もう二度とそんなことはしないから、赦してくれ。今日の電報で、〇子がいかに最低の女かよくわかったよ」

「あなたを好きで堪らないから、しているのかもしれないわよ」

千代子は、不快そうに言った。

「違うよ。やっと目が覚めた。あいつは自分が得られないものが欲しいのさ。でも、僕には大事なものがある。それは千代子だよ」

茶を飲みながら、僕は自分で言ったことに自分で頷いていた。

「でも、あなたは仕事が一番でしょう」

千代子が皮肉とも何ともつかない言い方をした。僕は首を振る。

「ちょっと違う。仕事ができる基本は家庭がしっかりしていることだよ。そうだ、きみが書いた物を見せてごらんよ。読んでみたい」

そう言ったのは、純粋な好奇心からだった。もしかすると、僕を超える才能があるかもしれないという期待と怖れがある。もし、千代子に輝かしい才能があれば、僕への怒りや軽蔑も少しは減ずるのではないかという期待と、自分の存在意義がなくなるのではないかという怖れ。

「嫌よ、こんな時に」

千代子は頑《かたく》なに拒否した。そのまま不機嫌そうに黙り込んでいる。冷たい拒絶を感じて、僕は不安になった。

「ねえ、二人であいつに復讐しないか」

千代子は目を上げた。

「どういうこと」

「同じことをしてやるんだよ。あいつの嫌がることを書いて、部屋に置いて来るんだ。お前も一緒に来ればいい。気持ちも少しは晴れるんじゃないか」

そこまですれば、〇子も嫌がらせを諦めるだろうという思いと、千代子がまた僕を信じるようになるのではないか、という算段があった。我ながら、とんでもないことを思い付いたと思わなくもなかったが、すべては〇子の寄越した「サクヤカギ　ヲオワスレニナリマシタ」が発端なのだ。泥仕合になったとしても、こちらは夫婦の結託という置き土産があればいいのだった。失うものはもう何もない。千代子が口を開いた。

「いいわ、やろうよ。あいつを苦しめてやりたい。性悪なんだもの」

憎々しげに言い放つ千代子に、僕はさすがに黙っていた。しかし、たった一通の電報によって、〇子への思いは百八十度変わっていた。

「何か弱みはないの」

「考える」

僕はそう言って、台所の暗がりに目を遣った。

第四章　因

1

　また、「DIABLO」の締切が迫っていた。タマキは、『無垢人』の「〇子」について書きたい、と西塔に告げたものの、未だ何の材料も得ていなかった。茂斗子を訪ねたのも、茂斗子が〇子であるはずはないと知った上で、それでも何か情報がもたらされないか、というさもしい気持ちがあったのだった。しかし、茂斗子も含め、関係者の口は堅い。有名な小説なのに、なぜ〇子について言及する者が誰もいないのかが不思議だった。勿論、タマキの想像で書いても構わないのだが、『無垢人』があたかも私小説風な率直さで書かれている以上、余人の想像では敵《かな》わない気がして、なかなか筆が進まないのだ。小説家としては、珍しい遠慮である。それも、『無垢人』の、私心を投げ出すような筆致に打たれてのことだった。緑川未来男は、自分をよく見せようなどと微塵も思っていない。だからこそ、『無垢人』が生み出した小説の魔物が頭をもたげて、生半可な虚構を嘲笑うかのごとく見張っているのだった。

タマキは、『無垢人』が出版された頃の反響を思い出した。当時の新聞に載った投書をまだ覚えていた。曰く、小説家の夫は、自分の浮気が原因で傷ついた妻の様子を、赤裸々に書いて筆名を上げたのに、妻は恥を掻いたままではないか、こんなことが許されていいのか、というような内容だった。投書の主は、家庭の主婦だった。投書者の言は正論ではあったから、憤った女たちも多かったようだ。男たちは、なぜか沈黙していた。

しかし、小説とは、そもそも不公平で不公正なものではあるまいか。緑川は、自分の恥も欲も、すべて包み隠さず書くことによって、『無垢人』に凄みを与えたが、それが真実かどうかは誰にもわからない。夫の真実、妻の真実、愛人の真実、子供たちの真実。各《おのおの》が真実と信じるものの集合が、事実という名の、過ぎゆく時間である。緑川は、これが真実だ、とはひと言も書いていないし、死ぬまで虚構だと言い張っていた。なのに、登場人物たちの凄まじい相克が、ひとりでに「真実」らしきものを生んで、てんでんばらばらな方角に歩きだす。それが、小説の不公正なのだった。緑川は、身勝手で好色で狡猾な夫、千代子は鬱病になった可哀相な妻、〇子は家庭に混乱をもたらす淫乱な女、子供たちは大人たちの犠牲者。そのイメージが固着して久しい。

そして、『無垢人』には書かれなかった悲劇があった。いや、誰もが遠慮して、決して触れないことが。緑川夫妻と〇子が、まだ挑発し合って揉《も》めていた頃、歩き始めたばかりの長男の陽平が、水の事故で亡くなったのだった。一家で海水浴に行き、大人が目を離した、ほんの何分かの間に、陽平は波打ち際で溺れ死んだのだった。千代子が鬱病を発症したのは、緑川の愛人〇子との争いのせいだけでなく、愛児の死によるものだったことは容易に想像がつく。おそらく、その悲劇も含めた、争いや憎しみやしがらみの総体が、『無垢人』の世界なのである。何と怖ろしいことだろうか。現実は、遥かに小説世界の残酷を超えているのだった。が、その現実を作り出したのも、『無垢人』なのである。

「タマキさん、締切大丈夫でしょうか」

西塔から、携帯に電話がかかってきた。何とかしますから、と簡単に答えて、まだ話したそうな西塔との話を打ち切る。西塔の心配そうな声音が耳に残っていた。タマキは窓外に目を遣った。新緑が広がっている。雨上がりのせいで、緑がひと際鮮やかだ。噎《む》せ返る新緑の匂いと、黒土の黴臭《かびくさ》さを嗅いだような気がして目眩《めまい》がした。

不意に、青司の声が耳許で蘇った。幻聴。「俺、会社に居たない」。青司は弱々しく大阪弁で呟き、溜息を吐《つ》いた。

六月の平日、昼時だった。タマキと青司は、公園のベンチに並んで座っていた。どこにも居場所がない気がして、自販機で買ったコーラを飲んだり、煙草を吸ったりして時間を潰していた。勿論、本気で時間を潰せる場所に行こうと思えば、いくらでもあった。ファミレス、映画館、ラブホテル。しかし、皮膚のどこかが絶えずむず痒《がゆ》いような不快な蒸し暑さと、極度の寝不足とが、タマキの気持ちを萎《な》えさせていた。

　昨夕から、ずっと一緒だったのだ。一緒に過ごす時の常で、夜遅くまで話し込み、寝たのは朝方だった。青司はいつになく多弁で、「ああ、ずっと話してたい」と時計を眺めて焦《じ》れたほどだった。午前中、ホテルを出たものの、別れ難くてぐずぐずしている。会えば、いつもそうだった。だが、その日の青司はタマキに縋《すが》るように離れない。あちこちドライブさせて回っている。

「そろそろ帰ろうか」

　タマキが思い切って切りだすと、青司は溜息をひとつ吐いた。そして、当《あ》て所《ど》ない表情を浮かべてこう呟いたのだ。

「俺、会社に居たない」

　大阪で生まれ育った青司だが、関西生まれだからと言って、殊更《ことさら》に大阪弁を喋るような人間を毛嫌いしていた。だから、滅多に聞いたことがないのに、青司の口からひょいと出た大阪弁は柔らかく、心に沁《し》みた。

　タマキは、理由を聞かずに頷いただけだった。昨夜から、さんざん青司の愚痴を聞かされていた。六月の人事異動で、小説雑誌に移るよう辞令が出たのだった。ほぼ予想通りだったが、青司には改めて衝撃だったらしい。タマキの書籍担当だった青司は、「俺が単行本を作れなくなったらおしまいだ。なのに、会社は俺に雑誌に行け、と言うんだ。死ねってことだよね」と、何度も真剣な顔で訴えた。

単行本作りが命、と公言して憚《はばか》らない青司と一緒に本を作れなくなるのは、タマキにとっても「死ね」と言われたも同然だった。が、青司を書籍に戻してくれ、と頼んだところで、一作家の願望など認められる訳はない。二人で自由気儘《きまま》に本を作るには、青司が会社を辞めるしか方策はないのだった。過去の話し合いで、青司が会社を辞めるという案も何度か出たが、現実的にはあり得なかった。大袈裟と言われても、その時のタマキと青司は、必死だった。一緒に仕事をした時の充実感が忘れられなかったのだ。そして、その充実がもたらす恋愛の実りも。

青司は、タマキにはっきり言わなかったが、もうひとつ不安に思う理由があったらしい。小説雑誌に行かされると出世コースから外れる、という噂があったのだ。あの人もこの人も編集長をやった後は辺縁《へんえん》に追いやられた、と青司はタマキに例を挙げて説明したことがある。つまり、今回小説雑誌に行かされたことで、青司には、タマキとの恋愛が会社に知れて、とうとう主流から外れたという焦燥があったのかもしれない。青司は、タマキがどこか破れかぶれだったのと対照的に、タマキとの恋愛が公になることを殊の外《ほか》怖れ、そして、怖れている事実を、タマキにはひた隠しにしていたのだった。

「ねえ、どっか行こうよ」

青司はジャケットを脱いで、Tシャツ姿になった。上背があって肩幅が広い青司は、Tシャツが似合った。一見、自惚《うぬぼ》れが強そうに見える青司だが、本人は実は自分の魅力にほとんど無頓着だった。タマキは煙草を地面に落として靴の裏で踏みつけた。吸い過ぎで、口の中がいがらっぽい。

「どこに行くの」

「どこでもいいけどさ」

「って言われてもねえ」

煮え切らない会話が続いて、青司はとうとう笑った。

「ごめん。あなた、帰らなきゃならないんだよね」

そうだけど、と口の中で言って、タマキは逡巡《しゅんじゅん》している。用事も仕事もなくはなかったが、これほど思い悩む青司と離れたくない、と改めて思ったのだった。相手の悩みは自分の悩み。話し合うことで様々な問題を乗り越えてきたはずなのに、ここで帰るのも少し冷たくないか、と反省する。

「引き留めて悪いね」

「いいよ」

目が合った。青司が腕時計を覗き込み、少し考えてから、思い切った風に顔を上げた。

「ねえ、これから大阪行かない？　一時頃の新幹線に乗れば、四時前には着くじゃない。道頓堀でも行って、遊ぼうよ」

タマキは驚いた。

「あなた、会社はいいの？」

青司は肩を竦《すく》めた。緑の革表紙の手帳を出して、予定を確かめている。

「明日は会食があるから、午後一番の新幹線に乗れば大丈夫。どう？」

「あたしはいいけど──」語尾を延ばして逡巡していると、「けど？」と、青司がおどけた顔で聞き返す。

「わかった。いいよ、行こう」

何も持たずにいきなり旅行に出るのか、とタマキは驚いている。昨夜、青司と会ったのも、泊まったのも、予定外の出来事だった。たまたま夕刻の電話で、時間が合うなら会おうということになり、そのまま話をしているうちに、別れられなくなったのだ。さらに、急な一泊旅行などできるだろうか、と自分が自分に聞いている。でも、何でもできるのだった。青司といる限り、不可能なことは何ひとつなかった。

タマキは一時間後に青司と駅で待ち合わせて、自宅にいったん車を置きに戻った。朝、家族の誰かに庭に放り出されたまま、蒸し暑さにへばっている飼い犬が哀れだった。水を入れた容器が空になっている。タマキは犬の首輪にリードを付けた。ほんの十分程度、近所を散歩させながら、これは家を空けている主婦の免罪符だと思った。それから、高校一年の長男に書き置きをして、着替えと化粧品を持ち、慌てて家を出た。「急に大阪出張になりました。明日、午後には帰ります。よろしく」。何が「よろしく」だ。我ながら、あまりの白々しさに、顔を上げられないほど恥ずかしい。しかし、何とも言えない嬉しさが込み上げてくるのも事実だった。青司と一緒に旅に出るのだ。母や夫や息子を裏切っている後ろめたさも、仕事をしない不安も、飼い犬をスポイルしている負い目も、青司と一緒に過ごせる喜びが、あっという間に掻き消すのだった。

約束の時間を五分過ぎて、ＪＲの駅に着くと、青司が弾む顔で振り向いた。二人分のチケットを買っておいてくれたらしい。でも、タマキは知っている。タマキが車を置きに家に戻っている間に、青司は家と会社に電話を入れて言い訳し、許しを得たことを。青司もタマキもしていることは同じなのだった。家族と仕事関係者と、そして互いを、騙しているのだから。大股で歩きながら、青司が尋ねる。

「家の方、大丈夫だった？」

「大丈夫。何とかなるよ」

本当は皆怒り、呆れているかもしれないのに、嘘を吐くことに何の躊躇《ためら》いもない。しかし、青司の方はいたってのんびりしていた。青司の、家での屈託は、タマキの負う責めとは違う種類なのだろう。その違いが何かは、タマキはまだ聞いたことがない。これからも聞かないのだろうと思う。

「よかった。嬉しいよ、こうやって、あなたと突然旅行できてさ」

青司はタマキの顔を見つめて、明るい表情で笑った。タマキも満面の笑みを返す。中年の男女が、臆面もなく手を繋ぎ合ってホームに立っている。恥ずかしい、など思いもしない。そもそも、他人の存在自体が、二人の意識には入ってこないのだ。

新幹線の中で、青司はピーナッツと缶ビールを買い、タマキに勧めた。ピーナッツを摘み、ビールを飲み、飛びすさる窓外の景色を眺めているうちに眠くなる。数日後に迫った締切や、面倒な仕事を思うと憂鬱になるが、敢《あ》えて考えずに目を瞑《つむ》った。通路側に座った青司が右手を伸ばして、タマキの左手を摑んだ。手を繋いでいると、あの不思議な感覚が起こる。二人の間を血液が循環して、青司の鬱屈が運ばれ、タマキの体内を濾《ろ》過《か》されて通る。その逆も。タマキの悩みが青司に運ばれ、濾過されて戻ってくると、まったく違うものになっている。肉体は別だけれども、青司は自分で、自分は青司なのだ。

大阪に着いたのは、午後四時前だった。今にも雨が降りだしそうな陰鬱な曇天が広がっている。しかも、蒸し暑い。二人は、新大阪の駅を出て、タクシー乗り場に立った。

青司がタクシーの運転手に、「道頓堀」と告げる。

青司は、道頓堀沿いに建つ、ガラスと鉄骨で出来たちゃちなカフェバーのようなホテルに泊まりたがった。以前来た時に見つけたのだが、その時は、空き部屋がなかった。今回は、廊下のように細長い部屋が空いていた。片側は一面ガラス窓で、道頓堀が見下ろせる。空中に浮かんだ、まるで玩具《おもちゃ》のように安っぽくて小さな部屋は、こんな風にいきなり来た時には、ちょうど良い具合にも思えるし、寂しさが募るような気もする。二人で並んで、九階から街を見下ろした。高所恐怖症気味の青司は、足元からいきなり空が見える景色にたじろいで、後退《あとずさ》った。

「これから、どうしようか」

タマキは自問した。とりあえず、街に出る。いつものように知らない路地を巡って、街をほっつき歩き、面白そうな店に入って、気に入らなければすぐに出る。その繰り返しで、長い夜を明かすのだ。タマキは、どの辺りに行こうかと、排気ガスでどんより曇る空を見上げた。

午前中、東京の街を車で走り回り、公園で時間を潰していた時の、手持ち無沙汰な感覚が蘇った。よく知ったはずの大阪の街を歩いたところで、新しい発見がある訳でもないだろうに、と面倒な気持ちがどこかにあった。またも、時間を潰すだけの夜になりはしないかという恐怖。一方、二人で無理矢理作った時間なのだから、楽しく過ごしたいという願いもある。その狭間でいつも揺れ、力を入れた分、疲れる自分。いつ頃から、自分たちは時間をうまく使えなくなったのだろう。楽しいに決まっているが、もっと楽しかったらいいのに、と思う欲深な自分たちがいるせいだろうか。

　すると、青司が遠慮がちに誘った。

「あのさ、ちょっと行きたいところがあるんだよ。いい？」

「いいよ。どこ」

「俺の生まれた街だよ。いい？　付き合ってくれる？」

　意外だった。大阪には何度も遊びに来たが、青司が自分の生地に行こうと誘ってくれたことは一度もなかった。どこか下町の方だと聞いたことがあったが、独り暮らしの母親は北の方の住宅地に引っ越してしまって、生地にはもう誰も住んでいないから、と青司は気乗りしない様子で呟いただけだったのだ。

「へえ、あなたにしては珍しいね。どうしたの」

「どうしたんだろうな」

　青司は自分で首を傾げた。

「あたし、行ってみたいな」

「つまんないとこだよ」

「いいよ。何よ、自分で言っておいて」

　笑うと、青司は腰を上げた。

「よし、じゃ行こうか」

目的ができたから、張り切ってホテルの部屋を出る。表通りで、タクシーを拾った。梅田駅から、阪神電車に乗るのだという。タマキには初めての経験だった。阪神電車の中では、通勤客に混じって、観光客よろしく物珍しくあちこちを眺めた。乗ってすぐに、電車は大きな川を渡った。何という川か、というタマキの問いに、青司は「淀川」と答えた。その後、青司は無言で川面を見つめている。夕暮れ時で、灰色の大きな川が灰色の空に溶けて、彼方の境目がはっきりしなかった。

「俺さ、子供の時、この川によく猫を流したんだよね」

青司が口を開いた。

「猫って、子猫のこと？」

「そう、子猫がたくさん生まれるとさ、箱に入れて流すの。あなた、しなかった？」

「しないよ、可哀相じゃん」

首を振ると、青司は笑った。

「そうかあ、どこでもやってるよ」

「やってないよ。あなたのとこだけだよ」

そう言いながら、タマキは、猫が可哀相だからしなかったのではなく、猫を流す大きな川が近くになかったからだと思った。さらに、青司が一緒にいなかったからしなかったのだ、とも。青司は電車が横断する川縁《かわべり》に目を遣っていた。

　青司は、川を渡ったところにある駅で電車を降りた。駅は高架で真新しく、下に降りると、がらんとした高架下に、露店が数軒出ていた。茶色やピンクの塩化ビニール製のサンダルを売っている店と、髪留めやリボンを売る店、演歌のＣＤを売る店。思わず立ち止まって髪留めなどを選《よ》っていると、「姉さん姉さん、他にもあるで」と老人が下に置いた鞄から、他の品物を見せてくれた。どこからか暇な男たちが集まって来て、タマキの顔と商品を交互に覗き込む。青司は先に行き、真面目な顔つきで、タマキが追い付くのを待っていた。タマキは老人に断り、慌てて走って行く。

「ごめんね、つい見ちゃった」

　青司は、いいよ、と口の中で言ったが、緊張している様子で苛立《いらだ》っていた。中学の時に引っ越してから一度も来ていない、と言うのだから、今の自分の目に生地がどう映るのか、早く確かめたいのだろう。

　駅の右手は、工場街だった。運河のような堀割があって、黒い船が浮かんでいるのが見える。青司は工場街と逆側に出た。一見すると、区画整理されていないような雑駁《ざっぱく》な街だった。狭い道路が斜めに走っている。古い酒屋があるかと思うと、真新しいアパートが建ち、ひと言で説明できないもどかしさを孕《はら》んでいた。だが、地の利がよいせいか、真新しい住宅が多かった。低い住宅が広がる先に、阪神電車で渡った大きな川の堤防が見えた。あの堤防まで行って、子供の青司は猫を箱に入れて流したのかと思うと、タマキの胸が詰まった。青司が好きだ、と唐突に思った。

「この道は覚えている」

青司はそう言って、黒い瓦屋根の家に向かって歩いて行ったかと思うと、すぐさま引き返して来た。あちこちを眺めては考え込み、また違う方向にせかせか歩きだした。何かを取り戻すかのように焦っていた。青司は、古い住宅が壊されて新しい家が建ったので、街の様相が変わってしまったのだ、と真剣な顔で言った。

とうとう雨が降りだした。本降りになりそうな気配だった。タマキは一人、古い酒屋の軒先で雨宿りして、青司を待った。やがて、遠くで青司がタマキを手招きするのが見えた。タマキが雨の中を走って行くと、青司は濡れながら、一軒の古びた平屋を指差した。

「ここだよ、多分。後ろが伯父の家で、うちは伯父からこの家を借りてたんだ」

「伯父さんはまだ住んでいるの」

タマキの質問に、青司は背後に建つ二階屋の表札を示した。違う名前だった。

「引っ越したみたいだね」

「伯父さんなのに知らないの」

「だって、もう死んだもん」

二人で雨に濡れながら、青司の住んでいた家を見上げている。トタン屋根から黒っぽい蔦《つた》が壁を覆っているため、まるで家に細かいヒビが入っているかのように見えた。小さな木製の玄関ドアを開けて、少年の青司が現れる。白いランニングに阪神タイガースの野球帽、灰色の半ズボンを穿《は》いた青司が、川に向かって走って行く。

「うちのオフクロは、ここで洋裁の工場やってたんだよ。おばさんたちを雇って働かせてたんだ」

「へえ、お母さん、遣り手なんだね」

青司は頬を緩ませて笑った後、街を振り返った。

「もっと汚いところかと思っていた。子供の時の記憶だったからね」

そう言って、雨に顔を濡らしたまま、川の方を見遣った。それから、ふと、タマキが一緒にいることに気付いたように、奇妙な表情を浮かべた。タマキは、それが後悔であることを見て取っている。

「帰ろうか」

急に興奮が醒めた様子で、青司は言った。タマキは、堤防まで行って川を見たい気がしたが、雨が激しく降ってきたし、青司が興味をなくした様子なので諦めた。二人共、何も言わずに、並んで駅に戻った。高架下の露店の前を通ると、タマキに髪留めを勧めた老人が、後ろを向いて煙草を吸っていた。タマキの視線を感じてこちらを振り返ったが、その顔には何の反応も浮かんでいない。

二人は、再び阪神電車に乗って、梅田駅に戻った。車中で、青司は首を巡らせて、自分の生家のあった場所と逆の工場地帯を眺めていた。が、タマキは青司の生家のあった辺りを見下ろしていた。きっと電車の音が聞こえる家だったのだろう。日が暮れて、しかも雨に濡れ、青司の住んでいた街全体が、黒く霞んでいった。

阪神百貨店の地下で、タマキは通勤客と一緒にイカ焼きの店の列に並んだ。青司が、名物だよ、と教えてくれたからだ。立ったまま、買ったイカ焼きを頬張り、生ビールをジョッキで飲む。ホテルで食べようと二人前包んで貰ったはいいが、きっと食べられないままに捨ててしまうのだろう、と思う。なぜか、自分たちは二人でいると、何もかもを過剰に持とうとするのだった。

「これからどうする」

「どうしようか」

青司は、昼間の明るさも、大阪に着いた時のはしゃぎぶりもなくして、疲労を滲ませて考え込んでいる。

「道頓堀に戻る？」

「そうだな」と、青司は百貨店の食料品売り場を右往左往する人々を眺めるばかりで、何も言わなかった。

結局、道頓堀に戻って、コンビニでビニール傘をひとつ買った。二人で雨の降りしきる街をうろついた。ネオンの光が水溜まりに滲み、寂しくなる。イカ焼きが腹にもたれて、酒を飲む気にもなれなかった。青司がある店を見て、歓声を上げた。

「あ、あそこに行かない。あれ、俺が高校の時、行きつけだったんだ」

大衆的な餃子のチェーン店だった。青司はどんな高校生だったのだろう、とまたも想像を逞しくしながら、タマキは同意した。店は、地元の若い男女で繁盛していた。奥のコーナーに席を見つけ、油でベタつくビニールシートに腰掛ける。タマキに何も聞かずに、青司が瓶ビールと餃子を注文する。冷たいビールで腹を膨らませたタマキは、食欲の湧かないままに煙草に火を点ける。壁の品書きを見ていた青司が、タマキの脇腹を肘で突《つつ》いた。

「ねえねえ、ジンギスカンって知ってる？　俺がいつも頼んでたの」

「じゃ、食べてみようよ」

ジンギスカンは、羊肉とタマネギなど野菜をタレで炒めた料理だった。いかにも、男子高校生が好みそうなボリュームと濃い味付けの皿が運ばれてくる。美味しいじゃん、と箸で突きながら、タマキは一日を振り返っている。

「変な日だったね」

可笑《おか》しさが込み上げた。

「そうかな」

「そうじゃん。だって、今日大阪に来るって、思いもかけないことじゃない。それからあなたの生まれて育ったところに行って、あなたの高校時代の行きつけの店に来て、ちょっとしたセンチメンタルジャーニーだよね。ここは学校の帰りに寄ったの？」

煙草を吸いながら、青司は店の中を見回す。

「そう、友達と電車乗り換える時に寄ったんだ。考えてみれば、大阪出身って言ったって、十八の時に出たっきりだからさ。東京の方がずっとずっと長いんだよ」

「だけど、あなたはあの川沿いの街で生まれて、子供の時はあそこで遊んでいたんでしょう。猫を川に流して」

「うん。必ず川に行ってたな。川は面白かったもん。でもさ、運河はドブ川の臭いがするじゃない。あれがオレ、凄く嫌でさ。今でも川って言うと、淀川じゃなくて、あのドブの臭いを思い出すんだよ。そういえば、オフクロの洋裁工場に、変な男が来るんだよ。そいつは、一緒に仕事している人で、卸しかなんかをやってるヤツなんだけど、そいつが来ると何か嫌で、俺、不機嫌だった。子供の頃の思い出って、あまりいいことないよね」

「わかる。そういうことって子供はむしろ敏感だよね。あたしの子供時代も暗かったな」タマキは頷き、青司を見て言った。「ねえ、今度は、私の子供時代を過ごした街に行ってみる？」

「そうしようか」

青司は薄く笑って自分でビールを注いだ。タマキはさっき、あの街で青司が見せた後悔の表情を思い出した。自分も後悔するのかもしれない。

青司の携帯電話が鳴った。青司が、失礼、と断って店の外に出て行った。タマキはビールを飲み、冷たくなったイカ焼きの包みに手で触れた。

2

タマキはガンジス川の対岸の景色を思い出して、呆然とすることがある。朝靄《あさもや》をついて見えた彼岸は、渺茫《びょうぼう》とした何もない荒れ地だった。此岸は壮麗な建物が建ち並び、大勢の人々が祈りを捧げる声に満ちて、大変な賑わいだというのに。

自分と青司は、「一線」と呼ばれるものを幾度も越えて、「涯《は》て」近くまで行かざるを得なかったのだ。無意識に越え、躊躇しつつ越え。そして、とうとう最後には、もう二度と元に戻ることのできない大河を渡ってしまった。

今、時を遡行して、大河の向こう岸に広がっている荒野を眺める虚しさは、タマキをひどく疲弊させる。評判の映画を見ている折に、春から始めたヨガ教室で汗を流している最中、ハワイの巨大ショッピングセンターで迷っている時、青司と越えた「一線」は、亡霊のようにひょっこり蘇っては、タマキを慌てさせる。なぜ慌てるかと言えば、それがあまりにも色鮮やかで生きる歓びに溢れ、今の愉しみをあっという間に矮小《わいしょう》なものに変えてしまう力があるからだった。

緑川未来男と千代子も、愛人の○子も、皆大河を越えて彼岸に辿り着き、荒涼とした景色に悄然《しょうぜん》としながら、過去を振り返り振り返りしていたのだろう。あとは余生ではないか、と思いながら。

八年前の春だった。タマキと青司は人目を避けるために少し距離を取って、中野の裏通りを歩いていた。飲み屋やキャバレー、ラーメン屋などがある猥雑な路地だった。タマキが、仕事部屋の近くに新しく部屋を借りる手続きを終えたので、その部屋を青司と見に行くところだった。青司は、仕事部屋が狭いと嘆くタマキに、「もうひとつ借りたらいいのに。お金はあるんでしょう。あなた、ケチだと思われてるよ」と、ふざけながら唆《そそのか》した癖に、いざタマキが実行したとなると腰が退けたらしく、「何で、あそこでいいのに」などと勝手なことを言うのだった。

タマキは、そんな青司に少し苛立ち気味で、青司を置いて行ってしまいたいとばかりに足早に歩いていた。青司はタマキに追いつこうとするでもなく、両手をパンツのポケットに入れて、だらだら歩いている。つまりは、互いに熱く見つめ合う視線の裏には、更なる局面へ変化することへの虞《おそれ》がまだ潜んでいたのだった。

青司はタマキの狭い仕事部屋で寛《くつろ》ぐのを好んでいた。外で食事すれば、必ずタマキの仕事部屋に寄りたがった。来客用のソファに窮屈そうに座り、パソコンの載った机にウィスキーのグラスを置いて、タマキと話し込むのを常としていた。送られてきた雑誌の封を開け、本棚の本を読み、持参したゲラのチェックをした。夜はソファベッドに泊まって、スプリングが悪い、と文句を言ったりもした。青司にとっては、もうひとつの書斎にいる、愉しい遊びのようなものだったのだろう。

しかし、青司はよくても、アシスタントを雇って仕事をしているタマキは、他人から隠すために無理を重ねざるを得ない。青司が思いがけなくやって来て泊まった日などは、青司が帰った後に、急いで掃除をして部屋を整えなくてはならないし、シーツやタオルなどの洗濯や収納にも困る有様だった。だが、青司はタマキの心労にも気付かず、極めて暢気《のんき》だった。コインランドリーでシーツを洗っていると言ったら、タマキがそんなことを自分でしているのかと思うと嬉しい、と笑いもした。タマキは、洗濯にどれだけの時間がかかるのか知ろうともしないのか、と思わなくもなかったが、青司の天真爛漫さが好きなのだから、仕方ないのだった。青司が甘えたいのなら、甘えさせればいいのだし、青司は、自分の日常と懸け離れた場所に身を置きたいだけなのだ、とも理解していた。

そのうち、タマキの仕事部屋での密会が当たり前となっていった。タマキの本が少し売れるようになって、仕事がどんどん忙しくなっていたにも拘《かか》わらず。大きな仕事部屋に移るか、もうひと部屋借りるか。迷うタマキに対して、積極的に後者を勧めたのは青司だったのだ。

「どの辺なの」

青司は、少し怖《お》じている様子だった。二人の逢瀬のためだけに、タマキがわざわざ部屋を借りたことが衝撃だったと見える。この事実を受け入れることは、青司にとっての最初の「一線」だったはずだ。それまでは、タマキがどれほどの決心をして青司を迎え入れようとしていたかなど、気にも留めなかった。

タマキの最初の「一線」は、もっとささやかだった。仕事部屋に必要ないソファベッドを買い入れたことだったのだから。タマキの生活に入り込んだ青司が、もっとも熱望したもの。ただそれだけの理由で、タマキはさんざん逡巡した挙げ句に、まず最初の「一線」を越えた。その時の迷いに比べれば、新しい部屋を借りることなど、合理的な決断に過ぎなかったのだ。むしろ、自分の公的な仕事部屋から情事の匂いを払拭したかった。なのに、青司は尻込みしているのだから、狡《ずる》い。

「もうじきだから」

本当はすぐそこに見えていたのだが、タマキは黙っていた。青司がどんな顔をするのか見たかった。借りたマンションは、ものの見事にソープランドとラブホテルの間に挟まれていたのだ。案の定、青司はソープランドのキッチュな看板に惹かれて、立ち止まって眺めている。猥雑な街を好むのは、タマキも青司も同じだった。だから、タマキには青司が新しい部屋を絶対に好む、という確信があったのだ。タマキはマンションの前で立ち止まった。

「このマンションよ」

「ええなあ」

思った通り、青司の顔に喜色が溢れた。

「あなた、こういうとこ好きでしょう」

「うん、すごくいい」

青司は嬉しそうにタマキの顔を見た。マンションは五階建てで、白い壁に青い瓦屋根、エントランスの赤いファサードが毒々しかった。貧相なエントランスの掃除は行き届いていたが、管理人はいなかった。ステンレス製の郵便受けの蓋が、幾つも開けっ放しになっている。正面に、四人くらいしか乗れない小さなエレベーターがあった。

タマキと青司はエレベーターで五階に上がった。三階に、近所の飲食店の従業員休憩所があるらしく、階数表示の欄には、そこだけが洒落た横文字で名前が書いてあったが、後はみんな空欄だったり、消した痕が残っていて薄汚かった。

タマキの借りた部屋は五階の端っこだった。外から丸見えの外廊下には、じりじりと四月の太陽が照りつけている。部屋の前の廊下から、隣のソープランドの玄関が覗けた。青司と二人で覗き込むと、ソープランドの深い紫色のガラスドアから、陽光を透かして、待機している女たちのストッキングに包まれた脚が見えた。

タマキは不動産屋に貰った鍵でドアを開けた。下見をしただけで決めたので、二度目の訪問である。我ながら、何と大胆なのだろうと驚いている。陽に灼けて赤茶けた合板のドアは、午後の太陽の直撃を受けて熱くなっていた。

「ここ、夏は暑いだろうね」

うん、と青司は浮かない顔で頷く。真夏の陽光の下、抱き合うためだけに二人でこの部屋のドアを開けるのか、と想像したのだろう。

中はワンルームで、入ってすぐに小さなキッチンと風呂場、ドアで仕切られた奥に、十畳ほどの板の間があるだけだった。まだ家具が入っていないので、広く感じられる。タマキは板の間にぺたんと座って、ビールの空き缶を灰皿代わりにして煙草を吸った。青司は窓を開けて外を見ている。ちっぽけなベランダは、裏通りに面していた。向かいは、同じようなマンションで、一階は大衆的な居酒屋が入っている。その右隣は印刷会社の小さなビルで、地階はキャバレー。夜になれば、呼び込みが立つのだろう。その左隣も、背の低い雑居ビルだった。一階から三階までカラオケ店が入って、上は住居になっていた。要するに、雑然とした夜の街の中に、ぽつんとある部屋なのだった。歓楽街に住んだことのないタマキにとっても初めての経験で、青司同様、実は昂奮していた。

「俺、気に入ったよ。いいね、ここ」

青司は窓を閉めて振り返った。タマキは微笑んだ後、部屋を見回して溜息を吐いた。部屋を借りたはいいが、まだカーテンもないし、家具もない。やるべきことがたくさんあった。まず家具が必要だった。しかし、家具を増やせば、後々始末に困る。ベッドは、仕事場でも邪魔で仕方なかったソファベッドを持ってくれば何とかなるものの、テーブルも椅子も新たに買わねばならない。電話もファクスも必要だった。もうひとつの仕事部屋でもあるからだ。カーテンも付けなければならないし、シャワーカーテンも要る。細かいことを言えば、石鹸置きから靴べらまでが、新たに必要なのだった。

「ここ、家賃幾ら」

青司が振り向いて聞いた。タマキは「十三万五千円」と答える。青司は少し考えた後に、タマキに言った。

「俺、半分出した方がいいかな」

「いいよ」と、即座にタマキは断った。

「いいの？」

「うん、私のもうひとつの仕事部屋にするから」

青司はほっとしたように頷いた。なぜ、要らないと言ったのか、タマキにもわからなかった。借りるに当たっては、散々苦労したではないか。不動産屋を巡ってプライバシーを曝《さら》し、保証人が必要だと言われて、叔父に頼んだ。敷金や礼金などを加えれば、金も八十万以上遣ったし、時間も多く費やした。普段ならアシスタントの女性にやって貰えば済むことを、目的が目的だけに自分でせざるを得なかったのだ。金銭的にも、二軒分をすべて自分が払うのは理不尽だ、という思いもなくはない。だが、金を払ってくれ、と青司に言うつもりはないし、払ってほしくもないのだった。理由は、青司に出す気がないことを知っていたからだ。それに、全面的にタマキに頼っている青司に、家賃の半分くらいを出して貰ったところで、自分の真の負担など到底わからないだろう、という諦めもあった。つまり、青司と金のことなど話したくない、というタマキのプライドなのだった。

「今度からは、直接あっちの部屋に来てね」

仕事部屋に帰る途中、タマキは青司に頼んだ。

「いいけど」

青司は戸惑ったように言った。おそらく仕事部屋でならば、編集者という仕事に直結している自分の存在に満足できたのだろう。だが、逢い引きのための部屋で会うのなら、完全に恋人でしかない。その位置づけに、怯《ひる》んでいる。自分だって怯んでいる、とタマキは言いたかった。しかし、自分の重荷を減らすには、そして二人の秘密を守るには、負担を感じている方が一歩先に進むしかないのだった。

その晩、もう一度会うことを約束して、青司は会社に向かった。タマキは再び新しい部屋に戻り、カーテンを作るために窓の採寸をした。サイズをメモして、インテリア店に行った。カーテン生地を選んでオーダーを頼み、続いてスーパーで、洗剤や雑巾などを買う。荷物を新しい部屋に置きに戻り、ついでにシーツと枕カバー、タオル類を洗いにコインランドリーに寄った。仕事場で打ち合わせが終わる頃はくたくただった。ただでさえ忙しいのに、自分は何をしているのだろう、と思わなくもない。しかし、新しい部屋を借りて気分は昂揚していた。金がかかっても、最初は面倒でも、ともかく愉しくなりたかった。

夕方、青司から電話があって、タマキは中野の行き付けの飲み屋で落ち合った。青司と昼間も会っていたから、何となく面映《おもは》ゆい。二人で意味もなく笑い合った後、生ビールを飲んであれこれと話をした。当時の青司は、ある作家とのトラブルに悩んでいた。だが、青司はまだ、何もかもをタマキに話してくれる訳ではなかった。タマキも同様で、自分の会社以外とも仕事をしたいと思っていた。青司とは夫婦ではないのだから、自分の仕事は自分で守り、開拓すべきだと思っていたのだ。青司は、タマキの気持ちに薄々気付いているらしく、不快そうではあった。つまり、編集者である青司は、作家の言動に振り回され、ある時は憎んでさえいたのだった。その憎しみは、タマキに向けられることだってあった。タマキだとて、デビューして日は浅いから、編集者の冷酷さに泣かされることもある。編集者と作家の恋愛は、力関係が拮抗しなくては、バランスが取れなくてどうにもならないのだった。この頃はまだ、二人の信頼関係も万全ではなかった。

「あの部屋、夜はどんな感じになるか知りたくない？」

好奇心を全開にして、青司が尋ねた。タマキも新しい部屋に泊まりたくてならなかったが、家具がない。タマキは青司に言った。

「ねえ、せいちゃん。仕事部屋に行ってさ、マットレス持って行こうよ」

えっと仰天する青司の尻を叩き、タマキは仕事部屋にあるソファベッドのマットレスのみを持ち出すことにした。捨ててしまうつもりだったが、急に惜しくなった。新しい部屋の板の間で、マットレスだけを使えばいい。新たにベッドを買ってしまうと、何かあった時に持て余すに決まっていた。何かあった時、とは、二人の不安定さが剝《む》き出《だ》しになった時に決まっていた。だが、それはあってはならないことだった。だからこそ、前に前に進んでいるのだ。

青司はタマキに指示された通り、マットレスを剝がして部屋の玄関から廊下に運び出した。狭く長いマンションの廊下を、青司が先になって二人でマットレスを運んだ。マットレスは意外に分厚くて、重たい。指で摑むのさえ苦労して、タマキは音を上げた。

「結構重いね。駄目だ、あたし」

　タマキは持つのを諦めて、青司に任せた。青司は一人の方が持ちやすいのか、マットレスを担いで夜の街を歩きだす。住宅街ではそう目立たなかったが、歓楽街に入った途端、マットレスを運ぶ青司は人目を引いた。酔客やカップルの視線が、青司と、青司の持つマットレスに集中した。恥ずかしいよ、と青司が眉を顰《ひそ》める。十分以上歩いて、やっとソープランドの隣のマンションに辿り着いた。二人でマットレスを縦にして、エレベーターに押し込む。マットレスはエレベーターを対角線状に塞いで、奥に入り込んだタマキは青司の顔を見られない。

「こんなの俺に持たせるなよな。俺、一生忘れないよ」

　青司がマットレスの向こうから言った。タマキは可笑しさを堪えて、バッグから鍵束を取り出した。またマットレスの向こうから青司が怒鳴る。

「俺さ、あなた好きだよ」

「私も好きだよ」

　五階に着いた。いったいこの先、どうなるのか。「一線」を越えて、新たに部屋を借りた自分たちはどこに向かうのか、皆目見当がつかなかった。だけど、今がいいなら、それでいいのだった。

廊下に出て、やっと顔を見合わせたタマキと青司はまた笑った。笑いは止まらなかった。青司が滲んだ涙を拭きながら呟いた。

「あんなことして、誰かに見られたらおしまいだな」

「ほんとだよね」

タマキは我に返って怖ろしくなった。二人は、あるイエロージャーナリズム誌に取り上げられ、関係を面白おかしく書かれたばかりだった。次は写真を撮られるかもしれないよ、と青司が言うので、二人とも被害妄想に満ちていて、実は互い以外の人間を信用できないような状況でもあったのだ。

「気を付けなくちゃね、俺もあなたも」

青司が後ろを振り返り、慌ててマットレスを部屋に運び入れた。タマキはドアを閉めてチェーンを掛けた。しかし、繁華街をベッドのマットレスを持ってうろついたのだから、気を付けるも何もない。またしても、可笑しさが込み上げる。が、不意に、残ったベッドの黒い枠を思い出し、「一線」を越えた、とまたしても思うのだった。

しかし、ソープランドの隣の部屋は、予想以上に快適だった。タマキにとっては、まず仕事部屋と完全に分離したことが、寛げる最大の理由になった。アシスタントや来客の視線を感じなくていいし、他人に見られたくない手紙や私物を保管する場所が出来たのだ。

そのうち、青司も自分の本やCDを持って来た。将来、二人でする予定の仕事の資料置き場にもなり、相談をする場所にもなった。それに、電話やファクスを付けたにも拘わらず、仕事はすべて仕事部屋でこなしていたから、その部屋にいる時のタマキは、例のマットレスの上で本を読んで過ごすことができた。

五月の連休中、青司が会って遊ぼうと言う。お盆や年末年始などの長期休みの間は、連絡も取り合わないのが普通だが、その年は珍しく青司の方から誘ってきたのだった。家族が皆で旅行に行くので、時間が自由になるという。そういう時は、寂しがる男だった。出張先から電話してきて、夜たった一人きりで寂しい、と訴えてきたことが何度もあった。

「あなたは何で行かないの」

「ちょっと苦手なんだよ」

家族ぐるみの付き合いをしている家に、毎年遊びに行くのだそうだ。青司は、てろんとした黄色地のアロハシャツを着て、前髪を立たせるジェルを付けていなかった。前髪が垂れて、違う男に見えた。

「珍しい格好してるね」

「うちはアロハとサングラスは禁止なんだよ」

青司は口を滑らせた。へえ何で、似合うのに。タマキは口の中で呟く。きっと青司はいい父親なのだろうと思う。そして、自分もいい母親。だから二人とも、こんな猥雑な歓楽街で疑似生活ごっこをしているのだ。この街で生きている振りをしているけれども、それは帰る場所があるから。休日に会うと一層、互いが帰る場所がよりくっきりと姿を現す気がして、好奇心は満足しても物悲しくなる。

タマキは青司と腕を組んで、昼食を買いに出た。休日の緩みが、タマキにも青司にもあった。すると、ソープランドのガラスドアの横に大型バイクが停まっていた。バイクの横で煙草を吸っていたヘルメットを被った男が、タマキたちをちらりと見た後、目を逸らした。カメラマンベストのような物を着ているのが、何となく気になったが、タマキは青司と腕を組んだまま、マンションのエントランスに入った。

「ねえ、あの人、さっきからいない？」

タマキの言葉に、青司が反応した。

「それ、ヤバくないか」

タマキははっとした。イエロージャーナリズム誌は、バイクで追いかけると聞いたことがあった。被害妄想と思っても、一度書かれると不安は募る。青司がこっそり様子を見に行き、手を振りながら戻って来た。

「わからないから、隠れて部屋に帰ろう。部屋を特定されるとまずい」

休日の楽しさは消え去り、タマキと青司は身を屈《かが》めて階段を使って上った。外から上半身が丸見えになる外廊下も、這うようにして進んだ。何でもなければ笑い話だが、確かめる術《すべ》もないのだった。先に行ったタマキがこっそりドアを開けて中に滑り込み、弁当や缶ビールを持った青司が続いて入った。

「あいつ、本当にさっきもいた？」

タマキは頷いた。昼前から、ソープランドの前でうろついていた。客なのかと思って、じろじろ見たから間違いない。

「怪しいなあ。畜生、どうやってここがわかったんだろう」

青司がそっと玄関ドアを開けて見に行った。戻って来て溜息を吐く。

「まだいるよ。もしかすると、カメラマンとか呼んでるんじゃないだろうか。バイクで後をつけて、カメラマンを呼んで撮影させるのが手なんだよ。それにしても、あそこにそんな金があるかな」

写真週刊誌に在籍していたことのある青司らしい想像だった。

「ねえ、あたしにそんなにお金遣うかな」

タマキが呟くと、青司が噴き出した。

「確かに。『鈴木タマキと編集者AにW不倫の噂』って、言われてもねえ」

「インパクトないよね」

二人で顔を見合わせてにやにやする。こうやって乗り越えていくしかない、とタマキは思った。「一線」を越えて得た場所にいて、二人で先へ先へと進まなければならないのだから。

だが、ソープランドの隣の部屋は、半年後に引き払うことになった。理由は、マンションの掃除を引き受けているオーナーの老女が、好奇心に溢れていることだった。老女は、タマキと会うと必ず、何か問いたげに口を尖《とが》らせて首を傾《かし》げ、タマキの顔を凝視するのだった。どうやら不動産屋の女が、小説家が入居した、と言い触らしているらしい。老女は、タマキの動向を常に気にしているようだ。そのせいか、五階の外廊下を丹念に掃除するのも気に入らない。朝、青司と二人で部屋を出ようとすると、何度か鉢合わせもした。

すると、当の不動産屋から電話がかかってきた。今いる部屋の裏に、もう一軒マンションがあって、そっちは家賃は高いがオートロックで治安がいい、そちらにしないか、と言うのだ。タマキがその部屋を見に行ったのは、人の目に怯えていたからだ、と言っても過言ではない。

新しい部屋は、今度はラブホテルの真ん前にあった。マンションの外廊下からは、ホテルの部屋を掃除する、浅黒い肌の外国人の男たちの姿が見えた。部屋は新しいが、前の部屋より少し幅が狭かった。が、北向きで薄暗い穴蔵のような感じがタマキの気に入った。心配した通り、ソープランドの隣の部屋は、夏は蒸し風呂のように暑くなって、冷やすのに相当時間がかかったのだ。それに、風呂や台所の設備が新しくて清潔なのも、嬉しかった。ここなら落ち着いて執筆もできるかもしれない、と思う。もうひとつの目的である、自分だけの仕事部屋という目的も果たせそうだった。

「あたし、裏のマンションに引っ越すから」

青司は反対した。

「何で。あそこいいじゃない。俺気に入ってるのに」

「いいんだけどさ、おばさんが、あたしのこと知ってるみたいにじろじろ見るから、嫌なのよ」

青司はそれ以上、何も言わなかった。あれほど、バイクの男には神経質になったのに、オーナーの女とは直接関係がないからだろう。青司は週に一度しか来ないから他人事《ひとごと》なのだ、とタマキは思ったが、勿論、口にはしなかった。

タマキは、またも礼金や敷金を払って、ソープランドの隣にあったマンションを引き払い、少し高級なマンションに引っ越した。二軒目なのだから、さらにまた「一線」を越えたのだった。しかし、一度越えた線は、もう気にならなかった。

ベランダのカーテンは前のを流用したが、嵌《は》め殺しの窓にも何か付けないと丸見えなので、仕方なしにカフェカーテンを新たに買った。テーブルを窓辺にぴったり付け、部屋の隅には件《くだん》のマットレス。それでも、小さな冷蔵庫や椅子やテーブルがあるのだから、業者に頼んで引っ越した。六十歳を過ぎた引っ越し業者は、首を捻《ひね》った。

「私、この仕事して長いですけど、こんな変な引っ越ししたの初めてです。あっちのマンションから、こっちのマンションまでなんて」

道路を隔てて移っただけなのだから、無駄と言えば無駄だった。不動産屋にしてやられている、と青司は思ったかもしれない。だが、タマキはひとつでも気になると、落ち着いて居られないのだ。写真を撮られるのも青司と一緒なのだからリスクは同じかもしれないが、自分が借りた部屋が他人に知られて動向を探られているかもしれない、ということが決定的に気分を挫《くじ》けさせるのだった。しかし、部屋を見に来た青司は不機嫌だった。

「へー、いいじゃない」

お座なりに誉めた後、レースのカフェカーテンに目を遣った青司の目に、嫌悪が走ったのを、タマキは見逃さなかった。

「何が気に入らないの」

「いいって言ってるじゃない」

青司は「一線」を越えるのをやめたのだ、とタマキは思った。ソープランドとラブホテルに挟まれた品のない部屋ならば許せても、小綺麗なマンションを逢い引き部屋にするのは躊躇われるのだ。タマキは深い悲しみを覚える一方で、身勝手な青司に腹が立って仕方がなかった。

3

開け放ったドアから、山と積まれた段ボール箱が見えた。トイレの前も塞がれて、部屋の中に入って行くのさえ難しそうだった。タマキは、こんなに物があったのかと呆れて、外廊下から自分の仕事部屋を覗き込んでいた。段ボール箱の山の向こうで、勢いよくガムテープを剝がす音が聞こえた。アシスタントのエリエが荷物を作っているのだろう。タマキは表から、「お疲れ様」と声をかけた。

箱の間からエリエが顔を出した。ずり落ちた眼鏡を指で押し上げて、「お早うございまーす」と間延びした声で挨拶する。ニットキャップを被って、埃《ほこり》よけの大きなマスクをしていた。眼鏡が曇っているのは、マスクをしているせいだろう。エリエ一人に引っ越しを任せてしまったタマキは、まるで部外者のようにお辞儀をしながら、段ボール箱の僅かな隙間に身をこじ入れて中に入った。エリエが、やや心配そうにタマキを見つめて言った。

「タマキさん、携帯、電源入れてます？」

タマキは黙って頷く。

「あれ、そうですか。阿部さんから連絡くれって、何度も電話ありましたよ。タマキさんの携帯に電話したんだけど繋がらないって。あたしもかけてみたんですけど駄目だから、もしかしてって思って」

「変ね」

タマキはとぼけてみせた。携帯電話は、昨夜壁に叩き付けて壊してしまったのだから、通じる訳はない。

「ともかく、阿部さんに電話してくれませんか。対談の件で急ぎだそうです」

嘘つけー、対談なんかねーよ。タマキは心の中で呟く。タマキにその気がないと見てとったのか、エリエは段ボール箱の上に危なっかしく置いてあるファクス機から、青司に電話をしている。

「お世話様です。今来ましたので、代わりますから」

エリエが事務的に受話器を突き出したので、タマキは仕方なく受け取った。ファクス機のコードは短い。身を乗り出して、「お電話代わりました」と言うと、青司が安心したように嘆息したのが聞こえた。

「どうしたんですか。昨夜から十回くらいお電話してるのですが、全然通じないようで、何かあったんじゃないかと心配になりました」

周囲に人がいるのか、青司は、他人行儀だったが、口調に焦りがあった。

「何でもないですよ。ご心配かけてすみません」

いやにゆっくり喋る自分がいるな、と思いながら、タマキは狭い部屋を見回す。本棚の奥に残っている目覚まし時計を忘れないようにしなきゃとか、借りた本は別にしておいたのに、エリエは荷物に入れてしまったのか、などと関係ないことを考えている。

「今日、お引っ越しなんですか」

「そうなんですよ。マンションが出来たって言ったじゃないですか」

「はい、伺ってます。あのう、あちらの方もそうでしょうか」

青司が声を潜めた。あちらの方とは、ラブホテルの真ん前にある、二軒目の二人の密会部屋のことだった。

「そのつもりですが」

「私、これからお手伝いに上がります」

「結構ですよ、人手はありますので。ご親切に有難うございます」

タマキもまた他人行儀に礼を言って電話を切った。心はとうに決まっているから、青司と話すこと自体が面倒に感じられる。今すぐベッドに潜り込んで眠ってしまいたいような気怠《けだる》さと、複雑なことを何も考えたくない億劫さとで、むしろ幼児のごとく明るい気持ちでもある。心配そうにタマキを見つめているエリエと目が合った。エリエは、タマキの様子が気になるらしい。毛玉だらけの赤いフリースに、足首まである黒の長いスカート。この格好で木製のサボを鳴らし、ラブホテルの真ん前にある部屋から、繁華街を抜けて歩いて来たのだった。フリースも長いスカートもサボも、あの部屋に常時置いてある物だ。昨夜、引っ越しの準備で泊まり、そのままの格好で化粧もせずに、正規の仕事場に現れたのだ。部屋着のままで駅前の繁華街を歩くことなど、普段のタマキにはあり得ない。心のタガが外れたのだろうか。

「阿部さん、今日いらっしゃるんですか」

エリエは遠慮がちに尋ねたが、タマキは首を捻った。

「さあ、どうかな。口先だけじゃない」

エリエが、はっとしたようにタマキの顔を見た。何かあったのか、と聞きたいところだが、尋ねられる立場ではないと逡巡しているのだろう。タマキは、エリエの口を封じた。

「じゃ、ここの引っ越し、お願いしていい?」

勿論です、と呟くエリエの目も見ずに、タマキは仕事部屋を出た。とうとう青司の声を聞いてしまった。禁煙中にうっかり、他人の吐き出した煙を吸い込んだような不快な気分だった。

タマキは、今度こそ青司と別れようと決心していた。到底別れられるものではないと思う気持ちが最高潮に高まると共に、だったらいっそ、その気持ちごと捨ててやれ、という乱暴な思いに囚《とら》われ始めていた。あれ以来、何もかもが、急速に価値を反転させていた。愛は憎しみに、信頼は不信に。すべてが馬鹿馬鹿しくなり、一切合切を放り出してしまいたい衝動に駆られている。その根底にあるのは、自分を損なうほどの大きな悲しみである。

二軒目の部屋で、何度か話し合いがあった。足繁く通って来る癖に、近頃の青司は、急激に家庭への回帰を見せていた。長く付き合っていれば、互いにそういう時期はある。しかし、青司ははっきり言ったのだ。「あなたとは、この先どうにもならない」と。青司は、自分たちは、もう少し早く出会えば何とかなったのだ、と何度も言った。理由が何かは語らなかったが、時はすでに遅く、自分たちはこのまま付き合っていくしかないのだという。

「それって恋愛なの」

「そうだよ」

「だけど、空中植物みたいなもんだね。そんなことできんのかな」

タマキの言葉に、青司は薄く笑った。

「どういうこと」

「空中に根を張る植物があるんだってさ」

そんな喩《たと》えするなよ、と青司がうんざりしているのがわかる。あたしだって、うんざりしているんだよ。青司にそう怒鳴りたくても、虚しくてできない。青司は、これまでの付き合いを見事に変えてくれた。反転した世界に、どのくらいいられるのだろうか。


タマキはまず、即決に近い早さで、ひと月後に中野駅の南口に建つ新築マンションを購入した。その時点で、二人の密会部屋は何の躊躇いもなく解約してしまった。その素早さは、今まで経験したことのない魂の危機に瀕して、タマキに備わっている防衛本能が一気に立ち上がり、「早く逃げてえ」と叫んでいるかのようだった。


「ねえ、南口に今建てているマンションあるじゃない。そこ買ったからさ、出来たら、そっちに仕事場移すからね」

タマキが言うと、えーっとエリエが叫んだ。

「初耳です。モデルルーム、ちゃんと見たんですか。タマキさん、少し早くないですか」

「一回見たよ」

「でも、高い買い物じゃないですか。そんなに早く決めていいんですか。普通は、いろ

ん な物件見て比べたりするんじゃないですか」

　そんなことはわかっている。でも、タマキはひたすら逃亡したいのだった。仕事部屋と、青司と会う部屋とふたつ持っていることに倦《う》み、青司を愛することに疲れていた。自分が青司よりも一歩踏み出したことの重みに、タマキの心はもう堪えられないのだ。自分だけが撓《たわ》んだ重い物を抱えていた、という事実に打ちのめされている。狡いじゃないか、と喉元まで出かかった言葉を何度呑み込んだか。

　しかし、部屋の解約と共に、気は楽になっていた。なぜなら、この先は青司の受け持ちだからだ。青司の肩にすべてを預け、青司が新しい部屋を借りないのだったら、それでおしまいで構わない。自分だって、新しい部屋に青司を迎え入れるつもりはないのだから。越えろと煽っておきながら、とうとう一線を越えた自分に、青司は応えようとはしなかったではないか。

　だが、マンションを買ったとタマキから事後報告を聞いた青司は、衝撃を受けた様子だった。

「何で俺に相談してくれないの」

「ごめん。でも、もう決めたから」

「じゃ、あの部屋は」

「解約した。あと、ひと月いられるけど、今度はあなたが借りて」

タマキの決意が伝わったのか、青司は真面目な顔で頷いた。

「わかった、俺が借りるよ」

じゃ、やって貰いましょう、とは言わなかったが、タマキは訝《いぶか》った。青司にそんな意志があるのか、行動力があるのか。それでも青司は、数日間不動産屋を巡り、紹介された物件を見て回った。だが、狭い、古い、うるさい、嫌い、とタマキに文句を言った。

「だいたい、冷蔵庫とか何か買ってもさ。届く時にその場に居なくちゃならないじゃない。俺、それはできないものね」

「でも、あたしはそれをやってきたんだよ。あたしだって暇ってわけじゃないよ」

タマキが言うと、青司は黙る。そして、それきり部屋探しはうやむやになった。以後、二人の間で部屋を借りる話が再燃することはなかった。タマキの変容に対して、青司の心も迷いながら、遠く離れていきそうに見えることもある。

そうこうしているうちに、マンションは出来上がった。内覧も済んだから、引っ越しの日にちを決めようと言ったのに、青司はやる気があるのかないのか、理由を付けては引き延ばしていた。やる気がないのなら、なぜはっきり言わない。タマキの予定を振り回して、逃げまくっている青司に、タマキの怒りは収まらなかった。青司が何を望んでいるのかは、大体わかっていた。限りなく受け身で、タマキにすべてやって貰うことを期待しているのだ。それ以上関わりたくないのなら、来なければいい。タマキは、自分の愚かしさに反吐《へど》が出そうになっている。もう二度と、自分の世界に入れるつもりはなかった。

タマキは、腹立ち紛れに、カフェカーテンを引き裂いてみた。べりべりとレースの部分が裂けていくのを見ていると、気分がよかった。が、次第にカーテンを選んでいた時の、時間がなくて地団駄を踏むほど焦る気持ちが蘇り、ひどく憂鬱になった。すべては徒労なのだった。青司はこの憂鬱さとも無縁なのかと思うと、腹立たしくてならない。

タマキは文句を言ってやりたくなって、青司に電話をかけた。だが、留守番電話だった。

「あなたを待っていても埒《らち》が明かない。明日、引っ越しすることにしました。もう、こちらのことは放っておいてください」

留守電に入れた後、タマキは手の中にある携帯電話をしばらく眺めていた。留守電に入れてしまえば、今度は返事が来るのをつい待ってしまう。もう、たくさんだった。青司に縛られたくない。いや、青司ではなく、二人で築いた関係に縛られたくなかった。自分が越えた一線の先に広がる荒涼たる世界に、たった一人で留まりたくはない。早くどこかへ逃げなければ。

タマキは、フラップを開けたままの携帯電話を、思いっきり壁に投げつけた。不動産屋が、替えたばかりです、と自慢したビニールクロス貼りの壁に、小さな凹みが出来た。

携帯電話は床に落ちて勢いよく跳ね、その衝撃で微かに反り返った。拾ってみると、やはり電源が入らなくなっている。携帯電話と共に壊れる関係。携帯電話に罪はないのに、と壊れた電話機を撫でさする。そして、タマキは悲しみと同量の解放感を感じてもいるのだった。もういいよ、いいんだ、あいつのことはおしまいにしようよ。もういいよ、いいんだ、とそればかり繰り返していた。

その夜は部屋に泊まり、荷造りをしながら何度も一人で乾杯した。囚われるな、新しく生きるんだ、と自分が自分に囁き、そのうち囁くのにも疲れて、破れたカフェカーテンの隙間から、中野の夜景を眺めた。飲み屋のネオンがあちこちで輝き、ひとつ、ふたつと消えていく。夜明けまでのほんの少しの間だけ、暗闇があった。やがて、薄い桃色に輝く陽が射して、冬の遅い朝がやってくる。路上にハシブトガラスが現れると、タマキは戸棚を開けて、資料や写真や雑誌を大きな段ボール箱に移し始めるのだった。僅かな食器は新聞紙にくるんで紙袋に入れる。たった半年のうちに、何度引っ越しをしているのだろうと苦笑する。荷物がほとんど出来たところで、捨てる予定のマットレスに横たわった。二人で担いで運んだマットレスで、最後のひと眠り。その言葉に頬が緩んだ。

タマキが仕事場から、もうひとつの部屋に戻った途端、煙草を片手に青司が現れた。タマキが「国境警備隊」と呼んでいる、濃紺の厚手のコートを着ていた。零度を下回る気温のせいで、煙と共に吐く息が白い。

「何だ、来たんだ」

「来たんだじゃないよ。俺、びっくりしたよ。留守電聞いたら、もう『放っておいてください』なんて、俺は関係ないみたいに言うしさ。裕美ちゃん、あんまりじゃない」

青司は最初から媚びていた。

「女が逃げようとすると、焦って追って来るんだね」

タマキは冷ややかに笑いながら、デジカメで部屋の写真を撮った。ビニールクロスの上の凹み、カフェカーテンの残骸。一度も掃除機をかけることがなかったため、部屋の隅に溜まった、三カ月間のカーペットのケバ。寝不足で、頭の芯が痛かった。

「あなた、逃げようとしているの」

青司が、真剣な顔でタマキの赤いフリースを摑んだ。

「さあ、どうだろう」

タマキは摑まれたまま、首を傾げる。誤解しないでほしかった。タマキは青司から逃げるのではなく、タマキが囚われている関係から逃げるのだ。タマキは青司にカメラを向けた。青司がモニターの中で、幼さを感じさせる笑みを見せた。

「どうして写真撮ってるの」

「記念。だって、あたしが部屋を借りることは、もうないもん」

「ないの、何で」

青司がタマキの顔を覗き込んだ。タマキは溜息や傷と一緒に、言葉を吐き出した。

「ないよ、もう」

途端に、青司が悲しそうな顔をした。あーあ、と嘆息して俯《うつむ》く。タマキと同様、青司も大きな悲しみと同量の解放感を感じているはずだが、青司は顔に出さない。

お早うございます、と引っ越し業者がやって来た。二人共、長髪の二十代で、多幸症のように、絶えずニコニコと笑っている。これだけっすか。あまりの荷物の少なさに拍子抜けしているようだ。彼らはものの三十分でテーブルや本を運び出し、剝き出しのマットレスに手をかけようとした。

「それは捨てるからいいです」

タマキが断ると、青司が辛そうに言った。

「俺が捨ててこようか」

「お願い。裏のゴミ置き場に置いてきてくれる」

一緒に行こうかと思ったが、未練は禁物だった。タマキは行くのを我慢して、とうとう何もなくなった部屋を見回した。ほんの三カ月前に、この部屋を借りた時の昂《たか》ぶりを思い出して胸が熱くなる。誰にもわからない、自分だけの昂揚。ソープランドの横の部屋より、秘密が保たれそうで嬉しかったのだ。それに、部屋が新しかったことも。

「捨ててきたよ」

青司が、引っ越し業者の男たちと何か談笑しながら戻って来た。

「撮りましょうか」

業者の男がカメラを指差す。青司が笑いながら、タマキの腕を取った。外廊下で二人で腕を組み、カメラを見つめる。男はタマキと青司の写真を二枚撮ってくれた。後で映像を見ると、二人の後ろで、清掃係らしい中近東系の男が映っていた。男は、ラブホテルの窓から顔を出してタマキたちを笑って見ていた。


引っ越し先の新築マンションの方では、仕事部屋の片付けが進んでいた。エリエが、友人を二人連れて来て、三人で姦《かしま》しく整理している。タマキは、二人の部屋から運んで来たテーブルを、あたかも自宅から持って来たような顔をして、青司と一緒にミーティング用に設《しつら》えた。本や資料は自分専用の書斎の書棚に入れた。片付けは一日では到底終わらず、エリエたちは翌日に持ち越して帰って行った。

「新しいから快適だね。広いし」

青司は木の香が残る部屋を見回して、明るい声で言った。タマキにも出直した喜びがあった。が、まだ話が残っていた。

「ねえ、せいちゃん」

早くも缶ビールに口を付けた青司が振り返る。タマキは意を決して言った。

「もう、ここに来ないで」

はっとした様子で、青司が俯いた。

「ずっと考えていたんだ。あたし、どうにもならないのなら、もうやめる」

「どうにもならないって、どういうこと」

話していると、もどかしい。青司はわざとはぐらかしているのではないか、とタマキは苛立った。

「何の展望もないこと」

いや違う、そうじゃないだろう、と別の声がタマキの内部に響いた。お前は、青司を独り占めしたいのにできないからじゃないのか。その通りだった。独占。恋愛をしていれば当たり前だ。

「はっきり言うよ」タマキは青司の目を見つめた。「あたしは、誰ともあなたを分け合いたくないの。ただ、それだけ。誰かと分け合わなくちゃならないのなら、私は何とか努力してやめるから、もうあたしのところには来ないでくれる？」

青司がビールを苦い物のように飲み込んだ。

「つまり、俺にどっちか選べと言ってるの？」

「そう、選んで」

タマキは頷いた。青司は頭を垂れて考え込んでいる。五分近く経って、やっとこう言った。

「あなたを選ぶよ」

意外さに、タマキは唖然とした。嬉しい反面、心の準備と現実が呼応しないので、慌てていた。だが、青司はこう続けるのだった。

「俺、あなたがいなかったら生きていけない。あなたと一緒に生きていくことを選ぶから、これまで通り、ここに入れて。お互いに家族とは別れよう。俺は会社にいられるかどうかわからないけど、一緒になろう」

青司は、新築マンションのフローリングの床に土下座した。タマキは返事を返すこともできず、あっけにとられたままだ。青司が土下座する姿を見たくて言ったのではなかった。青司にも一線を越えてほしかったのだろう、と思い至ったのは、かなり後である。

昔の思い出はきりがない。タマキはパソコンを立ち上げたまま、とりとめもなく様々なことを思い出していた。頭痛を誘うような、クチナシの熟れた香りが漂っていて、いいことも嫌なことも、すべて引き連れてくるのが原因かもしれない。

タマキの引っ越しと、青司の決断は、二人の付き合いにおける最初の転機だった。以後、二人の蜜月がまた始まって絆《きずな》は一層深まったが、五年後には決裂に至るのだ。

青司が、この時の言動そっくりに「あなたの部屋にまた入れてくれないだろうか」と再び頼んだのは、殴打事件が起きる一週間前だった。二度目の青司の心境はいったい何だったのだろう。自分は狂乱のあまり、青司の大きな心を見逃し、青司という人間を見誤っていたのだろうか。あれやこれや考えると想念が溲れ出て、タマキは逆に気を散らしていた。

携帯電話が鳴った。発信元は、編集者の中城である。近頃の中城は、タマキの執筆する「淫」に次第に興味を感じたらしく、盛んに取材しては報告を上げてくるのだった。

「中城です。執筆の方はいかがでしょうか」

タマキは適当に答えた。

「まあまあ、進んでいます」

「そうですか、楽しみにしています。実はですね、タマキさん、驚かないでくださいよ」

中城の声が勿体《もったい》をつけて弾んだ。

「何ですか」

「『無垢人』の○子の正体がわかりました」

「え、誰なの」

さすがに動悸がした。

「作家の三浦弓実《ゆみ》です」

知らない名前だった。が、また作家か、とタマキはデスクの上のメモパッドに認《したた》めながら思った。緑川未来男は、同人誌仲間と付き合ったこともあるらしいから、作家であることは十分考えられたのに、どこにもそんな記載はない。改めて聞くと意外だった。

「どんな作家なの」

「これがですね。あまり著作が残っていないのです。でも、何とか探してお届けします」

中城は、今にも図書館に走って行きそうだった。

「ちょっと待って、中城さん。それって確かな話なのかしら。誰から聞いたの」

「確かだと思います。というのは、出所は、藤山まもるさんなんです」

藤山は、純文学から官能小説に転向して、「肉体クラブ」という有名シリーズを書いた。「心境愛」という言葉が流行語になって、数十年前に大いに騒がれた作家だった。存命だと聞いていたが、まさか藤山から「〇子」の真実が明かされるとは思ってもいなかった。何となく、同人誌仲間は喋らないだろうという先入観があった。

「藤山さんには、どうやって聞いたんですか」

「僕が会いに行きました。たまたま、小田原に用事があったので、ついでに寄ってみたんです。藤山さん、八十歳なんですけど、凄くお元気で、記憶力も抜群でしたよ。僕が行ったので、原稿依頼かと思った、と言われました」

電話を切った後、タマキはネットで「三浦弓実」の名を検索してみたが、僅か二十件しかなかった。だが、ひとつだけ、印象的な逸話があった。

「昭和三十年十月、戸張公民館で、『女流作家講演会』があるというので、指折り数えてタイヘン楽しみに待っていました。村上禎子《ていこ》さんと三浦弓実さんが出演される、というのです。私は村上禎子さんのお書きになる、女工哀史ものが大変好きで、自分の姿を重ねておりました。当時の私は、毛布工場で経理事務をしておりましたが、その前は、工場で働いていたのです。幸い、事務という楽な仕事に就けましたけど、自分より幼い女工さんたちの一生懸命な姿に、自分は何と恵まれているのだろうと考えさせられることが多かったのです。村上禎子さんは、そんな女工さんたちを生き生きと、そして愛情タップリに書いておられた作家でした。私は、何と素晴らしい作家であろうと尊敬していたのでした。ところが当日、私はタイヘンがっかりさせられました。何と、村上禎子さんと三浦弓実さんは、前日泊まった別府温泉が気に入ったとかで、そのまま逗留され、戸張市の講演会を蹴られたのでした。何でも、三浦弓実さんが、『講演会なんか構うことない、もう一泊しよう』と仰《おつしや》ったということまで伝えられ、戸張の者はみんな怒ったのでした」

七十五歳になる無名の老女の手記を転載しているのは、村上禎子を研究するサイトだった。その中に、三浦弓実の不名誉とも言える逸話が残っているのである。村上禎子は、プロレタリア文学者として名を挙げたから、三浦弓実と交流があったこと自体が驚きだとしても、温泉に延泊したいから講演会を蹴るとは、何とも信じがたい話ではあった。タマキは、三浦弓実という作家の周辺に漂う、きな臭い悪意を嗅ぎ取っていた。

もし、「〇子」が、本当に作家の三浦弓実だとしたら、『無垢人』に対抗すべく書いた物が何か残っていてもよかった。いや、それは自分の願望なのだろうとタマキは苦笑した。それにしても、緑川未来男、後に「ミドリ川ミドリ」という名で児童文学作家となった千代子夫人、三浦弓実。物書きばかりが現れるのはどうしたことだろう。

第五章　陰

1

緑川未来男は、『無垢人』に〇子をほとんど登場させていない。〇子は、緑川夫妻に忍び寄る足音であり、夫妻の間に潜む黒い影だった。書かれてはいなくても、二人が〇子の存在に脅かされている様子は、自ずと伝わってくる。が、唯一、〇子との逢瀬を描いている場面がある。

「振り向くと、廊下の薄暗がりに、バッグを提げた〇子が立っていた。華やかな黄色のコートを着て、黒い帽子に黒のマフラー、という洒落た格好で笑っている。古びたアパートのそこだけが、明るい光に満ちていた」

　この記述が真実だとしたら、〇子は「古びた」アパートに一人で暮らしてはいるが、派手で洒落た装いを好み、当時は一般的でなかったソファやベッドのある暮らしをして、石油ストーブで暖を取っていることになる。それは、緑川の自宅にありそうな炬燵《こたつ》や火鉢とは無縁の、都会的暮らしである。さらに〇子は、暗い廊下に未来男が立っているのを認めると、「ミッキー」と呼ぶのだ。タマキは、これらの描写がプロレタリア作家の村上禎子と親交を結ぶ女性作家、という地味な印象からは、大きくかけ離れているような気がするのだった。ちなみに、村上禎子を有名にした作品は、搾取されながらも健気に生きる、毛布工場の女工たちの物語だった。

タマキはネットに載っている「三浦弓実」の記事を丹念に読んだ。三浦弓実は、一九一四年生まれで、一九六七年死去。享年五十三。死因は病死としか書いていないが、まだ働き盛りの死であることを思うと、どこか悲しみが漂っている。一方、緑川未来男は一九一九年生まれで、亡くなったのは一九八八年。夫人の千代子は、未来男と同年の生まれで、存命である。もし、三浦弓実が〇子だとすると、未来男の五歳年上だったことになる。しかも、気になるのは、『無垢人』の出版年が一九七三年ということだった。弓実の死後に出版されたのだから、弓実が〇子だとしても、傷つくこともできないのである。

もしかすると、当たりかもしれない。タマキはネットで見つけた弓実の写真を飽かず眺めていた。着物姿で座り机の前に正座し、原稿用紙を眺めている作家らしい写真だ。弓実は面長な美人だが、千代子の方が愛くるしい顔立ちで、遥かに親しみやすかった。

「本当に三浦弓実なのかしら。だとしたら、あんなに有名な小説で、しかも『〇子』と思わせぶりに書いているのに、なぜ誰もそのことを言わないの」

タマキは首を傾げた。『無垢人』の最大の謎が判明したというので、急遽、タマキの仕事場で打ち合わせをしているところだった。

「そうですね。どこにも出てないですね」

中城が答えたが、その表情は少し複雑だ。藤山まもるを突然訪ねて聞き出したのは快挙だが、良識ある人間にはなかなかできることではない、と西塔に言われたのを気にしているのだろう。

「藤山さんは、その時、どんな感じだったの」

西塔が、革製の手帳を弄《もてあそ》びながら中城に尋ねた。

「僕が藤山さんのお宅に行ったら、奥さんが出てらして、藤山さんは庭にいるって仰《おつしや》ったんです。裏に回ってみると、首にタオルを巻いたお爺さんが、庭の端にスコップで穴を掘っていて、せっせと生ゴミを埋めてました」

タマキも西塔も思わず苦笑した。藤山まもるが官能小説家として大活躍をしていた頃には華やかな噂が絶えなかった。毎晩、銀座で百万以上は遣っていたとか、自分をモデルにして書いてくれ、というホステスたちが藤山の周りに集まって引きも切らなかった、などという類のものだ。若い中城は、その噂も知らないのだろう。

「藤山さんは、僕が談論社から来ましたと言ったら、困ったようにそっぽを向いてしまったんです。で、顔を背けたまま、『私はもう官能は書けませんから、お引き取りください』と言うので、説明したんです。そしたら、すぐに向き直りましたが、少し寂しそうでした」

「嘘でもいいから、原稿依頼してくれればよかったのに。作家は原稿依頼が一番嬉しいんだから」

タマキの発言を無責任だと思ったのか、西塔は困惑した顔をした。

「今は純文学を書いていると仰ってましたね」と、中城。

「なおさら、まずいじゃないですか」

西塔が苦笑いをする。中城は、西塔の言葉を聞いているのかいないのか、アイスコーヒーに付いてきたストローの袋をいたずらしながら俯《うつむ》いている。村上禎子、藤山まもる。またしても作家が現れた、とタマキは思う。

「緑川未来男の『無垢人』の○子について調べているけど、もし、○子の名前をご存じなら教えてくださいと単刀直入に聞いたんです。そしたら、すぐに『ああ、いいよ。それは三浦弓実だよ』と答えたので、こっちがびっくりしました。誰ですか、と聞いたら、『同人誌の仲間』だって言うから、昂奮しましたよ。慌てて名前をメモしてたら、

『みんな知っていたけど、誰も口にはしなかった』と言うので、理由を聞いたんです。そしたら、『理由は考えてみればわかるだろう』と、急に突《つ》っ慳貪《けんどん》になったんですよ」

「千代子さんに遠慮されているからかしら」

「それもあると思いますけど、それだけじゃないような気もしました」

皆で考え込んだが、勿論見当もつかない。西塔が手帳に何か書きつけてから、顔を上げた。

「じゃ、僕は国会図書館で探してみましょう」

近頃、顎鬚《あごひげ》を蓄えている西塔は、メキシコの街角にいそうな男に見える。

「村上禎子は亡くなっているけど、村上禎子の周囲で、このことを知っている人はいないのかしら」

タマキの問いに、西塔がはっとしている。

「なるほど。それも調べてご連絡します」

西塔からメールが来たのは、翌日の夜だった。

「例の件、調べてみました。村上禎子は、一九〇五年生まれで、三浦弓実の九歳年上になります。三浦は、村上に師事していた模様です。村上禎子には、一九三四年生まれの娘がいますので、何とか連絡を取って、取材できるように頑張ります」

二通目のメールは、二日後に来た。

「村上さんのお嬢さんは、静子《しずこ》さんと仰って、現在七十一歳。青梅市にお住まいです。連絡したところ、まったくお元気で、自分の知っていることなら何でもお話しします、ということでした。お電話では、とても親切で聡明な感じでした」

タマキは、なるべく早く静子に取材させて貰いたい、と西塔に頼んだ。そして、実現するまでの間に、三浦弓実と村上禎子の著作を取り寄せ、せっせと読むことにした。村上禎子の作品は、これまでにも数冊読んだことはあるが、三浦弓実の作品は未読だ。というより、三浦弓実という作家の存在自体を知らなかったのだ。弓実が○子かもしれないと思うと、期待のあまり動悸がするほどで、古本屋からの到着が待ち遠しかった。とうとう、抹殺された○子の側からの言葉が聞けるのだから。緑川未来男に関して、あるいは、緑川をモデルにして何か書いていてくれ、とタマキは祈った。

「DIABLO」の締切には間に合わなかったので、この出来事と途中経過を書いて、原稿枚数を埋めた。このように新事実が判明すると、心を塞いでいた青司のことなど忘れてしまう。だが、青司と一緒にした数多《あまた》の仕事によって、自分の基礎が作られている、とタマキはいつも感じるのだった。青司ならどう考えるだろう、と想像する癖がついている。

古本屋から、弓実のエッセイ集と、近代文学新人賞を取った処女作にして代表作『ゆくりなくも』が到着したのは、村上禎子の娘・静子にインタビューする四日前だった。

エッセイ集には、弓実が四国で過ごした子供時代の話や、喫煙癖、銭湯や八百屋などが登場する日々の暮らしについて、細々《こまごま》と書かれていた。『無垢人』に描写されている千代子の始末な生活と似ているので、タマキは面白かった。当時の女たちは、同じような工夫や節約をして暮らしていたのだろう。だから、「華やかな黄色のコートを着て、黒い帽子に黒のマフラー」という、〇子の女優のような装いが信じられないのである。

例えば、弓実の少女時代は、こんな感じである。

「夏になると、少女時代を過ごした高知の町が懐かしくなる。そこは、室戸岬の北、太平洋に面した小さな町だ。父が、町に一軒だけある映画館の支配人の職に就いたため、一家で移住したのである。だが、交通の便のとても悪いところであった。それまで住んでいた大阪に行くには、船が一番便利で、陸路は鉄道とバスを使っても一日がかり。まさに陸の孤島と言ってもおかしくない、辺鄙《へんぴ》な田舎町であった。

しかし、夏になると、風景が一変するのである。すべてが白く見えるほどに陽光が強く眩《まぶ》しく、普段は黒ずんだ屋根瓦も、薄汚れた壁も、きらきらと光を反射して目を開けていられないほど眩しく輝く。暑さは尋常ではないけれども、陽光の美しさと海風の爽やかさとで、町全体が急に明るくなって、人々は浮き浮きするのであった。

夏休みは、毎日、歩いてすぐの浜に海水浴に行った。紺色の海水着は姉のお下がりだったが、私はとても気に入っていた。毎朝、物干し竿から自分で下ろして、真っ先に着るのであった。その海水着は、ウール地で出来ていたので、さんざん水を通したために固くなって縮んでいた。でも、白いベルトが付いているのが、私の気に入りの理由であった。ベルトのバックルが金色に光り、真ん中に碇《いかり》のマアクが入っているからである。

　そのベルトに、私たちは母親が作ってくれた白い麻袋をぶら下げて泳ぐのである。袋の中には、ひと握りの豆が入っている。一日泳いでいると、海水に浸されて豆が柔らかくなり、塩加減もちょうどよくなる。姉と私は、泳ぎ疲れると浜で寝転んで豆を食べ、なくなると袋は大事に畳んで荷物に入れ、また泳ぎに行くのであった。

　その時の楽しさを思い出すと、なぜか笑いだしたくなる。幸福な子供時代とは、このようなことを言うのであろう。

　後年、ある人にこの話をしたら、『その豆の名は何だい』と聞かれた。だが、私は答えられなかった。我が家では、『海水浴のお豆』と呼び習わしていたからだった」

うまい文章ではないが、幸福な少女時代が窺われる。タマキは、こういう活発な女ならば、ふざけて「ミッキー」と呼びそうだと思ったりもした。

　しかし、デビュー作の『ゆくりなくも』の方は、田舎から都会に出て来た少女が大人になっていく話で、初々しさはあるものの、ありきたりで、村上禎子の亜流のような小説だった。タマキはひどく失望し、緑川未来男は、こんな女性作家と付き合っていたのか、と落胆するのだった。緑川未来男と恋愛する○子ならば、緑川に拮抗するほどの書き手であってほしい、と願う自分がどこかにいる。

「タマキさん、図書館に行ったら、三浦弓実の追悼文が手に入りました。コピーを取りましたのでお送りします。結構、厭味《いやみ》な内容に驚きました。読んでみてください。また後で電話します」

西塔から、こんな留守番電話とファクスが届いたのは、タマキが『ゆくりなくも』を読了した翌日だった。ファクスは、三浦弓実の亡くなった年、一九六七年の文芸誌のコピーだった。書いているのは、「宮崎有人」という文芸評論家である。四十年前の掲載とはいえ、少しは文芸に詳しいタマキも、まったく知らない名だった。

「弓実さん、あなたが亡くなられたと聞いて、僕はまだ信じられない気持ちでいます。癌性腹膜炎で亡くなられたということですが、まだ五十三歳でいらしたのですから、あなたの悔しさを思うと、僕も悄然《しょうぜん》としてしまいます。本当に、神も仏もありません。

病を得られてからのあなたは、とても強くなられたと伺っております。病魔との果てしなき闘いに、さぞかし、持ち前の利かん気を発揮されたのでしょうね。あなたという有望な作家を失って、第二文壇はがっかりしていることでしょう。

あなたのことを、人は皆、悪く言いました。実力がないとか、大作家の引きで得をしているとか、女の武器で鎧《よろ》っているなどなど。これらの心ない噂については、あなたは笑っておられましたが、僕は腹が立ってなりませんでした。弓実さんのような、素直で憎めない、可愛い人は滅多にいないのに、どうして誰も理解しないのか、と。勿論、これらの悪い噂がすべて誤解である、とは言いません。弓実さんは意識されてなかったようですが、近代文学新人賞があなたのデビュー作には過ぎた賞である、という評には、頷く向きも多かったと思います。しかし、あなたはこれらの噂や評をすべて吹き飛ばすほどの真摯さで仕事に向き合い、どんなに悪く言われても、決して創作をやめませんでした。僕は、弓実さんのそのような健気さや強さを愛しておりました。弓実さん、すべては終わりました。あなたの仕事は、いずれ忘れ去られていくことでしょう。でも、僕はあなたが闘った事実を忘れません。どうぞ安らかにお眠りください。

四月二十三日

宮崎有人」

タマキは衝撃を受けた。これほど弔意の感じられない追悼文を読んだことはない。「第二文壇」というのも意味がわからないし、「実力がない」云々と風評を書いている体《てい》を取りながらも、結局は肯定している。ネットに書いてあった、村上禎子と講演会をさぼった事件同様、三浦弓実の周囲には悪意や嫉妬が渦巻いているのだった。実力がないのに、近代文学新人賞を取ったことが癪《しゃく》で、嫉妬されたのだろうか。林芙美子が亡くなった時、円地文子はこのようなことを言ったと聞いたことがある。「林さんは幸福な人ですね。失礼だけれども、実物より写真顔のほうがずい分よく、実際の人より小説のほうがずっとよろしい。死と一緒にわるいものは皆なくなって、よい所だけ残ることになった」と。

随分ひどいことを言うものだと呆れたものだが、さすがに悪口にも作家ならではの技がある。しかし、この追悼文はどうにも我慢できなかった。性格云々を言われるのならともかく、作家に向かって「あなたの仕事は、いずれ忘れ去られていくことでしょう」という決めつけは、最も残酷だった。文芸評論家に書かれたのだから、この人物と喧嘩でもしていたのかと邪推するところだが、おそらくは誰も書き手がなくて、編集部はこの宮崎某に頼んだのだろう。

弓実が師事していたはずの村上禎子は、当時まだ六十二歳。愛弟子の死に、なぜ追悼文を書かなかったのだろうか。私は一刻も早く、村上禎子の娘、静子に会いたくなっていた。静子は未亡人で、長男一家の隣に住んで、悠々自適という話だった。

江波静子は、パレスホテルのロビーの椅子に座って、タマキたちを待っていた。タマキが遠くからでも静子を見分けることができたのは、村上禎子の写真に面影がよく似ていたからである。だが、禎子がいつも髪を引っ詰めて着物姿だったのと対照的に、静子は薄い茶に染めた前髪を眉のあたりで揃え、両肩の上におさげを垂らしていた。白いブラウスにサーモンピンクのカーディガン、紫のフレアースカートという服装である。特に化粧はしていないが、染めた髪をおさげにしているのと、真っ赤な口紅がひどく目立った。

タマキは、静子が派手な老女だということに驚いたが、顔には出さないように努めた。が、西塔と中城はぎょっとしたように立《た》ち竦《すく》んでいる。タマキが近付くと、顔を知っているのか、静子が微笑みながら立ち上がった。皺んだ白い手に、文庫本を持っている。

「江波静子さんでいらっしゃいますか。鈴木タマキです」

静子はダンスでも申し込むかのように、優雅にお辞儀した。

「江波でございます」

顔を上げた静子は、手に持った文庫本を見せた。タマキの新刊だった。カバーにタマキの顔写真が載っている。

「私の本ですね」

「はい、お顔がわからないと失礼かと思いまして。あなた、私、この本の感想、申し上げてもよろしい？」

タマキは面食らって頷いた。

「あのね、私ね、未亡人の話だって言うから、とても楽しみにしてましたのよ。私も未亡人ですから。だけど、あなたね、現実はこんなものじゃありません。半分は面白かったんですけど、残り半分は腹立たしくて仕方ありませんでした」

「申し訳ありません」

タマキは、自分はどうして謝るのだろうと苦笑する。時折、作家には感想を言ってあげた方がいい、と思い込んでいる読者に出会うことがある。折角買ったのにがっかりした、あの人物がこんなことをするのはリアリティがない、面白かったけど現実には起こり得ない話である、等々。タマキはいつも黙って聞いているが、自分が読者なら作家に伝えるだろうか、と考えていた。おそらくしないのは、作家に言ったところで、作品世界がそう簡単に変わらないのを知っているからだろう。作家は怖ろしいほど愚直に自分の感情を信じているのだ。

「私も七年前に夫を亡くしましたけどね。時が解決するって、あれは嘘ね。私はいつまで経っても駄目なの」

この述懐もタマキの小説に対する批判らしいと感じ、タマキは頭を下げた。ちらりと横目で窺うと、中城が唖然とした顔をしている。西塔は、眉根を寄せて遮った。

「まず、紹介させていただきます。作家の鈴木タマキさん、こちらは出版担当の中城、私は小説雑誌『ＤＩＡＢＬＯ』の担当をしている西塔です」

西塔が手短に言って、静子の手に無理矢理、名刺を捻《ね》じ込んだ。中城も続いて渡す。

静子は老眼らしく、目を細めて名前を読んでいる。

「『DIABLO』ってどういう意味ですの」

「スペイン語で悪魔という意味です」

西塔の答えを聞いて、静子は嬉しそうに手を叩いた。

「いいわね、あなた。小説は悪魔ですか。それとも、作家が悪魔ですか?」

西塔は適当に相槌を打ちながら、静子に喋らせないようにしてカフェに向かう。静子は、スカートの裾を揺らしながら優雅に歩いて来た。カフェの隅に席を見つけ、三人で静子を囲むようにして座った。

「今日はわざわざ青梅から出て来て頂いて、ありがとうございます」

「いいのよ。毎週、水曜日は日比谷に映画を観に来るんです」

静子はふんわりと答えた。

「今日は何をご覧になったんですか」

中城の問いに、静子は顔を輝かせた。

「アルモドバルですよ。どなたか『トーク・トゥ・ハー』をご覧になった方、いない?」

タマキは静子の問には答えず、質問を始めることにした。静子の顔に、見知らぬ他人と話す喜びが刻まれていると感じたせいだった。このまま喋っていると、際限なくなさそうだ。

「今日は私の取材にお付き合い頂きまして、ありがとうございます。早速、いろいろ伺っていきたいと思います。まず、お母様に師事していたと言われる、三浦弓実さんをご存じでしょうか。ご存じでしたら、どんな方だったのか、少しお話し願いたいのですが」

静子は、クリームみつ豆の寒天をふたつ口に運んだ。口許に皺が寄る。静子は、動作を交えながら話し始めた。

「勿論、知ってますよ。あの人と私は、姉妹のように仲良くしていましたから。弓実さんは、私の二十歳上でしたけど、とても気持ちの若い人で、一人っ子の私には姉みたいでしたよ。活発でね、何かあるとすぐに走りだしたり、ぱっと身を翻して引き返したり、驚くとわっと叫んだり、手を打ったりね。まるで、サザエさんみたいだ、なんて私はからかってましたが、私の母は、弓実さんのそういうところをとても嫌っていてね。ほら、弓実ちゃん、また粗忽《そこつ》に動いている、と叱ってましたよ。私は粗忽とは違うんじゃないかと思っていましたが、母は、弓実さんや私や、党の人たちの上に君臨していましたから、誰も母には文句を言えなかったんです」

「党というのは、共産党ですか」

そんなことも知らないのか、という具合に、静子は片方の眉を高く上げて見せた。

「勿論ですよ。母は、プロレタリア文学を書いてまして、戦前は共産党員だったんですよ。捕えられたこともありましたが、転向はしなかったと威張ってましたっけ。戦後は、党を離れましたけど、弓実さんがいらした頃はまだ党員だったと思います。弓実さんは、党員にはなりませんでした。こう言ったら何ですが、ちょっと軟弱なところがあって、政治的なこととか、とても怯えていたそうです。母は性根が据わっていますから、弓実さんの気弱なところを鍛え直そうとしてたみたいです。でも、できなかった」

「なぜ、できなかったんですか」

中城の質問に、静子はおさげをいじくってなかなか答えなかった。

「それは、やはり、あれでしょう。弓実さんだって、大人ですからね。大人をあれこれ改造しようなんて無理ですよ」

タマキは、弓実に誰か付き合っていた恋人はいなかったのかと聞いてみたかったが、焦りは禁物と諦めた。

「弓実さんは、どうして村上禎子さんに師事することになったんですか」

「母の本を読んで、感動したからだと聞いてますけど、どうでしょうか」静子はいたずらっぽく笑った。クリームが溶けてしまったガラス鉢を向こうに押しやる。「戦後すぐにいらしたんですよ。確か、私が十二歳くらいの時でした。弓実さんは、三十二歳くらいだったかな。そのうち、自宅に出入りするようになって、母の秘書を務めるようになりました。お金も払ってなかったって聞いてますけど、母は弓実さんが来てくれて助かる、と言ってましたね。出版社の人や、新聞社の人なんかもたくさんいらして、弓実さんがうまく捌《さば》いてくれたみたいです。お料理が得意で、母がいない時なんか、私にお夕飯を作ってくれて、一緒に食べたりもしましたよ。私の学芸会や運動会なんかも来てくれて、父兄みたいに授業参観に来てくれたりもしました。私は、母よりも弓実さんが来てくれた方が嬉しかったものです」

「じゃ、静子さんは、海水浴のお豆の話、ご存じですか」

ふと、タマキは聞いてみた。後年、弓実が話した相手は誰だろうと疑問に思ったからだった。だが、静子は「何ですか、それは」と怪訝《けげん》な顔をしただけだった。

「失礼ですが、静子さんは何かお仕事をされていたんでしょうか」

「私は、今七十一歳ですけどね、三年前まで映画雑誌にコラムを持っていましたの。ヨーロッパ映画が好きで、著書もありますよ。でも、私は母みたいな生活が嫌で、結婚して主婦になっちゃったんですよ。どうしてでしょうね。職業婦人ってカッコいいけど、母を見ていると大変だって思いましたしね。弓実さんだって、あちこちから褒められたり貶《けな》されたり、よく神経が保《も》つと思いましたもの。だから、私は売文業には絶対なるまいと決めたんです。なのに、こんないい年して書き始めちゃって。母が生きていたら笑いますよ。母はね、九十四歳まで生きて、六年前に亡くなりました。大往生です。母が亡くなった途端に、私がコラムを書くようになったんだから、おかしいわよねえ」

話がずれ始めたと感じたのか、西塔が口を挟んだ。

「弓実さんが亡くなられた時は、お母様はどうされたんでしょうか」

「もう、その頃は、弓実さんも一本立ちされてて、自宅には来てなかったんですよ。疎遠って訳じゃないけど、もう弟子じゃないって母は口癖のように言ってました。とはいえ、私も結婚して家を出ましたし、子供が生まれたばかりの頃で、あまり知らないんですけどね。弓実さんが早く亡くなって、本当にびっくりしたし、悲しかったですよ。弓実さんはね、母の紹介で仕事も増えていって順調だったみたいです。党の広報誌にエッセイとかを載せたのが最初で、それから、あの文学賞を取ってから、一気に仕事が増えて、本当に喜んでいました」

「聞きにくいことですが、その賞をお取りになった時に、他の作家に嫉妬されたりしたんですか」

「どうかしら」静子は、レースが付いた袋から煙草を取り出した。一本抜き取って火を点け、煙と共に吐き出す。「私は知らないわ。母のところに来て、五年後くらいでしたよね。やっかみもあったのは確かでしょうね」

「どうしてですか」

「たまたま母が選考委員を務めていたからです。でも、誓って言いますが、母はそんな人間ではありません。後で何か言われるのが嫌だから、弓実さんの作品は推さなかったと言ってましたもの。だから、弓実さんも気の毒なんですよ。本当についてない。でも、母も困ったと思いますよ」

2

「つまり、村上禎子さんがたまたま、弓実さんが取られた文学賞の選考委員をされていた、ということですか？」

自ずと驚きが滲み出るタマキの問いに、静子は淀みなく答えた。

「そうなんです、信じられないかもしれませんが偶然なんです。あなたもご存じでしょうけど、賞というのは、下読みから上がってきますからね。下読みの人も編集者も、まさか三浦弓実が母の弟子だとは知らなかったんでしょう。これは内緒ですが、母は、弓実さんのであってもなくても推せない作品だった、と後で言ってました。でも、他の選考委員の方が推して、賞に至ったということです。弓実さんが取ったことで何だかんだ言われましたから、母も癪だったと思いますよ。ところで、ねえ、あなた、『ゆくりなくも』をお読みになりました？」

「読みました」

咄嗟《とっさ》に頷いたものの、タマキは静子の言葉の端に否定的な匂いを嗅ぎ取って、警戒を強めている。案の定、静子はきつい言い方をした。

「あれって、タイトルは高尚ですけど、少女小説みたいじゃないこと？　田舎から出て来た女の子が、都会の子に苛《いじ》められたり励まされたりして、独り立ちしていくって話。当時もずいぶん言われたんですよ、女の子の読み物だって。何と言っても、『近代文学新人賞』受賞作品ですから、あちこちから言われちゃうんでしょうね。私はあの時、まだ十七歳くらいでしたけど、早速読んで、主人公がもっと才気煥発だったらいいのになって思いましたよ。今で言う、ちょっと鈍くさい感じがあるんですの。それがイライラしてね。弓実さん自身は、気性がさっぱりして男の子みたいな印象があるのに、書く物は違うんですから、不思議ですね」

とかく、「少女」と名のつくものには古臭い侮蔑が付《つ》き纏《まと》う。タマキには、受賞作品を貶された、弓実の傷ついた顔が見えるような気がした。だから、つい庇《かば》いたくなってしまう。

「でも、鈍くさい女の子の気持ちは、凄くリアルに書けていたと思いますよ。当時はそういう小説がなかったから、いいことだと思いますが。あれが少年物だったら、文句は出なかったかもしれません」

言ってしまってから、タマキは静子を否定した物言いをしてしまったかと慌てる。しかし、静子は好戦的で、益々闘う姿勢を強めるのだった。

「当時って言いますけど、昭和ですから、少女小説だっていろいろありましたよ。それも、もっと素晴らしい作品が。そうそう、あなたは『嫉妬』と仰ったわね。でも、私はそうは思わないんですよ。文壇の正当な評価です。弓実さんはね、作家というよりは随筆家に向いている、と母が常々言ってましたが、私もそう思います」

「そうですか。でも、早く亡くなっているから、その実体はまだわかりませんよね。私は文芸誌に載った宮崎有人の追悼文を読みましたが、酷《ひど》いものでした。普通の活動をしていた作家が、これほどまでに言われる必要があるのでしょうか」

タマキはファイルから追悼文のコピーを取り出して読み上げた。静子は、目を閉じて聞いている。タマキはその表情を窺いながら、なぜ自分は、これまで知る由《よし》もなかった三浦弓実という女性作家に固執しているのだろうと、首を傾《かし》げたくなるのだった。死んでもなお、弓実の頭上を覆う暗雲。弓実の周りに漂う悪意。その片鱗は、弓実と親しかったという静子からも感じ取れるのだった。

「嫌な書き方だわね。宮崎有人さんて、共産党嫌いでしたからね」

さすがに静子は口を歪めた。

「弓実さんは党員だったのですか」

タマキの質問に、静子は即座に首を振った。

「いいえ、党員は母です。弓実さんはシンパ。だから、前にも言ったけど、弓実さんには、党員になるような度胸はなかったのですよ」

厳然たる差であるかのように強調するので、タマキは反駁《はんばく》したくなった。

「度胸の問題でしょうか」

「それはそうでしょう。党員になるということは、旗幟《きし》鮮明にすることですしね」

「逆に、党に守られることもあるのではないですか」

静子の眉根がぎゅっと寄せられた。

「あなたは作家でしょう。当時の弾圧って、酷いものだったのよ。いえね、戦前のファシズムじゃないですよ。つまり、GHQなの。あなた、下山事件とか三鷹事件とか、ご存じでしょうに」

「それは、昭和二十四年のことじゃないですか。シンパだって、烙印《らくいん》を押されれば嫌な目にも遭わされると思いますよ」

「少し違うわ。母は、この後、党から除名処分を受けるんですよ。党のために尽くしたのに、除名を受けるなんてあんまりでしょう。そういう不名誉を蒙《こうむ》るのが旗幟鮮明にしたことの痛みなんですよ。弓実さんは、曖昧なシンパでしかなかったから、名誉も不名誉も似合わない。つまり、小説という厳しいものは書けなかったの。芸術は、その人の姿勢から生まれるんです」

静子は、タマキの目を見つめながら断じた。

「シンパだから、党員だから、ということは、小説の本質とは関係ないと思いますが」

いつの間にか、静子と議論している自分に気付き、タマキは口を閉じた。自分が正しいとする、静子の強烈な自信が大きな波動となって、タマキたちを圧していた。中城は俯いたまま、ひと言も発しない。重苦しい雰囲気になったが、静子は議論に慣れているのか、何事もなかったような涼しい顔で煙草を消し、手から灰を払い落とすような仕種《しぐさ》をした。しばしあってから、西塔が咳払いをひとつした。

「あのう、弓実さんが男の子みたいな印象、というのはどういうことですか」

静子は新しい煙草に火を点けて、西塔を見た。少し表情が和らいでいる。

「さっき、活発だと言ったでしょう。サザエさんみたいな人だって。あの人、いつも忙しがって、バタバタと走り回っていたんですよ。でも、とってもキッパリしてるって言うんでしょうかね。小柄だけど、すっと首が伸びていて爽やかな印象がありましたよ。眉が濃くて、凛々《りり》しい感じでね。だから、顔立ちはまるで少年みたいなのよ。ただ、着物の趣味がちょっと派手でしてね。ご自分の印象と合わない物をよくお召しになってました。歌舞伎を見に行った時、翻訳家の溝口先生に、その羽織は芸者の着る柄だと叱られた、と聞いたことがあります。白地に馬車を描いた墨絵の物だったとか」

「白地に馬車ですか。あの、つまり、ちぐはぐな感じなんでしょうか」

中城が口を挟んだ。静子は、初めて存在に気付いたというように中城に向き直った。

「そうですね。でもまあ、そこが魅力なんですよ、あの人の。私はきついこと言いましたけど、それはすべて文学的評価のみですから、そこはお忘れなく。そうではなくて、弓実さんという人となりでしたら、私は好きでしたね。ただ、テキパキし過ぎていて、ちょっと支配的な面もありましたけどね。薦田《こもだ》さんなんか、しょっちゅう、薦田君、あれをしなさい、これをしなさいって叱られてましたっけ。まるで先生と生徒なのよ」

静子は思い出し笑いをした。タマキは慌ててコモダという名を書き留めた。だが、中城は、自分の質問とずれた答えに不服だったらしい。

「弓実さんは、いつも着物を着てたんですか」

静子は笑いを引っ込めた。

「いいえ、洋装ですよ。ただ、改まった時は和服を着てましたね」

「黄色いコートに、黒い帽子とマフラー、という格好はしていませんでしたか」

「それじゃ、オードリー・ヘップバーンか、グレース・ケリーだわね」静子は呆れた風に目を剝《む》いた。「そんな洒落た格好、私は見たことありません。でも、近代文学新人賞を取ってからは忙しくなっちゃって、あまり会っていませんでしたから、もしかしたら持っていたかもしれません。でもね、あの人は着物の趣味が派手と言われてましたけど、洋服はどうだったかしらね。センスに自信はなかったと思いますよ。田舎から出て来てるから、あまり知識もないし、もともとの趣味が悪いのよ」

タマキは、高知時代を書いた、弓実の伸びやかなエッセイを思い出している。亡くなってもなお、服の趣味が悪いと言われるようになるとは、金のバックル付き水着を愛していた、少女の弓実には想像もできなかったことだろう。

中城と西塔が微かに目交《めま》ぜした後に、同時にタマキの顔を見た。取材の実りは確かに感じられなかった。もしかすると、弓実は○子ではないかもしれない。タマキは、メモを確認して聞いた。

「静子さん、さっきのお話に出てきたコモダさんて、どなたですか」

「薦田ですね。薦田喬一《きよういち》。弓実さんのご主人ですよ。何とね、十五歳も年下なんですよ」静子はそう言って、ふふっと笑った。「最初はね、夫だなんて言わないで、親戚の子だって紹介していたんですよ。いい下宿先が見つからないので一緒に暮らしてます、なんて言ってね。あたしたちも騙されちゃった」

「弓実さんは結婚してらしたんですか」

「内縁ですけどね」静子は疲れたのか、急に面倒臭そうになった。「大阪に住んでいた時の、大家さんの坊やのお友達だったそうですよ。弓実さんはああ見えてももてる、と母が感に堪えたように言ってましたっけ」

「薦田さんは何をしてらしたんですか」

「京王だか小田急だかの、私鉄に勤めてらしたんじゃないかしらね。でも、忘れちゃいました」

静子は投げ遣りに言う。タマキは意を決して聞いてみることにした。

「弓実さんは、『取水』の同人でしたよね。もしかして、緑川未来男さんと親しかったということはありませんか」

ええーっ、と静子は素っ頓狂な声を上げた。元気が戻ってきたらしく、まくしたてる。

「どうかしら。聞いたことありませんね。緑川未来男って、あの『無垢人』を書いた人ですよね。私は、あれは妻への裏切りだと思っています。本当に許せない作品ですよ。女性の尊厳を踏みにじっておいて何の反省もなく、自分の妻や愛人のことを、よくもまあんなにぬけぬけと書けることね」

西塔がおずおずとではあるが、遂に口にした。

「あの作品に書いてある『〇子』が弓実さんだ、という説があるのですが、ご存じありませんか」

静子はまたしても、「ええーっ」と高い声を上げた。カフェの客が数人振り返って、静子の顔を見たほどだった。静子は好奇の視線に恥じ入るでもなく、傲然《ごうぜん》と見返しながら言った。

「誰が言ったんですか」

「作家の藤山さんです」と、今度は中城が答えた。

「そんなこと初めて聞きました。弓実さんが『取水』の同人だったのは、戦前からですから、よく知りませんけど、緑川さんとは大阪時代に会ったという話は聞いたことがあるように思います」

　タマキは身を乗り出した。

「どんな風に仰っていたんですか」

「いえ、世間話程度にですよ。弓実さんは、自分のいた『取水』には、緑川さんや藤山さんたちがいて、というようなことを自慢混じりに言ったことがあるんですよ。でも、母の友人の作家や翻訳家の方が、その二人の名を知らなかったので、凄い作家なのに、と少々ムキになってたことがありました。付き合っていたとか、は聞きませんでした。絶対に違うと思うなあ」

「その理由を教えていただけますでしょうか」

　タマキは、すぐに攻撃性を剝き出しにする老女に注意を払いながら、丁寧に聞いた。

「だって、戦後すぐから、鳶田さんと一緒に住んでいたんだから。鳶田さんはまだ二十歳前の少年だったのよ。今で言う淫行ですよ」

　もし、弓実が〇子なら、鳶田の目を盗んで緑川と会っていたことになる。有り得るのだろうか。考え込むタマキをちらりと見て、西塔が尋ねた。

「鷹田さんはご存命ですか」

静子は頷いた。

「はい、西東京市にお住まいですよ」

西塔は静子に鷹田の連絡先を聞いた。静子は老眼鏡を掛けて、バッグの中をごそごそと探し始めた。手帳でも出て来るのかと思ったら、意外にも携帯電話を取り出し、画面を操作して西塔に教えてやっている。西塔がメモを取ると、静子が老眼鏡越しにタマキの方を見た。

「あなたの目的がやっとわかりました」その言い方にタマキがたじろぐと、静子は老眼鏡を外して、小さなケースに入れた。「最初から、緑川未来男の『〇子』を探していたんでしょう」

「はい、そうです」

タマキが正直に答えると、驚いたことに、静子はけたたましく笑った。

「あなた、藤山まもるに騙されたんでしょう。いやあね、あの爺さんたら。嘘ですよ。騙されちゃいけませんよ」

「藤山さんは、よくそういう冗談を言うってことですか」

「そんなことは知りませんけど、藤山さんて、女の人とさんざん遊んで、小説に書いたんですよね」

「芸術に対する冒瀆ですか？」

タマキが思わず皮肉を言うと、静子は肩をそびやかした。

「いいえ、そんなこと毛ほども思っちゃいません。だって、そんなの芸術でも何でもないんですから。だから、本気にするなってことです」

タマキは寒気がした。『小説は悪魔ですか。それとも、作家が悪魔ですか？』と、西塔に聞いた時の、静子の弾んだ声が耳許で谺《こだま》する。確かに、自分の書いた小説が密かに現実を切り崩していく時がある。そんな時は、小説家である自分が悪魔に思えたり、虚構が怖ろしいものに思えたりもするが、現実を切り崩すほどの虚構は、現実よりも緻密に作らねばならないのだ。静子のように抽象的高みにおけば、小説は何の悪さもしない。

静子と話していることに疲れ果て、三人はメモも取らずに、早く静子の話が終わらないかと人形のように座っている。言葉を切った静子は、ホテルの庭へ顔を向けて、煙草を吸っていた。若い時を知ってもいないのに、その横顔に若い時の面影が残っているような気がして、タマキは息を詰める。なぜか息苦しかった。すると、静子が突然言った。

「あのね、こんな話をしてもいいですか。つまらないかもしれないけど、私が死ねば、もう誰も知らなくなるでしょうから。お時間いい？」

静子が左手にした小さな腕時計を眺めた。思わず、時刻を確かめると、インタビューを始めて二時間近く経過していた。コーヒーカップの底に残った冷たいコーヒーを飲む。

「次があるんで、手短にお願いします」

よほど苛立っているのか、西塔が無礼な言い方をしたが、静子は顔色を変えなかった。

「手短にしますから」と、静子は別人のように素直に頷いた。「弓実さんがうちに来始めた頃、私は弓実さんが好きになってお姉さんのように思っていたんですよ。弓実さんは、大塚に部屋を借りて、そこから根津の私の家に毎日来てくれてました。母の代わりに父兄会に出席してくれたり、学芸会を見に来てくれたこともあるって言いましたよね。ちょうど、あの賞をお取りになった頃だったと思います。私、弓実さんの家に遊びに行ったんですよ。そしたら、部屋に鷹田さんがいらっしゃいました。鷹田さんは、その時、早稲田大学を出たばかりで、白いシャツに学生ズボンという姿で畳の上に寝転んでらっしゃいました。私よりも少し年上の男の人ですから、私は何となく上がってしまって、ぎくしゃくと挨拶したのを覚えています。色白で柔らかな感じの人でした。そこへ、買い物に行っていた弓実さんが現れたんです。『あら、静ちゃん。いらっしゃい。この家、よくわかったねえ』と、言いました。そして、鷹田さんを紹介したんです。『静ちゃん、この人は鷹田喬一って言って、あたしの甥に当たるの。電鉄会社に就職が決まったんですよ、よろしくね』と、言いました。鷹田さんは、照れ臭そうでしたが、爽やかな笑顔で私に笑いかけました。その時の、ワイシャツの袖のまくり方とか、部屋に入る西陽の感じとか、まるで昨日のことのように覚えています」

話が長くなりそうだった。西塔も中城も、腰が退けているのがわかった。タマキも静子に辟易《へきえき》して、早くこの場を去りたくなっている。が、静子は三人の様子に気付いた風もなく、こう言うのだった。

「こんなこと、誰にも話したことがないんですよ。主人は勿論、母にも友達にも。どうして、見ず知らずのあなた方に話しているのか、自分でもわかりません」

声音に切実さがあった。タマキは思わず引きつけられて、静子の赤く塗られた唇を眺めた。

「その時、私は十七歳でしたが、鷹田さんにひと目惚れしてしまったんです」

静子があけすけに自分を語っていることが信じられない。これは現実だろうか。タマキは、軽い混乱を覚えながら聞き返した。

「弓実さんとのことはご存じなかったんですか？」

「まったく気付きませんでした。赤の他人だなんて、二人は何も言いませんでしたし、完全に親戚を装っていましたから。弓実さんなんか、『鷹田君、ワイシャツ皺になるから、寝転ぶのやめなさい』なんて、教師のように叱っていました。今思えば、甥を名字で呼ぶのはおかしいのですが、若い私には、変わっていて、カッコいいとさえ思ったんです。そして、その日から、私の苦しい日々が始まったんです」

「鷹田さんに打ち明けたりはしなかったんですか？」

タマキが問うと、静子は羞じらうように俯いて小さく笑った。

「そんなことはしませんでしたよ。私は自分が子供で、未熟な人間で冴えない女だと思っていましたから、必死に、成長しよう、賢くなろう、美しくなろう、とそればかりを願っていたんです。鷹田さんと会う機会は、そうは多くありませんでした。なぜって、弓実さんが文学賞を取ってからは仕事が増えて、母の仕事を手伝うどころか、自分の方が忙しくなってしまったんです。母のところにいる時に、逆に原稿依頼の電話がかかる始末で、今で言う売れっ子になったんです。鷹田さんも、その頃は会社に入られたばかりで、余裕がなかったんじゃないでしょうか。会う機会はあまりありませんでした。それでも、年に一、二回は、母のお供で歌舞伎とか花火見物のお招《よ》ばれなんかで行くと、弓実さんのお供でいらしている鷹田さんとお会いすることもありました。私は鷹田さんが来てると、まともに話ができなくなって、ぶっきらぼうになってしまうんですよ。それでも、同じ年頃だから、と並ばされたりしますよね。私はカチカチになってしまって、何を言ったのか、言われたのかも覚えてないくらい。でも、鷹田さんは明るい、いい人でした。私が残したお弁当のおかずを、『これ貰っていいですか』なんて、悪びれずに箸を伸ばしたりして、気さくで、少年のような人でした。縁談が来たのは、私が大学を出てからでした」

「縁談ってのは、どなたのですか」

西塔が口を挟んだ。

「私と鷹田さんとのですよ」

「だって、弓実さんのご主人なんでしょう？」とタマキ。

静子は自嘲するように薄く笑った。

「話を持って来たのは、弓実さんご自身でした。私は女子大を出てから、母の秘書のようなことをしていましたのよ。勿論、母は弓実さんとはまだ親しく行き来していましたから、私も週に何日もお会いしていました。すると、弓実さんが私を隅に呼んで、こう言うんです。『静ちゃん、あなた鷹田君をどう思うか』と。私は、『とてもいい人だと思う』というような当たり障りのない返事をしました。弓実さんは少し考えてから、『鷹田君は、あなたから見ると頼りないほど優しく見えるかもしれないけれども、人間としては若くても上等だと思うから、もしよかったら結婚してやってくれないだろうか。あまりにも引っ込み思案で消極的だから、叔母として、このままではお嬢さんたちと付き合わないままに年を取っていくのではないかと心配だ』と言うのです。私は驚いてしまって、こう返答するのがやっとでした。『少し考えさせてください』と。それからは、どきどきして、どうしたらいいかわかりませんでした。初恋の人と付き合うどころか、いきなり結婚できるのですから、心臓が破裂しそうでした。ですから、返事は一も二もなく、ＯＫに決まっていたのですが、突然、妙なことに気付きました」

「どうして鷹田さんが自分で申し込まないか、ですよね」

中城が言った。

「そうなんですよ」と、静子は中城の目を覗き込んで頷いた。「さすがに私も、これは鷹田さんの意志ではなくて、叔母である弓実さんが、一緒にいる鷹田さんを単に片付けてしまいたいだけなのじゃないか、と邪推したんです。つまり、自分は鷹田さんに愛されていないのではないかという恐怖です。私は悩んだ挙げ句、母に相談したの、村上禎子に。母は自分に何の相談もないことに驚いた様子でした。それで、私に言うのです。一度、鷹田さんに聞いておいでって。私は意を決して、聞きに行ったの。鷹田さんの会社に電話して、呼び出しました。鷹田さんはすぐに外に出て来て、喫茶店で紅茶を一緒に飲みました。鷹田さんは、私が来たことをもっともだと思った、と言いました。『自分は口下手なのでうまく言えない。でも、叔母に身を固めるように言われたら、あなたのことしか思い浮かばなかった。親しく話したことはないが、話が合うような気がしているし、自分は誠実にあなたを愛し、守っていくつもりだ』と続けました。その時、鷹田さんが伏し目がちだったのが気にかかりはしましたが、私は自分で行動して確かめたことに満足していました。さらに、鷹田さんは、土曜に家に遊びに来い、とまで言ってくれたのです。喜び勇んで家に戻り、母に報告したら、それはよかった、ということになり、二人で涙混じりに葡萄酒で乾杯しました。

土曜の午後、私は約束通り、弓実さんと鷹田さんの住む家に訪ねて行きました。当時、二人は、手狭な大塚の下宿から、早稲田の貸家に住んでいたのです。でも、私は玄関の前で立ち竦んでしまいました。弓実さんの泣き叫ぶ声が聞こえたからです。弓実さんは人前でとり乱したりしないから、本当にびっくりしましたよ」

静子は言葉を切って水を飲んだ。すっかり静子の話に引き込まれて聞き入っていたタマキは、早く先が知りたくて尋ねた。

「何と言ってたんですか」

「『鷹田君、ごめんね、ごめんね』と泣きながら謝っているのです。いったい何事だろうと、私は裏手に回って路地で耳を澄ませました。昔の家ですし、夏でしたから、戸を開け放していて、すべて丸聞こえなのです。弓実さんが、『あたしはあんたを他の女になんか、渡したくないんだよ、ごめんね、ごめんね。破談にして』とヒステリックに叫んでいました。私はびっくりして動けませんでした。そのまま家には入らずに、まっすぐ自宅に帰って、母にも言わず、誰にも言わずに自然とこの話は消えました」

「その時、鷹田さんの声は聞こえましたか」と西塔。

「はい」静子は頷いた。「『僕は弓実の言う通りに動いたんだよ』と、こちらも泣いていました。つまり、弓実さんも名が知られたし、鷹田さんも一人前になった。でも、夫婦と言うには世間体も悪いし、今更、騙した人にも申し訳が立たない。だったら、いっそ私と結婚させて別れてしまおう、と弓実さんが考えたんですね」

静子が帰った後、タマキはメモを纏める気もなくして、ずっとメニューを眺めていた。

「酒飲みましょう」と、ハートランドビールを指差した西塔が、独り言のように呟いた。

「最初はマザコンだと思ったんだけどなあ。母は、母は、ってしか言わなかったからなあ」

「裏切られた女ですね。弓実さんが死んでも許していないもんねえ」とタマキ。

中城が煙草に火を点けながら言った。

「僕、あの人、凄く怖かったです。初めから、異常なテンションで喋りまくるし、怒ってるし、変だった」

注文を取りに来たウェイターに、タマキは生ビールのジョッキ、中城はジントニックを注文して、顔を見合わせた。

「三浦弓実は○子じゃなさそうですね」

また最初から出直さなくてはならない。西塔が手帳を見ながら、タマキに聞いた。

「鷹田に会ってみますか？」

「もういいよ、疲れた」

タマキは沈んだ声で言った。ウェイターが、静子の吸い殻でいっぱいになった灰皿を片付けて行く。

「それにしても、携帯に住所なんかが入っているってのは、案外仲がいいってことじゃないですか。弓実さんが死んだ後に結婚していたりして」

自分で言った中城が、慌てて静子の名字を確認して、照れ笑いを浮かべた。

第六章　姻

1

「どうしますか、タマキさん。他に聞く人と言ったら、緑川夫人しかないと思いますが、突撃で聞いてみますか」

あまりにも原稿が進まないために、焦《じ》れた西塔が電話で尋ねてきた。打開したいのは山々だが、江波静子に会ったことで、タマキは意気消沈していた。自分がいったい何を求めて、何を書きたいのか、がよくわからなくなってきた。早く物語に身を委ねたいのに、誰を登場させ、どんな物語にするのかがまったく浮かんでこない。三浦弓実が○子だという説を、江波静子に否定されたからだった。

勿論、小説を書いていく上で、停滞はよくあることだ。次の階層に入る鍵を見つけるまで、うろうろと地を這う。しかし、次の階層があるようにも思えないのが、今回の仕事の辛いところだった。

『無垢人』に書かれた○子は、その後どうしたのだろうか。どんな思いで、『無垢人』を読んだのか。あるいは、読まなかったか。読んだとしたら、どう感じたか。○子がどんな反応をしたのか、わからない以上、タマキの想像は拒まれたままで、時間だけが無為に過ぎていく。『無垢人』はあれほど有名な小説なのに、○子はどこにもいないのだ。恋愛における抹殺、と大上段に振りかざしたテーマは、○子の体温も体臭も感じられずに、宙吊りになっている。

「突撃ってことは、『無垢人』の○子さんは誰ですかって、千代子さんに直接聞くんですか？　あたしには、そんな勇気ない。西塔さん、ある？」

「ないですね」

西塔も静かに答えた。千代子夫人は、八十六歳になった。緑川未来男が六十九歳で没してから、十七年も一人で暮らしているのだ。ミドリ川ミドリという筆名を持つ児童文学作家でもあるが、二十年前に筆を折ったために、今や、ミドリ川ミドリより、『無垢人』に描かれた緑川夫人、千代子としての方が有名だった。

「千代子夫人は、『無垢人』で、夫に自分や家族のことを実名で書かれた訳でしょう。だから、修羅の日々は本当なんだと思うのよね。そのことについて、どこかで詳しく喋ったりしてないのかしら」

「調べた限りでは、ありませんでしたね」

西塔の口調には、タマキの執着に怖《お》じる気配があった。真実など誰にもわからないのだから、作家として別の真実を作り出せ、と言いたいのかもしれない。だが、タマキ自身がどうしても○子が何者なのかを知りたいのだった。

しかし、当時の状況に関するインタビュー記事はなかったし、当事者たちも口を噤《つぐ》んでいる。陽平の水死事故が、立ち入ってはならないという遠慮を生んでいるのかもしれなかった。

ただひとつだけ、千代子夫人が出演しているテレビ番組があるという。緑川未来男が亡くなった直後の特集番組だというから十七年も前のことで、ビデオは入手できなかった。見た人の話によると、千代子夫人は、「馬鹿野郎、不潔野郎、下司《げす》野郎、最低野郎」と未来男に向かって叫んだ、と書かれていた自分について、「あれは全部、緑川の作りごとですよ」と懐かしそうに語っていたそうだ。

「お望みなら、インタビューを申し込んでみます。あまり待てないと思いますので」

待てないというのは、千代子夫人が高齢だからか、それとも原稿のことか、タマキは迷いながら返答した。

「わかりました。じゃ、お会いしたいです」

「そうしますか。では、小説の意図もお話ししますけど、いいですね」

慎重な西塔は念を押した。

「はい、そうしてください」

タマキは覚悟を決めた。多分、西塔はあちこち手を尽くして、約束を取りつけてくるかもしれないし、断られるかもしれない。運を天に任そうと思う。

電話を切った後、タマキは、〇子もまた緑川未来男の創作の可能性がある、と思った。勿論、緑川の周辺に女の影はあっただろう。六年来の付き合いがあったモーチャもいたし、浮気した女も複数いた。しかし、「サクヤカギ　ヲオワスレニナリマシタ」という電報を緑川に送ってきた〇子は、『無垢人』の中にしか存在しないのかもしれない。

緑川未来男にとって、千代子以外の女はすべて「〇子」で、千代子にも自分以外の女はすべて「〇子」だった。「〇子」は、彼らの強い愛情が作り出した、他者の幻影なのかもしれない。タマキは、急に〇子が実体も顔もない、空気の抜けた風船になった気がして、大きな溜息を吐《つ》いた。『無垢人』は、実はたった二人の男と女の愛の物語なのだ。未来男と千代子の。

数日後、西塔が昂奮した口調で電話をかけてきた。

「千代子夫人の件ですが、返事が来ました。お受けします、とのことです。ただ、いろいろと用事があって落ち着かないので、できれば来年にしていただきたいところである。しかし、いつ何どきお迎えがくるかわからないので、十一月頃にいかがでしょう、ということでした」

西塔は笑いながら言った。千代子夫人はユーモアがある人らしい。唐突かつ不躾《ぶしつけ》なインタビュー申し込みも、お蔭で救われていた。

「北海道のお宅に伺うことになると思います。夫人は、秘書の方と一緒に暮らしていらっしゃいます。近くに下のお嬢さんが住んでおられるので、その日は、お嬢さんもいらっしゃるそうです」

わかりました、とタマキは電話を切った。とうとう千代子夫人と会える。戦《おのの》きと期待と共に、自分は何をほじくっているのだ、と思わなくもない。だが、行ってみなくては何も始まらない。タマキは勇気を出すことにした。中城からも、すぐにメールが来た。

鈴木タマキ様

お世話になっています。

今日、西塔さんから、タマキさんが緑川千代子さんとお会いすることになった、と聞きました。滅多にインタビューなどを受けない方だそうですから、タマキさんの物書きとしてのオブセッションが伝わったのではないかと思いました。あまり人数が多くてはご迷惑か、とも思いますが、僕も是非、同行させてください。

関係ありませんが、ふと僕の両親のことを思い出しました。僕の母は、父に女がいることで長く悩んでいましたが、ある日突然、何かを悟ったらしく、急に仏のように微笑む、「いい人」になってしまったのです。僕には、その方が怖かったです。なぜ、悟った人はみんな欲望をなくして、気持ちの悪い顔になってしまうのでしょう。千代子さんが、どんな方かわかりませんが、僕にはまったく「悟った人」のようには思えないところがあります。

ご執筆の方、少し停滞気味だと仰《おつしや》っておられましたが、難しいテーマですから、これが正解、というのはないと思います。僭越ながら、外濠《そとぼり》をどんどん埋めていかれるのが一番よいのではないでしょうか。

中城洋一拝

とうとう緑川千代子と会うことになり、皆が昂奮しているのだった。タマキは、中城が書いてきたオブセッションという言葉に拘《こだわ》っていた。確かに、「恋愛の抹殺」について考えることは、とにもかくにも恋愛の「涯《は》て」を見たい、というオブセッションに他ならないのだった。

そんな折、魔が差したかのように青司に会いたくなる。七月に再会した時は、もう二度と会うことはないだろうと思ったのに。青司に会わねばならない、会った方がいい、いや、早く会うべきだ、と切迫した思いが湧き上がるのは、なぜだろうか。たまさか自分が言った「お互い、歳取ったことだし、いつ何どき死ぬかわからないじゃない。その前に、一度会いましょう」という台詞が引っかかっているせいだろうか。

タマキは、青司が言葉を濁した「健康上の問題」について、改めて質問をしてみたくもあった。激越な別れの後は、大きなひび割れを埋めるように、心配というパテで補修したくなる。あるいは、せめて、その程度に昇格した「関係」に身を置きたくなるのだろうか。勝手なものだ、とタマキは自嘲した。

青司と会って何をするのだろう。タマキは、他人の書いたとりとめのないブログを読みながら、時々想像した。きっと、自分たちが深めたり、撓《たわ》めたり、破壊した「関係」の有様を眺めるのだ、と。だが、タマキの心がやや暗い色合いに塗り込められているのは、青司の変貌だった。その原因は、「笑って生きていく」という言葉にある。

『だから俺、笑って生きていこうと思ってさ。もう、どうでもいいよ』

愛や憎しみや怒りを無理矢理収めて、青司は笑おうとしていた。「なぜ、悟った人はみんな欲望をなくして、気持ちの悪い顔になるのか」とは、中城の言葉だ。青司の表情は、確かに薄気味悪くはあった。

自分たちはまだ旅の途中なのだ、とタマキは思った。勝手にしろ、と青司に笑われようと、タマキはそう思う。しかし、二人は二度と抱擁することもないし、目を見つめ合って、そこに何があるのかを必死に探ろうとすることもない。でも、関係を作った以上は、まだ終わらないのだ。

では、どうしたら終えられるのか。「抹殺」すればいいのだ、とタマキは思った。それこそが、「淫」のテーマだった。もしかすると、青司の「笑って生きて」いきたい思いは、すでに何かを抹殺した人の感懐なのかもしれない。いや、違う。青司は「抹殺」したいと思っているが、まだしていない。それが証拠に、青司の内部から、青い怒りの火花が発光していると感じた瞬間があったではないか。

つまりタマキは、青司と自分の、相手への怒りや憎しみが消えたかどうかを知りたいのだった。あるいは、いつ消えるかを。それが、「関係」の今の有様を眺めることである。

十月になっていた。タマキは青司にメールを出した。青司からはすぐ返信が来て、数回のやり取りがあった。すぐに実現しなくても、近々会うことになるだろう、とタマキは思った。

阿部青司様

こんにちは。ご無沙汰しております。

お元気ですか。

気が向いたのでメールしてみました。

こちらは緑川未来男についての小説で、忙しくしています。
お時間があれば、お茶でも飲みませんか?
鈴木裕美子

鈴木裕美子様
ご無沙汰しております。メール、ありがとうございました。
小説でお忙しいとのこと、大変だと思います。落ち着いたらお茶でもしましょう。
私の方は元気にやっています。
またお目にかかるのを楽しみにしております。
阿部青司

阿部青司様
メール有難うございます。お元気そうで何よりです。
それでは、10月の第2、3週の前半あたり、ご都合はいかがでしょうか。
鈴木裕美子

鈴木裕美子様

メール、ありがとうございました。すいません。10月は海外出張が入っていて、ばたばたしていますので、もう少し先でお願いします。

またご連絡します。よろしくお願いいたします。

阿部青司

連絡を取り合ったせいだろうか。突然、タマキは青司の夢を見た。なぜか、青司の夢は数度しか見たことがなかったので、懐かしいというよりも、夢の中の自分も戸惑っていた。

タマキは、誰かと出かけようとしていた。相手は、顔も知らない、初めて会う男なのだが、テレビによく出る芸人に似ており、自分より遥かに年下だと、タマキにはわかっている。そして、現実の芸人には何も魅力を感じていないのに、夢の中のタマキはその男を頼もしく思っていて、心浮き立たせているのだ。男は、なぜか勤め人のような灰色のスーツを着ており、厚い胸板を誇るように姿勢がよかった。

ふと、道路の向こう側に、青司がいるのに気付いた。青司は小柄な女と一緒に立っているのだが、帽子を阿弥陀に被っている。それも、タマキの息子が大事にしている帽子だ。ローリング・ストーンズのアイコン、大きなベロを出した唇がプリントされた、馬鹿馬鹿しいカンカン帽だった。

青司は、まったく似合わない帽子を被って、タマキの方を見ている。顔色が茶色く沈んで、むくんだ顔は苦しげだ。タマキは無情にも、青司よりも自分の横に立っている男の方がずっといい、などと思っている。

タマキが歩くと、道路の向こう側にいる青司と女も一緒に移動してくる。青司は何を考えているのだろう、とタマキは不思議に思って、道路の反対側を眺めたりしている。半面、自分と一緒に歩く男を自慢に感じたり、青司の横にいる女は誰だろう、と首を傾《かし》げたりしている、そんな夢だった。

タマキは、目覚めてから、あまりの鮮明さに驚き、しばらく夢を反芻《はんすう》していた。夢と細部が同じかどうか、息子の部屋に帽子を見に行ったほどだ。タマキは、奇妙な夢を見ると、日常のどんな棘《とげ》が無意識に引っ掛かって、その夢を見させたのか、とあれこれ考える癖がある。帽子はどうやら、青司が取材の時に被っていた、パッチワーク生地で出来た中国製の帽子からの連想らしかった。タマキと一緒の時、青司はことさら悪趣味な物を身に着けることがあった。俗悪になる遊びは、二人でいるからできることでもあった。タマキも、大阪の市場で買った、派手な刺繍入りデニムやTシャツを着たことがある。

が、青司が黒いフレームの伊達眼鏡と、あのパッチワークの帽子を被った途端、二人の関係はぎくしゃくし始めた。その象徴が、あの帽子なのだった。

自分の横にいた胸板の厚い男や、小柄な女に関しては、青司への対抗意識の表れだろうと思うと、自分の単純さに苦笑が込み上げた。やがて、タマキは夢のことは忘れた。

数日後、タマキは雑誌の仕事で、ある男性作家と対談した。途中、携帯に電話が入った。表示を見ると、友人の女性作家、人見庸子《ようこ》からだった。人見とは、年齢が近いのでよく話をする。が、互いに忙しいので、余程のことがない限り、電話をかけ合わない。用事はほとんどメールだったから、珍しいことがあるものだと思いながら、タマキは電話に出た。

「ちょっと、あなたに伝えたいことがあるのよ。あたしだったら知りたい、と思ったからなんだけど」

最初のひと声で、嫌なことが起きたのだと思った。それも、青司絡みのことだろうと、心の底でこれまで感じ取っていた嫌な予感が、ざわざわと立ち上がるのを覚えた。

「ごめん。今、対談中だから、終わったら電話するね」

「わかった、そうして」

早々に対談を終え、タマキは帰りのタクシーの中で人見庸子に電話した。

「さっきはごめんね。どうしたの」

「うん、あのね」と、言った後、人見庸子は躊躇《ためら》うように大きな息を吐いた。「さっき、知り合いから聞いたんだけどさ。阿部さんがクモ膜下で倒れたって、知ってる?」

いつかこんな日が来ると思っていた。無意識に覚悟していた自分。言葉がうまく出てこなかった。

「知らなかった。いつのことなの」

『二月に健康上の問題が発見されてね。まあ、何とか定年まで保《も》たせようと思ってるんだ』

青司の言葉が生々しく蘇った。やはり、そうだったのだ。青司自身が心配していた通り、クモ膜下出血で倒れたのだ。自分の嫌な予感が当たったことに寒気がした。人見庸子もショックを受けているらしく、声が低く掠《かす》れていた。

「金曜の夜に倒れて、この数日が山だって言われているそうよ」

「ということは、かなり危ないってことなのね」

「そうらしいの。知り合いから聞いて、その人は個人情報だから洩らしたくないって言ったんだけど、あたしがあなただったら知りたいと思うだろうと思って、電話したの」

ありがとう、と返答して電話を切った。次に、知り合いの編集者ヤマグチに電話をかけた。青司と揉《も》めている時に、間に入って調整してくれた編集者だった。

「こんばんは、鈴木タマキです」

「あ、どうも、お久しぶりです」

ヤマグチの声は沈んでいた。

「たった今、阿部さんが倒れたって聞いたんだけど、どういう状況か教えてください」

「お耳に入りましたか。いや、僕も鈴木さんにはお知らせしようかなと思っていたのですが、迷っていて」

「してくだされぱいいのに」と、言ったものの、青司と自分が再会したことは、誰も知らないのだ。決裂したままだと思っているのだとしたら、無理からぬことだった。

「すみません」と、ヤマグチが謝った。「実は、金曜の夕方まで一緒だったんですよ。その後、阿部は新宿に用事があるということで別れたんですが、阿部が何をしていたのかはわかりません。どうやら、街で倒れて、救急車で運ばれたそうです。倒れた状況も、僕にはわかりませんし、聞いていません。個人情報なので、家族にも教えてくれないんだそうです。脳動脈瘤の破裂でクモ膜下だそうです。状況は厳しいです。土曜にいったん心停止したらしいのですが、また蘇生して今は頑張っています。でも、生命維持装置に繋がれているので、外すかどうか、という問題が起きていると聞いてます。外さないとなった場合、結構、長くなるのではないでしょうか。僕も金曜以来、阿部には全然会えないので、どうなっているのかは伝聞で聞くしかないんですよ」

「じゃ、かなり悪いんですね」

タマキは思い切って言った。

いと思います」

「はい。残念ですが、阿部さんは、多分こちらの世界には、もう二度と戻って来られな

「こちらの世界」には戻って来れなくなった青司。では、どこに行ったのだろうか。タマキは、首都高四号線から見える夜のビル群を眺めた。青司と何度こうやってタクシーで帰って来ただろうか。数え切れないくらいの回数を、二人で移動したのだった。喋りながら、手を繋ぎながら。不思議なことに、涙はまったく出なかった。ただ、驚くほど虚ろな心が、一人でどこかに行ってしまった青司について、どこまでも、いつまでも考えているのだった。

青司と会って以来、青司は必ずタマキの心のどこかに棲んでいて、どこにも行こうとしなかった。それが問題なのだ、とタマキは恋愛の抹殺について考えているのではなかったか。青司の方は、もうたくさんだとばかりに、違う世界に行こうとしているのかもしれない。暗黒の世界へ。

そういえば、久しぶりに青司の夢を見たな、と思い出し、それが金曜の夜であることに驚いた。別れを告げに来たのか、と自分に都合よく考えて苦笑する。そんな発想は、作家にあるまじき傲慢である、とタマキは思った。青司だとて、タマキが倒れて夢枕に現れたとしても、自分に会いに来たとは思わないし、思わないようにすることだろう。

自宅に戻ったタマキは、長い暗黒の始まりを覚悟した。暗黒の中身は、自分が恋愛を

抹殺しようとして青司に告げ、青司に行った様々なことどもが、この先、自分を苦しめるであろう、ということだった。そして、青司がタマキにした同様のことが。

いや違う、とタマキは思った。これは、青司が死んで、一人だけで決着をつけることなのだ。あれやこれや、よいこと悪いこと、楽しいこと悲しいこと。様々な思いや想念が湧いて、さすがにその夜は眠ることができなかった。


一人の男が集中治療室で必死に闘っているというのに、美しい秋晴れが続いている。小春日和で、どこかで梅が咲いたと新聞に書いてあった。だが、タマキには関係ない。青司にも関係ない。タマキは、青司がこの世から消えてしまうのではないかと怯えながらも、仕事をこなさねばならないのだった。青司の脳に血が満ちて、次々と機能や記憶が消えていくのに、タマキは、あんなことがあった、こんなこともあった、とありったけの記憶を総動員しているのだ。

そんな最中に、緑川千代子と会う日が迫っていた。タマキは国会図書館に出かけて、どうしても手に入らなかった未来男の絶版の随筆集を見つけて読んだ。すると、こんな文章があった。

「隠された意味」と題された短いエッセイだった。昭和三十五年、ある商店街で出している雑誌に寄稿されたものである。

「誰にも言ったことがないのだが、僕はゼリービーンズが好きだ。あの形と色、手触り、そして食感が気に入っていて、いつかゼリービーンズを腹いっぱい食べたいと思っている。たまに、娘たちに買ってきたふりをして、自分が一番食べる。赤、黄、橙《だいだい》、白ときたら、次は青、紫ときて、また赤、黄、橙、白と食べる。ぐるぐる巡っているうちに腹がくちくなって、袋を仕舞う。大の男が、食卓にゼリービーンズを色別に並べ、片端から食べているのだ。

ところが、先日、吉行から、『ゼリービーンズと言えば、きみ、アメリカではポン引きのことなんだよ』と言われたので、早速、英和を引いて確かめてみた。すると、〈けばけばしい身なりの男〉〈ポン引き〉〈女たらし、ばか〉〈未熟者〉などと、散々だった。どうやら、これはソラマメ型の形状が別の意味を感じさせるせいなのだろう。そして、最後に、〈アンフェタミンの錠剤の意〉とあったのには驚いた。

そもそも豆は、何となく声高《こわだか》に言うのが憚《はばか》られる食べ物ではある。形状、音、すべてがそこはかとなく隠微で嫌らしく、貧乏臭い。だが、知り合いの女で、子供の頃、『海水浴のお豆』を食べていた、と話す者がいる。女は四国の出で、ある豆を麻袋に入れて海水着に結びつけ、一日泳いだ後で、ふやけたお豆を食べると美味しかったわ、と楽しそうに言うのだ。『その豆の種類は何だい』と聞いたところ、『さあ、あたしたちはみんな〝海水浴のお豆〟って呼んでいたわ』と肩を竦《すく》めた。天真爛漫な豆もあったものである」

その箇所を読んだタマキは思わず笑った。やっと、三浦弓実と緑川未来男の接点を見つけたのだった。「取水」の同人なのだから、この程度の話はいくらでもするかもしれないが、文章の陰に、特別な絆《きずな》が見え隠れするように思うのは気のせいだろうか。

タマキはその箇所をコピーしてから、携帯電話を眺めた。どこからも連絡はない。青司が一人で死にかけている。その虚しさは、どうすることもできなかった。

2

青司が倒れてから、早くも一週間が経った。暗い気持ちとは裏腹の、爽やかな秋晴れが続いていた。仕事場に行く前に、近所の神社に寄って祈るのが、タマキの新しい日課となった。絶望的な状況だということは重々承知しているし、覚悟もしているのだが、膨らんだ風船が今にも破裂しそうな危うさに、どう堪えればいいのかわからなかった。

タマキの父が死の床に就いた時は、毎日じりじりと焦っていた。御茶ノ水駅前に聳《そび》える病院を見ると、間に合わないのではないかと気が急《せ》いて、いつも駆け出していた。何に間に合いたかったのか、と問われれば、死の手が届く前に、仲がいいとは言えなかった父親と満足のいく関係を結んでおきたかった、と答えるしかあるまい。生き残る側は、それほどまでに自分勝手なのだった。

だが、今回はタマキが一人、蚊帳の外にいる。致し方ないこととはいえ、タマキは自分が関われないことに苛立《いらだ》ち、すっかり疲弊していた。タマキを青司に繋げることができるのは、ヤマグチだけだ。それも、ヤマグチから電話が来る場合は、青司に何かあった時、と限られている。さらにタマキは、死と闘う青司をよそに、「日常」がいつも通りに進行していくことにも、戸惑ったり、不快に思ったり、救われたりしていた。つまり、表向きは普段通りだったが、タマキは混乱の最中にいて、そのことに軽い酩酊すら覚えていたのだった。

かように、異様な興奮状態の中にいても締切はやってくる。タマキは、江波静子と会った挿話を書いて行数を埋め、やっとのことで「淫」を入稿した。すると、折り返し西塔から電話があって、夜九時過ぎにゲラが出るので、見たらすぐ戻してほしい、でなければ間に合わない、と急かされた。

タマキは仕事場に残って、ファクスが来るのを待つことにした。アシスタントのエリエは定時に帰ったので、幾つもある窓のカーテンを引いて回った。ここのカーテンも、自分が採寸してオーダーに行ったのだった。あの、ラブホテルの真ん前にあった部屋の、カフェカーテンを買った店に。

タマキは落ち着かない思いで、夜の仕事場を見回した。蛍光灯の青い灯に照らされて、すべてが素っ気なく、現実味を欠いて見える。

青司と別れてから、仕事場に長居しない習慣ができた。それは、青司が来なくなった今、青司との思い出が蘇るのが苦痛だったからに他ならない。青司は、始終やって来ていた。一緒に仕事をすれば、週に何度も打ち合わせに来た。五年もの間、仕事がなくても毎週末はここで落ち合っていたから、青司の訪問が一週間以上空くのは年末年始に限られていた。

夜が明けるまで話しても、話し足りなかった日々があった。カーテンには、青司の煙草の煙や吐息が、たっぷりと染み込んでいるはずだ。別れ話が出た時、青司は「もう、俺にはどこにも居場所がない」と言わなかったか。

タマキは、フローリングに目を遣った。茶色い床に、二個の白い傷が目立った。二年前の暮れ、激怒した青司が、「何もかも壊してやろうか」と叫んで、椅子を放り投げた時に出来た傷だった。その時の争いは、二人が初めて経験する醜く激しいものだった。原因ははっきり覚えている。タマキが青司を編集担当から解任したからだった。解任の理由は、青司がタマキを選ばなかったからである。その時には、仕事面でも別れるという約束があったのだ。

口論の末、激昂したタマキが平手で青司の頰を打つと、青司は珍しく色をなして、「女でよかったな。殴られないだけ助かったと思え」と、タマキを壁に突き飛ばした。

その後、椅子を投げたのだった。だが、青司はすぐに我に返り、繭のように丸まって、何度もタマキに謝罪した。タマキは、酒と一緒に精神安定剤を二錠も飲んだが、それでも昂奮は収まらず、ずっと泣き叫んでいた。地獄のような夜だった。だから、話しても話し足りない二人が入り込んだ道は、進むも戻るもできない隘路《あいろ》だったのだ。

その青司が死にかけている。隘路の果てにあったのは、死だったのだろうか。タマキは電話が入ってないか、携帯を見た。青司が倒れて以来、携帯の着信を確かめるのが癖になっている。が、どこからも連絡はなかった。青司はまだ、辛うじてこの世に存在しているらしい。

タマキはほっとして、仕事机の端に載っている古い本を手に取った。表紙には、赤いスカートを穿《は》いた女の子が、たまげた風に両手を上げて、樹上の猿を見上げている古めかしい絵が描いてある。緑川未来男夫人の千代子が、ミドリ川ミドリ名義で、初めて書いた児童書、『ちよこの冒険』だ。千代子夫人のインタビューが週明けに予定されているために、読み返さなければならないのだった。

『ちよこの冒険』は、タイトルの凡庸さから大きくかけ離れた、一風変わった児童向けの小説だった。「ちよこ」という名の少女は十歳くらいだが、実は自分の年齢を知らない。家族もいないし、学校へも通っていない。どころか、「にんげん」のおばあさんに真っ暗な鍾乳洞の洞穴に閉じ込められてしまって、どこからか入り込んで来た牡犬を母親代わりにし、洞穴の天井に巣を作っているコウモリ一家を、隣人と認識して生きているのである。

食べ物は、毎朝、「にんげん」のおばあさんが与えてくれる餌だ。「ちよこ」は、狼少年のごとく、牡犬の真似をして餌を食べ、鍾乳洞を伝う水を舐《な》め、地下水で行水する。一箇所、天から光が入る穴があり、「ちよこ」はその壁に落書きして、一人で学ぶのだ。「ちよこ」の、ある意味、幸せでシンプルな生活は、突然、崩壊する。牡犬が死んで、コウモリ一家がどこかへ飛んで行ってしまうのだ。一人きりになった「ちよこ」は、洞穴を脱出して、「アカルヨ」という世界に冒険に出る。探すのは、自分を閉じ込めたおばあさんだ。なぜ自分を閉じ込めたのか、本当のお母さんはどこにいるのか、聞いてみなくてはならない。

暗い洞穴で暮らしていた「ちよこ」は、目が弱い。だから、アカルヨで暮らすために、まずサングラスを手に入れようとするのだった。が、アカルヨで、「ちよこ」はちっとも幸せになれない。物売りから買ったサングラスは粗悪品で、たちまち「ちよこ」は盲《めし》いるのだ。そして、おばあさんにやっと会えたのに、「ちよこ」はおばあさんを見分けることができないのである。

この本が出た当初、子供にはまったく売れず、大人たちが面白がって読んだと聞いた。

「ちよこ」は家庭の主婦、牝犬でなくて牡犬が母親役なのは男尊女卑の象徴、洞穴は封建的な家庭、アカルヨは自由で豊かな世界、と図式的な解釈をしてみせる婦人雑誌もあったという。タマキは、『ちよこの冒険』を書いた意図は何なのか、なぜ子供向けにしたのかなどを、『無垢人』のことと併せて、千代子夫人に聞いてみたいと思っていた。

電話が鳴った。西塔がゲラが出る時間でも知らせてくれたのかと思い、タマキは無造作に受話器を取った。すると、西塔ではなく、聞き覚えのない中年男性からだった。

「あのう、こちらは鈴木タマキ先生のお宅でしょうか」

知らない地方訛があって、話し慣れない口調である。タマキは迂闊《うかつ》に電話に出たことを後悔した。早く用件を終わらせようと、つい切り口上に答えてしまう。

「はい、そうですが、どちら様でしょうか。どういったご用件でしょうか」

「あ、はい、すみません」タマキの早口に、男は慌てた様子だった。「タマキ先生はいらっしゃいますでしょうか」

「私ですけど」

電話の向こうから、たちまち緊張が伝わってきた。

「お忙しいのに、申し訳ありません。あのう、私は、福島県に住んでおります浦霞《うらがすみ》と申します。お目にかかったこともないのに、こんな突然にお電話して、本当にすみません。今、少しお話ししても、いいですか」

億劫ではあったが、男が何を言うのか知りたくなった。タマキは、ボールペンを取り、メモ用紙に日付と「浦霞」と書いた。そして、男の名字が日本酒の名と同じだと気付いた。タマキは男の素性を訝《いぶか》しんだが、男は構わず訥々《とつとつ》と喋っている。タマキの知らない地名を挙げて、その町で公務員をしているとも言った。

「私は、以前からタマキ先生のお書きになった物を読ませて頂いております。とても面白くて、女性にはないクールな視点が小気味いいと思っております。今度の新刊も、真っ先に買わせて頂きました。とても面白かったです」

「ありがとうございます」

ただのファンか。タマキはまともに応対したことを悔い始めていた。青司が、電話には自分で出るな、と常々言っていたことを思い出して、皮肉を感じた。青司を喪《うしな》いそうな寂しさから、見ず知らずの人間がかけてきた電話に出てしまったことだ。

「あのう、実はですね。私、『DIABLO』という雑誌で、タマキ先生が連載していらっしゃる小説をずっと読ませて頂いておるんです。『淫』というタイトルの小説です。と言いますのも、不思議な縁があるからなんですよ」

「どういうことでしょうか」

タマキは思わず身を乗り出した。

「はい、私の母は八十五歳で、衰弱しているものですから、ずっと入院しているんです。

でも、夏過ぎから具合が悪くて、もう明日をも知れぬ命で伏せっております。私が電話しているのも、母が入院している病院の屋上からなんです。病室では、母の周りに、妹や孫、曾孫《ひまご》たちが全員集合しています。そろそろお迎えが来るかもしれない、と先生にも言われておりますので、待機しているんです。私も母のところに戻らねばなりませんが、母の耳許に、タマキ先生にあんたの言いたいことを伝えたよ、と言いたいがために、今電話している次第なのです。きっと母は喜んで、何の憂いもなく、あの世へ行けると思います」

今度はタマキが緊張する番だった。一瞬、死にかかっている青司が遣わした使者ではないかという妄想が湧きかけた。

「それはお気の毒です。お母様が仰りたいことって、どんなことなんでしょうか」

「実はですね、私の母は、『無垢人』の中に出てくる『○子』なんですよ」

浦霞は、自慢とも言える誇らしい口調で言った。タマキは息を呑んだ。

「先生は、『淫』という小説の中で、『○子』を探している、恋愛の抹殺について考えたい、と書いておられるでしょう。私がそのことを母に言ったら、母が、自分が死ぬ前に、是非タマキ先生に電話して、自分のことを伝えてくれと言うもんですから、忠実に約束を守ってるんです」

「驚きました。お母様がご自分で仰ったんですか？」

半信半疑ながら、自分でも昂奮しているのがわかった。

「そうなんです。私には妹がおりますけどね、二人とも昔から知ってました。あれは十七年ほど前でしたかね。母が私たちを呼んで言いました。今日はとても悲しいことがあった、それは、自分が大恋愛をした相手が亡くなったからだ、と。びっくりした私が、それは誰か、と聞きますと、緑川未来男先生の名を挙げました。そして、本棚から『無垢人』を取り出して、恥ずかしいけれども、ここにあたしとのことが書いてあるよ、と言ったのです。『○子』の部分は、白樺で出来た栞《しおり》が挟んでありましたっけ。私らはすごくびっくりして、それまで読んでなかった『無垢人』を読みました。私は面白く読みましたが、妹はそもそも本が苦手なもんですから、やや嫌悪感を持った、と言ってましたね。あれは私が四十前で、妹は三十半ばくらいのことでしたか。娘は、母親が女の部分を出すと嫌なんでしょうね」

放っておけば、浦霞はいくらでも喋りそうだった。タマキは慌てて停めた。

「ちょっと待ってください。その時、お父様はどうされたのですか」

「母は、オヤジとは結婚していないのです。私らは、婚外子です。しかも、オヤジがそれぞれ違います。私のオヤジは、東京の下町の方で飲食業をしている男ですし、妹の父親は、大学の教員だと言っていました。母は、新橋で飲み屋をやって、私と妹を育ててくれたんですよ。緑川先生が亡くなる頃は、田舎に引っ込んで、私と一緒に暮らしていましたが」

タマキはメモに書きなぐった。福島出身、新橋の飲み屋、婚外子、緑川の死亡時に自分から「〇子」と子供たちに告白。が、これは入念ないたずら電話ではないか、という疑念を消すことができない。

「さっき、『DIABLO』を読んでいると仰いましたけど、小説雑誌など、よほど好きな人でない限り、一般の方はお読みにならないと思っていました。私が『〇子』さんを探していると、どうしておわかりになったのかが不思議です」

「いや、うちの妹の婚家は本屋をやってるんですよ。だから縁が深いし、よくチェックしているんですよ」

「そこで、私の本を買われたんですか」

「いや、妹は違う町で商売しているので、ちょっと違うんですが。でもね、うちの妹は、小説を書いているんです。だから、何かと情報が入るんです」

「でも、妹さんは本が苦手だったと伺いましたが」

「いや、そうは言ってなくて、好きな小説と苦手な小説があるって意味ですけど」

整合性があるようでなかった。少しずつ話がずれていく気がして、タマキはだんだん面倒臭くなった。小説を書くと言っている人間が、どんな手合いのものを小説と認識しているかを精査するのは、怖いものがある。タマキは、自分が書いた「淫」という小説が、真実にせよ、虚偽にせよ、いろんな人物を引き寄せることに不安を覚えた。モーチャ、三浦弓実、江波静子。タマキが黙り込んだので、浦霞は慌てている。

「もしもし、もしもし、先生、どうされましたか」

「あ、いや、ちょっとびっくりしたので」

「いずれにせよね、先生。母はもうじき、この世とおさらばすると思いますから、真実が消えてしまわないうちにお伝えしたいと思って電話しました。先生には伝えたからねって、母に言っておきますよ」

浦霞は、やけにさばけている。

「ちょっと待ってください。お母様のお名前を伺っていいですか」

「浦霞治子です。サンズイの浦に、霞が関の霞、ハルは地方自治体の治です」

タマキはメモを取った。

「お母様は、どちらで緑川さんと知り合ったのでしょうか」

「店でしょうね」

「新橋でされていたという飲み屋ですね。何というお店でしょうか」

「さあ、前に聞いたけど、忘れてしまいました。文壇バーだったって聞きました。では、そろそろ失礼します」

浦霞ははっきり言わずに、電話を切ろうとした。

「ちょっと待ってください」タマキは追《お》い縋《すが》った。「お取り込みのところ申し訳ないのですが、もっと詳しく知りたいのですけど」

浦霞は、タマキの関心を引いたことが嬉しいのか、電話口の向こうで微かに笑ったようだった。

「何が知りたいのですかね」

「そうですね。一番伺いたいのは、お母様は緑川さんの小説に書かれてどう思ったか、ということです」

浦霞はしばし黙った後に、痰の絡んだ声で答えて咳払いをした。

「実際はどうかわかりませんけど、私から見たら、どことなく誇らしげに見えましたね。ひねくれた言い方かもしれませんが、自分の存在が、これほどまでに相手の家に混乱を呼んでいるということが嬉しかったんじゃないでしょうか。あと、恋愛って、消えてなくなりますよね。証拠がないっていうか。でも、小説に書いてくれたのだから、自分は一生、『無垢人』の中に生きているんだ、幸せだって言ってたことがありました」

「そうですか。あの、浦霞さん、お母様のお写真などをお借りしたいと思うのですが、よろしいでしょうか」

「若い頃のでしょうか？」

「できれば」

「探して送るようにします」

浦霞は気安く承知して、さっさと電話を切ってしまった。最初の頃の臆病さに比して、急に雑駁《ざつぱく》になったように感じられたのは杞憂だろうか。今の電話が作り話だとしたら、よくできた作り話だとタマキは思う。熱心さと素っ気なさとが適度に入り交じった話しぶりは、本物ぽかった。「白樺の栞」というディテールにもリアリティがある。法螺話《ほらばなし》を作って作家を信じ込ませようとする人間は、大概、底が割れる。法螺話がまっとう過ぎるからだ。しかし、浦霞が言った、「恋愛は消えてなくなるが、小説に書いてくれたから、その中で自分は生きられる」というような母親の見解は新鮮ではある。

ファクスの音がした。ゲラが次々と吐き出されてきた。西塔にゲラを戻す時、今の出来事について話した方がいいだろう。すると、ファクスが終わらないうちに、タマキの携帯が鳴った。ヤマグチか、とはっとして表示を見ると、西塔からだった。

「すみません、タマキさん。すぐにお願いできますか」

「大丈夫です。西塔さん、実は、変なことがあってね」

タマキは、自分の言葉にぞっとした。よくよく考えてみれば、今にも死にそうな母親を持つ息子が、母親を安心させるために病室を抜け出してタマキに電話してくる、というのも不気味な話だった。タマキが浦霞からの電話を伝えると、西塔は「浦霞治子の名ですぐに調べてみます。わかったらご連絡しますから」と言う。

「阿部さんのことがあるから、何か嫌な感じじゃない。だって、阿部さんも、その自称○子も病院で危篤状態なのよ」

タマキが呟くと、西塔は小さな声で言った。

「ただの偶然とかじゃないんですか」

「ううん、あたしは、嫌がらせとまではいかない嘘というか、こうだったらいいのに、という願望というか、そういう不可思議なものが現実に現れてきているような感じがするの」

「誰がそんなことするんですか」

西塔は薄気味悪そうに言う。

「わからない。皆の無意識みたいなもんじゃない」

そう言ってから、小説とは皆の無意識を拾い集めて、物語という時間軸とリアリティを与え、さらに無意識を再編することだと気付く。やはり、浦霞治子が○子だという説は、嘘に違いない、とタマキはメモを端に追いやった。そして、校正刷りに朱筆を入れながら、今の電話は、浦霞と名乗る男の創作に違いない、と思うのだった。小説を書いているのは、妹ではなく男の方かもしれない。

緑川未来男が『無垢人』という小説に描き、タマキが点火した「○子は誰」という疑問が、こんな悪戯《いたずら》を生んでいるのだろう。薄暗い気持ちがして、タマキはカーテンを開けて表を見た。よく晴れた夜空に、星が幾つか瞬いていた。金曜の夜だから、中野の繁華街を通れば、かつての自分と青司のように、浮かれたカップルが大勢いることだろうと憂鬱になった。

ゲラを戻して、帰り支度をしていたら、インターホンが鳴った。午後十時過ぎに誰が来たのだろうと、胸が騒いだ。タマキの仕事場のマンションはオートロックで、玄関でインターホンを鳴らした人の顔がカメラで映し出され、確認した住人がロックを解除する仕組みになっている。

インターホンの受話器を取ったタマキの膚《はだ》に、鳥肌が立った。青司が立っている。顔がカメラに映るのを知っている青司は、伏し目がちに言った。

「阿部です」

俺だけど、と電話をかけてくる青司の弾んだ声を彷彿《ほうふつ》とさせるほど、小さなモニターに映る青司の顔は楽しそうだった。

「開けます」

タマキは反射的に答えて、ボタンを操作した。玄関ドアが開いて、青司が入って来た。見覚えのあるジャケットがちらりと見えた。今頃、集中治療室で死と闘っているはずの青司がここにやって来られるわけがなかった。タマキが開けたオートロックのドアを抜け、エレベーターで八階に上がって来るのは、青司の生き霊か、はたまた幽霊か。タマキの奥歯が微かに震えた。

部屋の玄関の横に付いているチャイムが鳴った。タマキの胸は怖ろしいほどの速さで打っている。タマキは玄関の照明を点けてから、ドアを開けた。

「こんばんは」

上背のある青司が、笑いながらタマキを見下ろしている。七年間も毎週欠かさず会っていた時と同じだった。細かい黒い縞が入っている灰色のジャケットに、黒のＴシャツ。黒いリュックサックを肩に掛けている。それは、タマキが買ったＧＲＥＧＯＲＹだった。

「こんばんは」とタマキも答え、下駄箱を開けて、青司がいつも履いていたスリッパを探した。が、すでに棄ててしまっていたことを思い出し、仕方なく来客用のスリッパを揃えた。恐る恐る顔を上げると、青司は屈託なく笑っていた。紐付きの黒いスニーカーを脱いで、青司は当然のように上がった。

「元気だった？」

「うん、元気。あなたは？」

「俺も元気だよ」

青司は嬉しそうに答えて、何か楽しいことが待っているかのように周囲をきょろきょろ見回しながら、仕事部屋に入って来た。

「せいちゃん、あなたは、病院にいるのかと思っていたわ」

煙草をくわえて灰皿を探していた青司は、え？　という表情でタマキを見遣った。自分が瀕死の状態にあることなど、まったく知らない様子だ。

そうか、これは自分が書いた小説が呼び寄せる嘘や願望の一種なのだ、とタマキは気付いた。現実に見えて現実でなく、夢に思えて夢ではないもの。

青司は、いつの間にかピースに火を点けて、煙を吐いた。付き合いの後半は互いに同化して、同じ銘柄の煙草を吸っていたから、この青司は、まだ付き合い始めた頃の青司らしい。道理で、若い。

「裕美ちゃん、これ、何のゲラ」

青司は、目敏《めざと》く「淫」の初校刷りを見つけて、「見ていい？」と聞いた。

「どうぞ」とタマキが手渡すと、興味深そうに読んでいる。

「どう思う」とタマキが聞くと、青司の目が輝いた。

「面白いじゃない」

いつもなら、ここで小説の話になっていくのだった。互いの、気力と体力と志向と結果が一致する、至福の時期だった。が、タマキは微笑んで言った。

「せいちゃん、何か飲む」

「ビールある？」

冷蔵庫に、酒類は何も入っていなかったことを思い出す。タマキは立って湯を沸かし、勝手に日本茶を淹《い》れた。青司の幻は、熱い茶を飲めるだろうか。台所からカウンター越しに青司を見ると、青司はあちこちに目を遣り、本棚を眺めたり、顎を掻いたり、懐かしそうにしていた。タマキと目が合った。青司が心配そうに問う。

「あなた、疲れてる？」

疲れてる。あなたが死にそうだから、と心の中で答えるが、勿論言わなかった。青司が吐き出す煙さえも、匂いが薄い気がして不安が募る。小説によって立ち現れる幻。何ということだろう。自分が書いてきたのは、現実を凌駕《りょうが》するほどの虚構でなくてはならなかった。優れた虚構には現実を変える力があるはずだと、タマキも青司も信じていた。しかし、今、現実は、「青司の死」という、誰にもどうにもできない、絶対的な力を見せて、タマキを捩《ね》じ伏《ふ》せようとしているではないか。

「何考えているの」

青司に聞かれて、タマキは目を上げた。その目を、青司の輝く目が凝視する。

「あなたはどうしてここに来たの」

タマキが言うと、青司は答えずに笑った。タマキが出した緑茶を飲み干す青司。きっと、これが最後なのだ、とタマキは思った。もう二度と青司の幻は現れないだろう。そして、青司はもうじき死ぬのだ。そう思ってから、タマキは気付いた。この幻も、

「淫」という小説が引き連れてきた不思議なものなのだった。共時性、偶然、運命。青司とタマキが必死に命を懸けてやってきた小説という仕事が、最後に、青司の幻をタマキの眼前に連れて来てくれたのだった。これ以上のものはなかった。

「来てくれてありがとう、せいちゃん。もう帰んなよ、病院に」

「何で」

青司は、首を傾げて優しく笑っている。

「みんな待ってるから、帰んなよ」

青司は急に不安そうに、煙草をポケットに仕舞った。

「あなたは」

「あたしは笑って生きるようにするから」

そう答えた途端、タマキの目に涙が溢れた。青司が立ち上がり、タマキの部屋の短い廊下を歩きだした。やがて、玄関から出て行く気配がした。

ドアの閉じる音を聞いた途端、タマキは我に返り、慌てて青司の後を追った。幻でもいい。二度と会えなくなる男の後ろ姿を見なくてはならないと思った。だが、マンションの外廊下には人影がない。エレベーターも三階で止まったままだし、階段を下りた気配もない。青司の幻が、いつものように金曜の夜を過ごすべく、タマキの部屋にやって来て消えた。ただ、それだけのことだった。

タマキは廊下の暗がりを彷徨《さまよ》って青司の姿を探したが、もう二度と青司を見ることは叶わなかった。仕方なしに部屋に戻ると、照明が一層明るくなったような気がした。煌々《こうこう》とした部屋の中で、急に震えが止まらなくなった。青司の幻が訪れたことが怖いのではなく、なぜ自分は、このように現実と幻が混沌と混じり合う仕事をしているのだろう、と無念に思ったのだった。不思議でありながらも仕事を受け入れているのだから、無念という言葉が当たらないのはわかっているのだが、今は無念としか感じられない。

また、タマキは後悔もしていた。なぜ青司を簡単に帰してしまったのだろうか。青司の姿をしたものに、まだ執着している自分がいる。あれほど怒り、憎んでいたはずなのに、会えばまた昔のように、仕事や自分たちの話をしたくなる。しかし、「あたしは笑って生きるようにするから」と告げた時の、青司の呆然とした表情を思い出すと、微笑ましくもあった。青司自身の言葉なのだから。

タマキは、灰皿の中の、ピースの吸い殻を眺めた。ほとんどが燃えて灰になっていた。指で触ると、あっという間に細かく砕け散った。青司が倒れただなんて、タマキを騙そうとする、悪いいたずらのような気さえする。だが、まだ若く潑剌《はつらつ》とした青司の幻が現れたのだから、本物の青司は、この世とあの世のあわいにいて苦しんでいるのだろう。

タマキはテーブルに頰を載せ、よく見知った自分の仕事部屋を真横から眺めた。タマキ四カ月前の七月七日に再会した時、青司はすでに小説への興味を失っていた。タマキだけが未だ小説の世界に取り残されているのだから、青司の幻は、タマキが見た都合の好い夢に過ぎないのだ。これまでに、小説を書くという仕事が見せる夢と幻は、タマキの周囲を知らぬ間に変えてきたはずだった。淡く薄い交情を書けば、淡く薄い世界に。激しい感情を書けば、激しい人間に。濃密な人間関係を書けば、青司との関係を濃密に。今、『無垢人』の「〇子」を追って、恋愛の抹殺について書いているタマキは、まさに青司との関係を抹殺したいが故に書いてきたのではなかったか。その結果が、青司の死なのだった。

私の仕事は途轍もなく怖ろしい、とタマキは思った。その恐怖は、いずれ自分を蝕《むしば》むかもしれないし、逆に、もっといい仕事をさせてくれるかもしれない。だが、そんなことに何の意味があるのだろう、とタマキは思う。

緑川未来男も同じ虚しさを感じなかっただろうか。小説に魂を奪われた者の現実は怖ろしい、と。タマキが書棚から『無垢人』を手に取りかけた時、携帯電話が鳴った。発信者は、「DIABLO西塔」とある。

「もしもし、タマキさんですか。手元にゲラありますか」

「ありますよ。まだ仕事場にいるから」

「よかった」

西塔はほっとしたように、ゲラの疑問点を質《ただ》した。

「それと月曜の北海道行きですが、十一時の飛行機ですから、朝九時にご自宅に車がお迎えに行きます。まさか、お忘れじゃないですよね？」

西塔は心配そうだった。

「そうだったね」

タマキは苦笑した。青司が倒れたことで、タマキが書いている「淫」という小説そのものが、今まさに変質しようとしているのだった。今度は、酷《むご》い現実が虚構を変えようとしている。このように、現実と虚構は行ったり来たり、往復を繰り返して、タマキの周囲をいつの間にか変容させていくのだった。

「ねえねえ、西塔さん。阿部青司は頑張っているみたいだけど、あとどのくらい保つんだろうね」

タマキは独り言のように、西塔に聞くともなしに聞いた。

「さあ、そればっかりは」西塔は言葉を切った。「小康状態だとは聞いてるんですけどね」

「あの人が死ぬって信じられない」

「いや、まったく」

タマキとの経緯を知っている西塔は、静かに同意した。

「奇蹟が起きて治るといいね」

青司の幻を迎えたタマキは、自分の言葉が無駄だと知っている。タマキは西塔との電話を切った後、戸棚に入っていたウィスキーを持ち出して、一センチほどグラスに注いだ。久しぶりに生《き》で飲むと、唇も舌先も喉も痺れるように痛かった。が、やがて、痛みも麻痺して、ゆっくりと胃の中から熱い塊が溶けだして、酩酊が始まるだろう。タマキはもう一度床の傷を見た。あんなに謝っていたのに、青司を赦さなかった自分がいる。そして、青司も自分を赦さなかった。

3

青司は傲慢な編集者だった。「あいつは才能がない」、「小説が下手糞でどうしようもない」、「あんな低レベルのヤツが作家かよ」、「あの作家にはご馳走して貰わなきゃ、割に合わない」等々。青司が放った罵詈雑言《ばりぞうごん》の数々は、様々なバリエーションと共に、あちこちから耳に入った。青司を殴ってやる、と怒った作家も大勢いるという。酒好きの青司は、飲み過ぎての失敗も数多くあった。暴言による喧嘩や、女の噂も絶えなかった。青司を称して、「社内不倫の多い人」とは、他社の女性から聞いた言葉だ。バイトの女の子に手を出しただの、飲み会で女子社員の胸に触っただの、不倫で女性編集者を一人辞めさせただのと、真偽を疑うような噂には事欠かない一方、人一倍仕事には熱心で優秀だ、との声もあった。要するに青司は、毀誉褒貶《きよほうへん》の甚だしい、文芸で最も注目される編集者の一人だったのだ。しかし、青司がタマキの担当ではない頃は、すべて他人事《ひとごと》ではあった。

青司が自分の担当と決まった時、タマキは、青司がもしかすると自分を変えてくれるかもしれない、と大きな期待を持った。デビューして二年。真面目に仕事に取り組んでいても、今ひとつ壁を打破できないタマキには、人に言えない焦りがあった。

しかし、それが甘い考えだということは、すぐにわかった。青司は、初めて会ったタマキのひと言が癇に障ったのだ。それが何だったのかは、青司が決して言おうとしなかったから、正確にはわからない。だが、タマキには、おそらくこれではないか、と思い当たる節があった。

「あなた、私の最新作をジュニア小説みたいだって言ったんですってね」

タマキのひと言で、それまで楽しく会話していた青司の顔色が変わった。

「言ってません」

火のないところに煙は立たない。親しい編集者から聞いた言葉だったし、青司なら言いかねない、とタマキは信用しなかった。それにタマキは、その作品について、青司の率直な意見を聞きたかったのだ。

「そうですか？　でも、そう聞いたけど。どこがジュニア小説なんですか」

「だから、私は言ってません」

青司は語気荒く否定して、不機嫌に黙り込んでしまった。自分の放言が思いがけずタマキの耳に入ったことが不快だったのだ。その後から、青司は悉《ことごと》くタマキに反発し始める。タマキが書き下ろし原稿を上げる予定を告げると、その頃は忙しいから一カ月後に返答する、と言う。

「一カ月後じゃ、いくら何でも遅いです。一生懸命書いたんだから、なるべく早く読んでいただけませんか。感想を聞きたいです」

タマキが粘ると、青司はいやいや承知した。十日後、原稿が戻って来たが、タイトルに大きくバツがついていた。「タイトル変更?」と横に青司の字で書いてある。そんなに悪いタイトルだろうか、とタマキは驚いた。小説のタイトルは、コンセプトそのものでもあるから、タイトルが決まるまで数カ月かかることもある。しかもタマキは、その作品のタイトルは自分でも相当気に入っていただけに、青司の否定はかなり衝撃だった。

原稿のチェックを見て、さらに落ち込むことがあった。バツや傍線などが、強い筆圧で引かれ、中には勢いのあまり、紙が破れそうな箇所もある。青司が最初から悪意に近い思いを抱いてチェックしたのがわかるようだ。

しかし、タマキにはまだ連載の予定もなければ、他の書き下ろしを同時進行できるほどの実力もない。とりあえず青司の社で書き下ろしを終えてから、他社の仕事に移る予定だったから、当面は青司と仕事をして、この原稿を仕上げる他はないのだった。

タマキは気をとり直し、原稿を直すので打ち合わせの時間をとってほしい、と青司に連絡した。が、青司は忙しいと渋り、やっと数週間後の夜を指定した。その経緯も、タマキには十分腹の立つものではあった。やがて、打ち合わせの夜が来て、タマキは約束のホテルロビーに赴いた。先に来てロビーのソファに座っていた青司はタマキに気付かず、煙草を吸いながらゲラを読んでいた。眉根を寄せて、真剣な表情だった。自分の原稿はあれほど熱心には読まれまい、とタマキは、青司が付けたバツや傍線を思い出して悲しみすら覚えた。

だが、青司は、横に立ったタマキを見上げて明るい顔をした。

「あ、どうも。わざわざすみません」

青司はタマキを誘って、ロビー横の薄暗いバーに入った。

「ここでいいですか」

いいとは思わなかった。分厚い原稿が広げられないし、暗いので細かい字が読みにくい。こんな場所で打ち合わせをするのか、と内心不快だったが、口にはしなかった。青司は水割りを注文した。酒を飲みながら話すのか、とタマキは愕然とした。自分はコーヒーにして、小さな円いテーブルの上に、苦労して原稿を広げた。

「意外に誤字がないので、驚きましたよ」

青司の第一声に、タマキは啞然とした。プロの作家に言う言葉だろうか。青司は、自分を不必要に貶《おとし》めようとしているのではあるまいか。一度許せないことがあると、執念深く復讐する青司を、最初に認識した瞬間だった。

「それと、まずタイトル変えましょうよ。これ、よくなくないですか？　あと、ストーリーが複雑過ぎる。要素が多過ぎるから、構造をもっと単純にしてください」

この人が本当に優秀と言われている編集者なのか。タマキは驚いたが、自分が間違っているのかもしれないと考え直した。自信を持って編集者に言われると、まだ迷う自分がいた。タマキは、青司に言われるまま素直に、付箋にメモを書いて原稿に貼った。青司は、タマキの真面目な態度にやや気圧《けお》された表情で、次第に黙り込んだ。

「わかりました。もう一度、ご指摘の箇所を考慮に入れて書き直してきます」

タマキが礼を言って原稿を袋に仕舞うと、青司が腕時計を見た。

「何か食べませんか」

すでに水割りを三杯も飲み、酔った顔をしている。時間が八時近かったので、タマキは同意して表に出た。青司が指差したのは、道路の向こう側にあるお好み焼き屋だった。

「お好み焼き、食べませんか？」

「お好み焼きですか」

タマキは聞き返した。

「私、好きなんですけど」

青司が屈託なく言って、笑った。タマキはどこまでも勝手な人間だと思わなくもなかったが、青司が次第に怒りを解いてきたのだけは、微かに感じ取れた。つまり、青司は面倒臭い男だった。たやすく怒り、執念深さを見せつけたかと思うと、たやすく緩む。でも、どうせまた何かあれば、タマキを恨むのだろう。

「阿部さんて、ずいぶん、庶民的なんですね」

タマキのからかいに、青司は白い歯を剝《む》いて笑った。タマキは滅多にお好み焼きを食べないから、焼き方がよくわからない。青司が主に焼いてくれたものの、異様に下手だった。生焼けで崩れている。仕方なくタマキが種を鉄板に落とすと、青司は嬉しそうに言う。

「何だかデートしてるみたいですね」

小説を貶《けな》されて、タマキの腸《はらわた》は煮えくりかえっている。なのに、平気で戯《ざ》れ言《ごと》を言う青司に気が抜けた。青司は優秀な編集者だと言われているが、人がものを書くことが何なのか、まったくわかっていないのだ、と失望感が押し寄せた。が、とりあえず今は、青司と仕事をしなければならないと思うと、どうやって信頼を寄せていいのかわからず、ひたすら憂鬱でしかない。なのに、青司はタマキの絶望感など気付きもせず、楽しそうにお好み焼きを食べている。

タマキは、二カ月ほどかけて原稿を直し、もう一度青司に送った。少し経って、青司から連絡があり、原稿を返してくれると言う。場所は青山のカフェだった。狭くて置けない紅茶茶碗を窓辺に移す時、飛沫が飛んで原稿に茶色い染みが出来たのを、タマキはぼんやり眺めていた。

またしても、カフェの小さなテーブルに原稿が広げられた。


「一生懸命直してくれたのはわかるんだけど、正直に言うと、私はこの話はよくわからないんですよね」

青司は珍しく、言いにくそうに口を歪め横を向いた。

「どういうことですか」

タマキは青司の顔を覗き込む。

「つまり、いいのか悪いのか、私にはもうわからないってことです」青司は薄笑いを浮かべた。「タイトルもこうなってみると、前の方がよかったと思えるし」

ふざけるな、と口に出さなかったが、タマキは怒った。抑えようと思っても、怒りが顔に表れたに違いない。言葉が固くなった。

「わかりました」

何がわかったのか、という風に青司がタマキの顔を見つめた。ダンガリー風のブルーのシャツに、細かい模様のある臙脂色《えんじいろ》のネクタイをしていた。頭蓋が小さくて短髪の青司に、よく似合う格好だった。しかし、ネクタイに点々と細かい染みがあるのが、時折、光線の加減で見える。タマキは、その染みを検分するために目の位置を変えた。おおかた焼き肉の脂でも撥ねたのだろう。

「すいませんねえ」

なぜか青司は卑屈に謝った。タマキは、青司も気付いていないネクタイの染みを見ながら、答えた。

「いいですよ。これは、もうやめますから」

北海道に行って取材し、一年かかって書き、二回直した小説がどうしてもよくならないと言う。直しの方向が悪かったのは明らかだった。最初の青司の指示が間違っていて、慣れない自分がその指示を鵜呑みにしてしまったからだ、とタマキは自分の混乱を青司のせいにした。それほど動揺していたし、悲しくて仕方なかった。

「すみません」再び青司が謝り、急に慌てたように言った。「これから、どうしますか」

「何がですか」

タマキは、さんざん直されて原形すら留めていない原稿を、袋に仕舞いながら聞き返した。こんな編集者を信用したばかりに右往左往させられて、という怒りと、今後どうしたらいいのだろう、という暗澹《あんたん》たる思いが相半ばして言葉もない。青司が今更、自分と何かを作ろうとする気がないのはわかっていたし、たった一人でどうすればいいのか、と頭の中は空っぽだった。

「先に一本、私と仕事して、次にこの作品を直しませんか」

青司は取って付けたように言った。さすがに、タマキの氷のような失意が伝わってきて、焦ったのだろう。青司にしてみれば、どんなに才能のない作家でも、自分の言葉が原因で、みすみす他社に奪われたくはないはずだ。

「そうですね」と誰にともなく呟いて、タマキは考えている。次に書き下ろしの予定を入れている出版社の女性編集者に、この原稿を見せてみようか、何と感想を言うだろう、などと考えていた。同時に、青司とはもう仕事をしない、ときっぱり思った。

軽く言ったつもりの自分の言葉が、こんな結果を生んだのかと思うと、涙が出るほど残念だったし、青司という編集者を信用しようとした自分が、愚かしく感じられてならなかった。編集者に自分を変えて貰おうなどと、甘いことを考えたものだ。

「時間だから、行きましょうか」

青司が伝票を摑んだ。打ち合わせの後、カフェの近くにあるレストランで、青司が担当する作家と食事をすることになっていた。その作家は、日頃世話になっている青司にご馳走すると共に、先輩としてタマキにアドバイスしたい、と青司に言ったという。有難い話ではあったが、この日のタマキは沈んでいて、食事どころではなかった。

レストランに行くと、先輩作家はすでに来ていてワインを飲んでいた。四方山話の最中に、進境著しい男性作家の話題になった。賞の対象になっているという。タマキがよほど羨ましそうな顔をしたのだろう。

「鈴木さん、次はどうしますか」

この機会にとりあえず話を決めておこうとしたのか、青司が書き下ろしの話を持ちだした。タマキは早口にでまかせを言った。

「一個の病院全部が主婦のニセ医者って話はどうですか」

青司が、テーブルに身を乗り出した。

「面白いじゃないですか。それ、いいですね」

だがタマキは、青司とは金輪際仕事するものか、と怒っていた。

数軒バーの梯子をして、表に出た。午前三時、青山通りから青白い三日月が見える。酔いが醒めれば、代わりに迷いが始まる。タマキは道の端に立って、青司がタクシーを捕まえてくれるのを待っていた。タクシーはなかなか来ない。三月の夜は寒い。足踏みをすると、突然青司が前に立ちはだかった。何だろうと見上げると、怒ったような口調で言った。

「鈴木さん、お願いですから、私とまた仕事してください。私は真面目にあなたと仕事したいです。よろしくお願いします」

青司は真剣に何度も頭を下げた。お願いします、お願いします。逃げようとするタマキの心が伝わったのだろうか、と後になって思わなくもなかったが、タマキは気圧されて頷いていた。青司は、レストランでタマキが口走った「病院全部が主婦のニセ医者の話」について、興味を抱いたに違いなかった。

結局、一年以上の時間をかけて、タマキはこの時提案したニセ医者たちの物語を書き終えたが、辛い期間だった。仕事場を訪れる者は誰もなく、毎日、自宅からノートパソコンを抱えて出勤した。途中、「無印良品」でテイクアウトのサンドイッチを買って昼食にする。孤独な日々だった。時折、青司が様子を見にやって来たが、一緒に食事をしたり酒を飲む程度で、取材もタマキが一人でアポを取って出向き、資料もほとんど自分で揃えた。

青司は、他の作家とタマキを比較して、「あなたも早く、気になる作家になってください」などと平気で言った。そんな時、タマキは青司を憎んだ。だが青司は、そんなことにも気付かず、タマキが孤独に仕事をしていることを好んでいた節がある。

本当に信頼し合う作家と編集者は互いを縛る。一緒に仕事をするうちに、青司はタマキが他の編集者と仕事をすることに堪えられなくなり、タマキも青司が他の作家と仕事をするのを嫌がった。

正月休みの間、しばらく会えなくなるから、と青司が言い、年末の気忙《きぜわ》しい中、食事をしたことがあった。青司は、自分の担当していた女性作家が、他社の仕事で大きな賞を取った話をした。よほど悔しかったと見えて、憂鬱そうだった。その作品を未読だったタマキが、どんな内容なのかと聞くと、青司は細かに説明してくれた。

「面白そうな話ね」

タマキは書き下ろし中のせいで、自分の小説しか念頭にない。適当な相槌を打ったのが悪かったのだろうか。青司がむっとして言い放った。

「あなたのなんかより、ずっと面白いよ」

なぜ、青司は人を傷つけようとするのか。タマキも語気荒く言った。

「あなた、評判悪いよ。口先だけの編集者だって言われてるの、知ってる？」

青司が黙り込んだ。青司は、その女性作家に賞を取らせるべく、無理を言って内容を改変して貰ったことを、悪いことをした、と悔いていた。しかし、他の作家については悔いても、タマキには厭味《いやみ》を言って憚らないのだ。だから、互いに地雷を踏み合っては傷つけ合う。最悪だった。互いを縛り合っているせいもあるのかもしれなかった。縛り合う原因は、恋愛だった。まだ仕事が成就しておらず、互いの能力もわからないままに、どんどん関係だけが縺《もつ》れていく。青司とタマキの関係は、初期において、遣り手編集者と、まだ自分がわかっていない作家との攻防でもあった。

前の原稿をボツにした時の経緯が、二人の間の桎梏《しっこく》にもなっていた。タマキは依然根みを持っていたし、青司は、自分が感情的になってタマキに不必要な労力を強いた、と反省もしていた。青司は、そういう男だったのだ。感情を抑えられずに、やり過ぎたり言い過ぎて、相手を傷つける。その後は反省もするが時すでに遅く、二度と元に戻らない関係も多々あったはずだ。青司は、戻らない関係を前に、今度は腹立たしさを抑えるのにかなり苦労していた。そんな時、青司の怒りは最低でも一年は続き、陰険な復讐さえ考えたりもしていた。自身でその激しさを自覚していない男でもあった。

しかし、ものを書く人間の恨みも積もる。毎日こつこつと言葉を選び、書き付けているうちに、自分のいる世界が変わってくる。成功すれば一緒に喜べるが、タマキの側に、あの時のあれがなければもっと仲良くできたのではないか、という思いは、必ず付き纏《まと》った。編集者は確かに客観的に見て指図できる。編集者がいなければ、作品は世に出ないかもしれない。では、言葉を選び、書きつける作家の苦しみは、編集者にどこまで理解されているのか、という問題は解決されない。

それを知ってか、青司の作家に対する恨みつらみも、生半可なものではなかった。青司は、それを「コンプレックス」、と誰かに指摘されると怒り狂った。

小説を愛し、小説を一緒になって作り、小説世界に魂奪われる者。編集者と作家は、至福の時もあれば、憎しみも深い。それは、まるで恋愛にそっくりだった。タマキと青司は、恋愛にそっくりの、仕事上の愛憎に大きく揺られながら、さらに私生活でも恋愛という波に揉まれていた。二重の喜びと苦しみに翻弄されたのだった。

ニセ医者たちの物語がやっと出版されたが、すぐさま好評重版という運びにはならなかった。成功か否か。出版直後の重苦しさの中で、青司とタマキの間で問題になっていたのは、誤植の多さだった。作品を作る途中で青司が昇進して管理職となったために、担当者がいない状態になったのが原因だった。とはいえ、一冊の本に二十個以上という誤植の数に、タマキは怒った。「五つ誤植があったら、その会社とは、もう仕事しない」と言うと、青司は恥じ入った。その後、意地になったようにタマキのゲラを見たのは、そのせいもある。

新聞に書評が出たおかげで、その作品は急激に売れ始めた。成功したが故に、二人の結びつきは一層強まった。「運命共同体」だと、青司は言ったが、まだ問題が残っていた。ボツ原稿のことだった。

青司とタマキは時折議論したが、どうしても一致しなかった。青司は、ボツにした責任を感じているから、次の機会で書き直してほしい、とタマキに言う。が、タマキはまだ渋っていた。永久に封印してしまおうか、と何度も言った。それほどまでに、傷は深かった。

「俺は、あなたを舐めていたんだろうか」

主婦たちの物語を書き終えた直後、青司がぽつんと言ったことがある。

「そうかな」とタマキが曖昧に誤魔化すと、青司は首を傾げて、こう言った。

「俺は人を舐めたりしないタイプなんだけどな」

わかっていた。青司は、相手を舐めるほど愚かではなかった。ただ、プライドが高い故に、自分を傷つけた相手を赦せないのだ。タマキもそうだった。ボツにした原稿の処遇が決まらないうちは、互いの激しさは募る一方だった。

「この小説を他社で書いていたら、あなたはどうしただろう」

ある日、タマキが聞くと、青司は真面目な顔をした。

「気が狂っていただろうね」

第七章「ＩＮ」

1

　多佳子と三千子は、小波を蹴りながら、陽平の少し先を楽しそうに歩いていた。二人とも揃いの紺色の水着に、これまた揃いのピンクの浮き輪に体を通して。まだおむつをした陽平は、姉たちの後を追って危なっかしく走る。僕は自然に微笑んで、子供たちを眺めていた。波に洗われた黒い砂の上に、陽平の動物じみた小さな足跡が点々と残っている。

　急に、僕は幸せの発作に襲われた。何もかもを肯定したくなる。僕は傍らに立つ千代子に目を遣った。千代子は白いパラソルを差して、波打ち際で遊ぶ子供たちを見守っていた。昨年買った白黒の幾何学模様のワンピース、片手に白いタオル。大層美しく、賢く、満ち足りて見えた。

僕は、千代子の二の腕に軽く触れた。昨夜の喧嘩が、こんな陽気な海辺で継続していることが辛かった。千代子が払い除けないので、僕は調子に乗って、その柔らかな肉を指で摘んだ。

「どうしたの」

千代子が初めて気付いたように、少し身を縮ませた。

「いや、羽二重餅《はぶたえもち》みたいだなと思って」

「作家なのに、随分と月並みな形容だわ」

言葉は意地悪だが、千代子は屈託なく笑っている。僕はほっとした。

「もう怒るなよ、お願いだから。子供たちだって喜んでるだろう」

千代子は答えずに屈《かが》んで、脚に付いた砂を、タオルで熱心に払い落とした。

「機嫌直せよ」

「そうねえ」と千代子の呟きが聞こえた時、浜辺で何か騒ぎが起きた。目の端に、男に抱きかかえられた白い小さな塊が見えた。

「陽平！」

叫んだ千代子の髪がふわっと逆立つのを、僕はこの目で見た。僕はなぜかすでに諦めて、息子の足跡がまだ残っているのではないかと、砂の上に目を泳がせたのだった。波に消されるのが可哀相だった。

（緑川未来男『無垢人』より）

飛行機の中で、タマキは『無垢人』の最後の部分を再読した。本当にあった出来事、と言われてきた緑川未来男と千代子の愛憎物語は、あるイメージを際立たせていた。それは、緑川夫妻は、二人とも愛と憎が等分にあり、しかも並外れて量が多いことだった。そして、夫婦の並外れた愛憎は何かを破壊する、と。

両極のように磁気を発している夫婦の家族関係は、いつの間にか歪み、変質する。妻以外に深い付き合いの女がいる作家と、女の存在を知って苦しむ妻の関係は、表だっては壊れないものの、撓《たわ》み、軋《きし》み、捻《ねじ》れ、毎日少しずつ形を変える。子供たちは、大人の感情に揺すられ続け、誰も気付かないうちに、ある日突然、違うものに変わるのである。

緑川未来男は、変異する瞬間を、『無垢人』の中で、息子・陽平の死として描いた。『無垢人』は、陽平の禍々《まがまが》しい、そしてあっけない死を示唆して終わっている。が、小説は終わっても現実は終わらない。評伝では、千代子はその後、鬱病を発症し、リハビリの一環として童話を書き始めた、とある。

千代子が、ミドリ川ミドリ名義で書いた『ちよこの冒険』は、確たる理由もなく、ちよこが洞穴に閉じ込められるところから始まる。ある文芸評論家は、長男の死による千代子の心象が、まさに暗い洞穴に閉じ込められた気分だったのだろう、と言った。また、ある女性書評家は、ちよこを洞穴に閉じ込める「おばあさん」は、『無垢人』に登場する○子なのではないか、とも書いた。作品の意図は、作家自身にもわからないことがある。千代子夫人の無意識には、○子が家族の凶事を呼び込んだ存在、と考える部分もあったのかもしれない。『無垢人』は、皮肉にも陽平の死によって緑川家の物語となり、未来男と○子の恋愛は抹殺されるのである。

「西塔さん、千代子夫人にこの時のことを聞けるといいけどね。どうだろう」

タマキは、隣の席に座っている西塔に話しかけた。西塔は、タマキが読んでいる『無垢人』の最後の部分をちらりと見ただけで悟ったらしい。

「状況次第ですね。いけそうなら、聞いてみたいですけど、そのあたりのことは、さすがにあまり語っておられないですね」

確かにその通りだった。タマキは、西塔と中城が集めてくれた千代子夫人のインタビュー記事のコピーを読んだが、陽平の死については誰も尋ねていないし、千代子夫人も一度も言及していない。

しかし、陽平の死は、一家の運命を大きく変えたのだった。千代子夫人が作家デビューしたこともそうだが、緑川未来男は、自ら洗礼を受けるのである。そして、千代子のために生きることを誓い、一家は千代子の故郷である北海道に移住するのだ。未来男は、札幌の女子大で英語を教えながら、小説を書き続けた。『無垢人』も、穏やかに暮らした、札幌時代に発表された作品なのである。

「自分のせいではないにしても、まるで夫婦の諍《いさか》いの象徴のように、幼い子供が死んでしまったんだから、千代子夫人も死にたくなるような絶望があったんでしょうね」

タマキが独り言のように言うと、西塔は頷いて咳払いをした。機内は乾燥していた。

「千代子夫人がどのくらいお話しになるかは、タマキさん次第ですね」

西塔は、すべてをタマキに預けるようなことを言った。

「でも、今のは言い過ぎだよね。子供のことは単なる水難事故に過ぎないのに、諍いの象徴と決めつけるなんて」

タマキは自分の言葉を恥じたが、『無垢人』はそのようにも読める小説だった。つまりは、緑川未来男自身が、陽平の死を、自分の落ち度だと考えているのだ。○子と付き合い、千代子を傷つけ、傷つけられ、○子も傷つけ、傷つけられ、自分も満身創痍になる。挙げ句、幼い我が子が死ぬ。未来男にとっては、ひとつの世界の幕が強引に落ちたのだ。

中城は、先ほどから眠っている。タマキは窓外に目を遣った。飛行機は少し揺れながら、白い雲の中を通過しているところだった。遠くから見ると量感のある雲も、通過する時は、あえかな白い霧でしかない。飛行機は雲を抜けて、上に出た。遠くに奇怪な形をした雲の柱が見える。この世のものとは思えない不思議な光景を見て、タマキは、青司はどうしているだろうかと思った。ヤマグチからの電話は、依然なかった。案外、持ち直したのかもしれない、とタマキはありえない希望を抱いたりもした。

タマキもいつの間にか眠っていた。「死者は雲海《うんかい》に住んでいるのです」と、前の座席に座った男が真剣な顔で喋る、奇妙な夢を見た。前の席の男が登場したのは、窓から雲海を眺めた時、前方でほうっと感嘆の声を上げたのが聞こえたからだろうか。

千歳空港の外に出た。気温は零度前後と低い。気が滅入る曇天で、時折、ちらちらと雪が舞う。三人でタクシーに乗り込んで、千代子夫人の住所を告げた。千代子夫人は、札幌市内のマンションに住んでいる。同じマンションの数階上に下の娘、三千子の家族がいて、千代子の面倒を見ているという。

『無垢人』に、実名で登場する三千子は、小説に書かれたことで、どんな人生を歩んだのだろうか。タマキは、三千子にも、いろいろ聞いてみたい気がした。

「三千子さんも、見えるんですよね」

「はい、そうです」西塔が答えた。「三時に千代子夫人のお部屋に行きますよね。そこで三千子さんも待っていらっしゃるそうです」

札幌に近付くにつれて、渋滞気味になった。のろのろ走る車の中で、助手席に座った中城が振り返って言った。

「タマキさん。僕、阿部さんが倒れたってこと、知りませんでした。昨日、知ってびっくりしました」

「そう。もう十日くらいになるのよね」

タマキは、飛行機の中で希望を持ったことを思い出した。

「いやあ、本当にショックですよね」

「ほんとねえ」

タマキは曖昧に返事をした。中城は、同じ業界の、働き盛りの編集者が突然倒れたことへの衝撃があるのだろう。

「あのう、タマキさんは病院へは行かれないんですか？」

西塔が恐る恐る尋ねる。タマキは首を横に振った。

「面会できないんですかねえ」

西塔は、青司が助からないことを知って、タマキが最後にひと目会いたいと思っているのではないかと考えているらしい。

「できないし、会わなくてもいい。もう、そういう関係じゃないもの」

「だけど、僕なら絶対、最後に会いたいですね」

「これが逆でも、あっちは来ないと思うよ」

タマキは、もう別れは済んでいると思っている。一年半前の決裂も、四カ月前の別れもそうだった。そして、青司の幻は、一緒にした仕事の決算のように仕事場に現れたではないか。しかし、ともすれば沈み込みそうな気持ちはいかんともしがたいのだった。タマキの気持ちを慮《おもんぱか》ったのか、二人とも言葉が少ない。

千代子夫人の住むマンションは、札幌市南部の住宅街に建っていた。煉瓦を貼った昔風の造りで、ドイツあたりの労働者の、堅牢な住宅といった印象だ。オートロックなので、西塔が教えられた部屋番号を押した。女性の声が、「どうぞお入りください」と朗らかに言う。

三階の部屋の前に行くと、すでに玄関ドアが大きく開いて、中年女性が立っていた。次女の三千子らしい。

「先生、お待ちしておりました。遠くまでお越し頂きまして、ありがとうございます」

三千子が、未来男にそっくりな黒目がちの目を輝かせた。白いモヘアのセーターに、黒いスカート。五十代の成熟と落ち着きを感じさせる。

「私は、先生の作品を読ませて頂いておりますのよ。だから、お目にかかるのを楽しみにしてましたの」

「恐れ入ります」

タマキは、三千子の歓迎ぶりに、逆に怖《お》じ気《け》づいた。自分の訪問が、緑川家に新たな波紋を広げるのではないかと心配でならない。西塔と中城が自己紹介し、三千子に玄関に請じ入れられた。

玄関の先はカーペットの敷かれた廊下で、両側に並んだドアは固く閉じられている。普通のマンションの造りだった。玄関には、生花も鉢植えも絵もなく、余計な履き物ひとつなく、磨き上げられた壁や床だけが目立った。

奥のドアが開き、小柄で痩せた老齢の女性が現れた。白髪に赤い服。緑川未来男夫人の千代子である。とうとう、千代子に会えた。タマキは感激で立ち尽くした。『無垢人』に囚《とら》われていた自分が、青司の危篤状態の最中、遂に千代子と邂逅《かいこう》したのだ。

「いらっしゃいませ」

千代子が廊下の奥から丁寧に挨拶をする。逆光で顔がよく見えない。タマキ始め西塔も中城も、すぐには声が出なかった。

「お目にかかれて光栄です」

タマキが言うと、千代子は意外に低い声で笑った。

「それはこちらの台詞ですよ。どうぞお入りください」

広いリビングは、角部屋のため、二面がガラス窓で開放感があった。どこまでも際限のない北海道の曇り空が、陰鬱に広がっている。タマキはさりげなく部屋を見回した。すっきりと片付いた部屋には、和皿が飾られた食器棚があるのみで、緑川未来男の著作はどこにも見当たらなかった。代わりに、デスマスクらしいブロンズ製の男の頭部像が部屋の隅に置いてあった。タマキが見つめていると、千代子が言った。

「緑川のデスマスクですの。デスマスクと言いますと、普通は顔だけですよね。でも、私はあの人の頭の大きさをいつも認識したかったので、頭を石膏で取って頂いたんですよ」

多少、薄気味悪かった。しかし、現実に会ったことのない緑川未来男の頭部は巨大で、後頭部が発達し、力強い鈍器を思わせる。

「奥様、今日はありがとうございます」

改めてタマキが礼を言うと、千代子は皺ひとつない顔を上げた。

「奥様じゃなくて、千代子と呼んでください」

「では、遠慮なく、そうさせて頂きます」

タマキの言葉に、千代子は微笑んだ。

「そうしてくださいな。あたしも、鈴木先生じゃなくて、タマキさんって言いますから」

千代子は楽しそうに言う。タマキは機内で読んだ『無垢人』の中の台詞を思い出した。

『作家なのに、随分と月並みな形容だわ』。

多分、この人はそういう辛辣なことを本当に言ったのだ。現実の千代子という存在から、言葉の実感が伝わってくる。老齢ではあるが、千代子の内部にあって、生き生きと蠢《うごめ》くエネルギーのようなものが眩《まぶ》しかった。千代子は、八十六歳と思えないほど若々しい。顔の皺は目立たず、視線は強い。千代子という人間の生命力が並外れて強いのだ、とタマキは感激した。未来男と千代子は人より愛憎が強く、その量も多い、という『無垢人』の読後感も、間違ってはいない。やはり何もかもがけた外れな、稀有《けう》な男と女の物語だったのだ。

三千子が茶を盆に載せて、運んで来た。清水焼の透ける茶碗に煎茶が入っている。茶托は水牛である。一同で恐縮していると、今度は、背の高い初老の男が、持ち手付きの籠に大盛りに盛った蜜柑《みかん》を運んで来た。

「今日、届いたばかりです。この蜜柑は美味しいですよ」

千代子が熱心に勧めるので、皆で一個ずつ蜜柑を取った。千代子は蜜柑を一気に剝《む》いて、その皮をテーブルに直に置いた。上品な暮らしをしていると思えば、気取りがなく、どうにも摑めない。タマキも蜜柑の皮を剝いて、真似して置いた。千代子は細い指で白い筋を丁寧に取っている。部屋に柑橘系の香りが立ち上って、空気が和んだ。

初老の男は微笑んで脇に立っていた。おそらく、三千子の夫だろうと勝手に見当を付けていると、男が自己紹介をした。

「私は友納《とものう》と申します。千代子さんの手助けをしております」

年の頃は六十代後半だろうか。メタルフレームの眼鏡を掛けて、やや猫背気味だ。どういう関係なのかと考えているうちに、「どうぞ、ごゆっくり」と感じよく会釈して、友納は奥に引っ込んでしまった。三千子も友納に関しては何も言わない。千代子の傍らに座って、蜜柑を手に取っている。潮時なので、タマキはインタビューを始めることにした。質問は主にタマキがする。

「千代子さん、今日はお時間を頂きまして、ありがとうございます。今日、伺いましたのは、私が書いている小説に関したことで、是非ともお目にかかりたかったからなのです。難しいのですが、小説のテーマは、恋愛における抹殺、ということなのです。どういうことか説明したいと思いますので、まずはよろしくお願いします」

言葉を切ると、千代子は明晰に答えた。

「こちらこそ、わざわざお出で頂き、恐縮です。あなたが雑誌にお書きになっている『淫』は、友納さんに頼んで取り寄せました。だから、説明しなくても大丈夫、読みましたから、よくわかります。それで、あたしにどんなことを聞きたいのかしら」

タマキは小さく嘆息した。いよいよ勇気を振り絞らなくてはならない。

「千代子さんが華やかな方なので、実はびっくりしました。失礼な言い方かもしれませんが、少し意外でした。いつも赤い服を好まれてお召しになるのですか」

千代子は笑いだした。自分の赤いワンピースを、白い小さな手で愛おしそうに撫でた。

「いいえ、最近のことなんですよ。婆さんだから、あまり婆さんらしくしていても仕方ないと思って。この服は三千子と一緒に買ったんですよ」

「お似合いです」

「ありがとうございます。年甲斐もなくと思われるんでしょうし、『無垢人』のモデルになった婆さんだから、おとなしく枯れていれば安心する人もいるんでしょうけど、あたしは他人を安心させるために生きているわけではありません。周囲の人間から、この人はこういう人に違いない、と思われる度に、裏をかこう、かこうと思って生きてきました。だから、赤い服は、八十歳を過ぎての、私の鎧《よろい》なんでしょうね」

八十六歳の老女から放たれる迫力に、西塔と中城から思わず声が上がった。

「では、今日わざわざ赤い服をお召しになったのは、私たちが千代子さんを誤解するかもしれない、と思ってのことでしょうか」

千代子は、タマキの目をまっすぐに見て微笑んだ。タマキは、巨大な魂が眼前にあることを意識して、目が眩《くら》みそうになった。

「いいえ、さっき申し上げましたでしょう。赤い服は鎧だと。あなた、赤糸縅《おどし》の鎧を着て、あなた方を出迎えたのだと思ってくださいませ。これも眩惑、あれも眩惑。あたしの実像など、あたしにもわかりません。わかっているのは、素のあたしを知っていたのは、亡くなった未来男一人でございました。ただ、『素のあたし』というのは、その時のあたしが考えたり、喋ったりしたことですから、その時の『素』であって、今の『素』ではないのでございましょう。それも、あたしに元からあった本質というよりは、未来男という男と付き合うことによって生まれてきた、あたしなのです。未来男とあたしが作った夫婦の真実なのですよ。勿論、未来男が書いたことは、真実もあれば、嘘もあります。いいえ、すべて嘘とは申しません。確かにそれに近い夫婦間のやり取りはございました。でも、それと同じくらい、真実ではございませんの。かなりの程度、フィクションがあります。なぜ夫婦の本当の話と見せかけて、フィクションを作るのか。それは、あなたタマキさんも作家でいらっしゃるのだから、おわかりになられるでしょう。なぜだと思います」

舌も滑らかに、千代子は喋り続けた。その力強さに圧倒されて、西塔と中城は無言である。名指されたタマキは、これではどちらがインタビューしているのかわからないと思いながら、答えた。

「真実は、真実ではないからです。真実と思えたものを書いた時点で、それはフィクションになります。それを知っている作家は、真実と思えるものを魅力的に、そして面白くします。そのためには、真実に間違われるフィクションが必要なのです。ですから、作品はすべてフィクションなのです」

千代子は、もう一個蜜柑を取って、ほほほと笑った。

「その通り。さすがに作家さんでいらっしゃるわね」

「千代子さん。ということは、私が何を聞いても、真実か虚偽かはわからないということでしょうか」

「いいえ、できる限り、本当のことを、あたしが本当だと思うことを申し上げます。と言いますのも、時間が経てば、記憶は美しいものになりがちです。憎しみは懐かしい思い出に、激しい愛も懐かしい思い出に。今の言葉がその時の思いを表すことはできません。そうじゃありませんか」

千代子は真剣な表情で言う。三千子が、千代子を気遣うように肩に手を置くと、優しく振り払うような仕種《しぐさ》をした。三千子は慣れているのか、気にする様子もなく、少し離れて座った。他人とのインタビューは、千代子にとって大きな仕事なのだ。邪魔するな、と言ったようにも思える。

「仰《おつしや》ることはよくわかります。でも、逆に、時間を経たからこそ、その時のことを客観的に考えられるということはありませんか」

千代子は、手を口許に持っていき、考える仕種をした。

「そういうことって、意味があるんでしょうかしらね。あたしはおそらく、記憶を改変するだけでなく、自分を正当化いたしますわよ。そういうあたしから発せられる言葉に、意味があるんでしょうかしら」

「それでも聞かずにはおれません」

タマキの言葉に、千代子が苦笑した。

「なるほど。あなた、じゃ、何でも聞いてください」

千代子の鎧から、少し素肌が覗けたような気がした。鎧わなければ、千代子は生きていけなかったのか、と痛々しく思う一方、何枚でも鎧を着ていそうな強《したた》かさも感じさせるのだった。

「では、お聞きしたいことがたくさんありますので、遠慮なく伺わせていただきます。今、千代子さんが仰ったことは、では、当時に書かれた小説は虚構でありながら、真実でもある、ということではないでしょうか。今、当時のことを振り返って書けば、まったく違うものになる。でも、当時を書けば、どんなに虚構でも、どこか真実を表すという」

「その通りですよ。だから、小説はそのようにお読みください、ということです」

千代子は嬉しそうな顔をした。

「はい。緑川未来男さんは、『無垢人』の中で、○子という人物を出して、その○子と主人公との付き合いを濃密に描きました。そして、そのことが妻である千代子にばれ、未来男と千代子は果てしない諍いを生きることになります。『無垢人』は、夫婦の愛憎の物語であるとも言えますが、そうなった途端、○子という女性についての記述は一切消えてしまいます。このことについてはいかがですか」

千代子の中で、ぎらりと何かが光った気がした。千代子は身を乗り出して、両手を握り締めた。逆に視線は遠い。

「あのねえ、○子のことって、どなたも尋ねないけど、きっと尋ねたいんだろうなといつも思ってました。みんな無理してるのね。でも、あなたは偉いわよ、タマキさん。では、本当のことを言いますね。あのね、○子さんて本当はいないのよ」

タマキは驚愕して、思わず西塔と中城の顔を見た。西塔は驚いて声もない。

「本当ですか」

「本当です。○子は、未来男の創作した人物です」

「では、○子ではなく、他に付き合っていた女性はいらっしゃらなかったのですか」

「少しはいたと思います。未来男はもてましたからね」千代子は、件《くだん》のブロンズ像を見遣った。「だけど、特定の人間じゃないんです。つまり、あたしと未来男の世界を邪魔する者の総体として、○子がいるんですの」

「それは初耳でした」やっと、西塔が口を挟んだ。「つまり、『無垢人』は本当の出来事だと言われてきましたが、何度も堕胎した○子もいなければ、嫉妬に狂う千代子も、必死に防戦する未来男も、自分たちだけで遊ぶ娘たちも、いないということですね」

「そうですよ。名前は同じでも、みんな小説の中に住む者たちです。現実ではない。虚構です」

千代子が毅然と答えた時、三千子が発言した。

「でも、陽平はおりました」

千代子がはっとしたように、三千子の方を振り向いた。三千子は、未来男譲りの眼差しでカーペットに目を落としながら、淡々と話した。

「小さな陽平は確かにいました。すぐに死んでしまいましたが。二人はいつもと違って、仲が良さそうでしたから。私は嬉しくて、姉にこう言ったんです。『お母さんとお父さんは、陽平から目を離していたのは、幼い私も覚えています。二人はいつもと違って、仲が良

今日は仲がいいね』というようなことを。姉は屈んで貝を拾っていましたが、私の声に振り向いて、二人を見ました。その時、姉の表情を見て、私は姉もそのことを気にしていたんだなと思いましたよ。私たちは、いつも二人で遊んでいました。だから、小説に書かれた私はどうなのかわかりませんが、現実の私は、いつも姉と二人で遊んでいたし、親たちは諍いばかりしていました。そして、陽平は、その時だけ、誰も注意している者もなく、一人で死んだのです。だから、多分、○子に相当する女性もいたんだ、と私は思いますけどね」

千代子の大きな溜息が聞こえた。

「本当にいる、いないということはたいした問題ではないのよ。いたかもしれないし、

いなかったかもしれない。だけど、いると認めれば、あの小説は真実をフィクションにしたものになってしまうでしょう。本当は、曖昧だったり、適当だったりすることを、あたかも真実のようにフィクションとしたのだから、ここは真実ではないと言うべきです」

「どうしてお母さんは、そんなに複雑にするのかしら。あの小説が連載されたのは、私が高校生になってからだったけど、随分、あちこちで言われたものよ」

「その時、あなたはどう思ったの」

三千子の反論がよほど意外だったのだろうか。千代子は身を乗り出して、娘の目を覗き込んだ。千代子の、老いて色素の薄くなった虹彩に、怖《お》じるような光が明滅していた。この人は、娘が何を言いだすのか、怖がっている。タマキは、光の変化を見届けたい気持ちをこらえ、やっとのことで目を伏せた。千代子の前で、まだ臆していた。

「ねえ、あなたはその時どう思ったの、聞かせて」

千代子は、なかなか答えない三千子の手を取って、強く握り締めた。力を籠めているせいで、千代子の小さな白い手が、さらに白く見える。三千子は母親に手を取られたま、言葉を選んでいるのか、しばらく考え込んでいた。

「このことに関しては、あたしと姉が一番複雑かもしれませんね」

いきなり顔を上げた三千子は、タマキに話しかけた。

「よろしければ、そのことをお話し頂けますか」

タマキは、千代子に遠慮しながら言った。インタビューの主体は、千代子である。その無礼を気にしたのだが、千代子はタマキに注意を払わず、真剣な眼差しで三千子を見つめていた。タマキは、千代子も三千子の本心を聞きたいのだと気付いた。

三千子は、父親を彷彿《ほうふつ》とさせる、やや四角い顔を母親に向けた。

「あたしは母が大好きなんです。賢いし、強いし、優しいし。素晴らしい人だと思います。でも、その母は今でもこんなにムキになるんですよ。なぜかと言うと、当事者だからだと思います。母にとっては、まだ恋愛が終わっていないんですよ、緑川未来男との恋愛が。だから、正直に言いますけど、母はまだ〇子さんのことを許していませんよ。そして、父のこともね」

千代子が握っていた手を急に離し、その手を口許に当てて笑った。

「何言ってるの、三千子。あたし、八十六歳よ」

「年齢は関係ないわ。お母さんは永久に、悟りとは縁のない人よ」

三千子は怜悧《れいり》な目で母親を見ながら言った。千代子は未だ、煩悩の最中にいるということか。だが、千代子は笑いを含んだ目で、タマキに同意を求めるのだった。

「こんなこと言われちゃった。悟っているわよね、あたし」

タマキは何も言わずに微笑み、三千子に視線を移した。三千子は、セーターの白いモヘアが口の中に入ったのを気にして、舌先から細い糸を指で摘み出した。

「あのう、何度も言いますけど、母は当事者なんです。だから虚構にできるんですよ。いや、虚構にしなくちゃならないんです。そして都合よく、現実と虚構の間を行ったり来たりしたいんだと思うんです。でも、あたしと姉は傍観者で、母たちの喧嘩に巻き込まれた被害者でもあります。なかでも一番可哀相なのは、死んだ陽平です。あの子が本当の意味での、『無垢人』の被害者でしょうね。まるで、あたしたち家族の、出るべくして出た犠牲者のようにして、死んだのですから」

タマキは緊張のあまり、息が止まりそうだった。来る途中、陽平の死について質問できるだろうか、と西塔と案じたことが今、眼前で話し合われているからだった。

千代子は抗議するように何か言いかけたが、三千子は遮って続けた。

「まだ覚えていることがあるんですよ。陽平のお葬式のすぐ後のことです。姉が、母に頼んだんです。『お母さん、また小さな弟を産んでちょうだい』って。あたしたちは、陽平が可愛くて仕方なかったから、とても悲しかったんです。それに、姉は、自分が弟を顧みなかったせいだという負い目もあったんでしょう。あたしたちは海で遊ぶのに夢中で、よちよち歩きの弟の面倒を見たくなかったんです。だから、子供心に、もう一度やり直したかったんでしょうね。普通の家だったら、母親はここで、幼い姉に負担をかけないように何か言いますよね。『わかったわ、また赤ちゃん産むね』とか何とか。嘘でも言うと思うんです。子供は、それで安心するんですから。でも、うちの母は何と答えたと思いますか。母は、怖い顔で父に怒鳴ったんです。『陽平の代わりなんか、二度と産むもんか』って。その時の母の形相も、はっと顔を歪めた父の表情も、よく覚えています。あたしはまだ小さかったけれども、母の、父に対する強い怒りを感じました。父母は口に出さないまでも、陽平の死は父のせいだ、と詰《なじ》りたかったのです。そして、父もまた、あたしたちの前で狂乱した母を、憎んでいるように見えました。あたしと姉は、自分たちが両親の苛烈さを引き出したと感じて、慌てて部屋の隅に逃れ、肩を抱き合って震えていました。いつもそうだったんです。二人で遊んでいましたが、どこかに両親が喧嘩しているのは自分たちのせいではないか、という怖れも潜んでいたのです。でも、あたしたちの気持ちや、哀れな姿など、喧嘩している両親には目にも入らなかったことでしょう。なのに、当事者たちは、あれは虚構だ、同じ名前を使っているが事実ではない、と言い張るんです」

千代子が背筋を伸ばしてから、抗弁した。

「そんな事実はありませんよ。あなたは、あの時たった三歳だったでしょう。間違った記憶が刷り込まれているのよ。その刷り込みをしたのが、『無垢人』という作品じゃないかと思うと、本当に居たたまれないわ。何度も言うけれど、あれは虚構なのよ。本当のことは、一人一人のあえかな記憶の中にしかないの。その記憶は、みんなと同じじゃない。一人一人の記憶は少しずつ違うのよ。だから、あなたたちは『無垢人』というバイブルを与えられてしまった、特別な子供たちなのよ。バイブルを繙《ひもと》いては、記憶を改変するんでしょうから」

黙って聞いていた三千子がふっと笑い、「こういうところが、作家だと思いませんか。うちの母って、言いくるめるのがうまいんです」と、タマキに言った。が、親しげで厭《いや》味《み》には感じられなかった。

三千子は、西塔や中城の顔をひと渡り眺め回してから続けた。

「母はこう言ってますけどね。もしあの作品がバイブルだとしたら、それは母と父のためのものですよ。二人が、記憶を同一にするための道具なんです。バイブルがあれば、当時を思い出すよすがになりますし、愛の証でもあります。二人して、本当はこうだったけどね、と話せるじゃないですか。だからね、あたしは逆に母に聞きたいです。お母さん、書かれたあたしたちは、いったいどこで生きていけばいいのかしらねって。教えて」

千代子が三千子の肩をぽんと叩いた。

「あなたは五十過ぎでしょう。もう、いいじゃない。一人で何とかできるでしょう」

三千子が破顔一笑した。

「さっき、歳は関係ない、とあたしが言ったばかりじゃない。お母さんは、すぐそうやって誤魔化すのよね」

千代子が噴き出して、両手で口を押さえた。母と娘は、仲良さそうに見つめ合って笑っている。息を呑んで二人の応酬を聞いていたタマキたちは、釣られてぎごちない笑みを浮かべた。

2

「三千子さん、『無垢人』が書かれた時、周囲の方にどんなことを言われたんですか」

タマキが質問すると、三千子は喋り疲れたらしく、煎茶を飲んで小さく嘆息した。

「いろんなことを言われました。言われただけでなく、後ろ指を指されたり、それはもういろんなところで噂になっていると思いましたよ。父や母はいいんです。なぜなら、作家という特殊な職業ですから。誰にも会わなくて平気な人たちですし、世間と隔絶しててもできる仕事です。でも、あたしと姉はそうはいきません。連載が始まった時、あたしは高校一年、姉は高校三年でしたから、まだ成熟しない野蛮な世間の真っ直中にいたんです。文芸部や、読書好きの父兄を持った生徒から、あることないことが噂になって飛び交ったようです。『三千子』ってあなたのことでしょう。あなたの家は大変だったんだね、と担任の先生に同情されたり、小説に登場しているということで、見当外れに羨ましがられたりもしました。出版されてからは、やはり父を攻撃する人が多かったですね。母の狂乱ぶりも、いくら何でもいき過ぎていると馬鹿にする人もいたし、私たち家族を遠巻きに観察していた人に、何だ、結構仲がいいじゃないですか、なんて言われたり、いろいろありました。当時は、あたしも姉も必死だったと思います。両親が、子供の目の前で争う家の子供はどこかおかしくなる、なんて言われないようにと、一生懸命いい子の振りをしていました。そうです、あたしたち子供の受難はずっとずっと続いたんですよ」

三千子はいったん言葉を切ってから、千代子の反応を窺うように見遣った。が、千代子は涼しい顔で茶を飲んでいる。

「あ、そういえばね、今思い出したのですが、陽平の生まれ変わりっていう男が現れたことがありました」

三千子が面白そうに言った。

「生まれ変わり、ですか？」

西塔は、俄然興味を感じたらしい。身を乗り出す。

「ええ、まだ少年でしたけど、突然家にやって来たんですの」

千代子が蜜柑の皮を器用に剝きながら、思い出し笑いをした。

「そうそう。そんなことがあったわね。本が出てしばらくしてですが、自分は緑川陽平だ、という高校生みたいな子が訪ねて来たんです。丸坊主で学生服を着ていてね。主人は興味を感じて、書斎に上げて少し話したりしたみたいですけど、あたしはひと目見て、陽平に似ても似つかないので、すぐ奥に引っ込みました。ただ、年格好は同じなんですよ。陽平が亡くなって十五年くらい経っていましたから、生きていたら、ちょうど高校生くらいなんです。あたしは、何かそういう嘘を吐《つ》かれることがつくづく嫌で、その日は一日、暗い気持ちでいましたよ」

「嘘って言うけど、お母さん、あの子は大真面目だったのよ。だって、少しおかしいんだもの。『お父さん、お母さん、僕は緑川陽平です。あの世でこんなに成長しましたので、ご安心ください』なんて言ってね。『お二人は、もう喧嘩をされていませんか。あの世から、はらはらと見守っておりました』なんて」

三千子が可笑《おか》しそうに言うと、千代子は目を細めた。

「そうだったわね。緑川も人が悪くてね。『おおそうか、陽平か。久しぶりだな』なんて、調子を合わせて、椅子を勧めたりしてたわね」

「偽の陽平君は、何が目的だったんですか」

西塔の質問に、千代子は柔らかな目を向けた。

「目的って言いますか、優しい少年だったんです。つまり、あたしたちが自分たちの修羅のせいで、息子を失ったことを知っていますから、あたしたち夫婦を慰めに現れたんですの。その意味では、天使のような少年ではありました」

タマキは、〇子は自分の母親だ、とわざわざ電話してきた男を思い出していた。小説が引き連れて来る不思議な者たち。どこかの誰かに、自分のことが書かれていると勘違いさせ、居ても立ってもいられない境地にさせ、密かに人生の針を狂わせる小説というもの。そして、青司の幻。タマキは天空に張り出したような角部屋の大きな窓から、落ち着かない気持ちで曇り空を眺めた。青司はもうじきタマキのいる世界から一人で去って行く、という気がしてならなかった。あれほど固執した『無垢人』の緑川千代子の顔を眺め、声を聞き、その言葉を玩味しているからだろうか。

「その人は、また来たんですか」と、中城。

「いいえ、一度きりでしたね。そう言えばね、緑川が死ぬ数日前に、その子のことを言ってましたよ」

千代子が言うと、三千子が驚いた顔で見た。

「何て言ってたの」

「千代子、あの子は陽平だったのかもしれないね、って」

「やめてよ、お母さん。気持ちが悪いじゃない。似てないって言ったばかりなのに」

三千子は薄気味悪そうに、両の二の腕をさすった。千代子は真顔で続けた。

「母親でさえも、自分の息子がどんな男になるか見当もつかない頃に死んじゃったんだから、あの子かもしれないぞって言うのよ」

「そういう話、嫌だな。怖いわ」

三千子が顔を顰《しか》めた。

「嘘よ」千代子が笑った。「緑川は霊魂なんか信じてなかったわ」

千代子は人が悪い。タマキは、千代子の弾んでは落ち着く視線の先を眺めた。そこには、緑川の頭部像がある。

「でも、姉はあの時、凄く怖がってました」

「そうね、多佳子は陽平のことには敏感だったから、可哀相だったわねえ」

初めて千代子が母親らしい顔を見せた。タマキがよほど問いたげな顔をしたのだろう。三千子が説明してくれた。

「姉は長女ですから、責任感が強いんですの。陽平の事故を、姉の自分がちゃんと見ていなかったからだと、私以上に気に病んでいたようです」

「それは可哀相でしたね」

思わずタマキも口を挟んだ。

「だから、陽平を騙《かた》る少年が現れたと聞いて、姉は動転しましてね。その頃、姉は、父の秘書兼家事手伝いのようなことをしていたんです。でも、その日はたまたまお使いで外出していたんですよ。帰ってから、そのことを聞いて、しつこく尋ねてましたっけ。

『本当に陽平じゃなかったの』って。母なんか、酷《ひど》いですから、『あなた、おかしいわよ。気持ち悪いわ』って、姉の頭の上を手で払うようにしていましたが、姉はしばらく気にしていました。自分の目で確かめたかったと言うのです。そのくらい、陽平のことは、あたしたち、とりわけ姉には気に病む出来事だったんです」

「多佳子さんは、今どちらにお住まいなんですか」

「一人で東京におります」千代子が引き取って答えた。さばさばした口調で続ける。

「あの子とあたしはね、どうしてか気が合わないいんですよ。きっとあたしを許していないのでしょうね」

「なぜ、千代子さんを許さないのですか」

千代子は首を傾《かし》げて、三千子を見遣った。三千子は気遣わしげに母親を見返す。三千子が説明した。

「姉は気持ちが優しくて、争いごとが嫌いなんです」

「違うの」千代子が厳然と言った。「あの子は、あたしが家の中を引っ掻き回したことが許せないんですよ。結果、陽平が亡くなったことがね」

「では、多佳子さんは、緑川さんのことは許されていたのでしょうか」

「そうだと思います。多佳子は、お父さん子で、何でもかんでもお父さんの味方をするんです」

千代子は諦めたような表情をした。西塔と中城が集めてきた資料では、多佳子は父親の秘書を長く務め、父の死後は現代文学館で勤務していると聞いた。年齢からすると、あと数年で定年を迎える頃である。

「多佳子さんとは、あまりお会いにならないのですか」

千代子は欧米人のように肩を竦《すく》めて見せた。

「こっちには帰って来ませんね。何が気に入らないのかしらないけど、あの子ほど、父親の書いた小説を嫌った子はいないと思います。なのに、父親が好きなんだからよくわからないわね」

機会があれば、多佳子にも会ってみたいとタマキは思ったが、無論、千代子の前では口にできなかった。三千子が、慰めるように千代子の手を握っている。タマキは聞かずにおれなかった。

「三千子さんも、多佳子さんとはあまりお会いすることはないのですか」

三千子は微笑んだ。

「姉は東京にいますからね。時折メールの遣り取りはしていますけれども、それは事務的なことや、季節の挨拶みたいな程度です。定年になっても、札幌に帰る気はなさそうです」

「あのね、タマキさん。多佳子はあたしが作品を書くことによって、あたし一人が救われたことが許せないのかもしれないですよ。あなたも作家だから、おわかりでしょう？」

千代子の言に、タマキは驚いて向き直った。

「『ちよこの冒険』のことですか」

「そうです。あれは子供向けですけれども、あたしは、あの仕事とその先に広がっていく可能性で救われた部分があるのです。だから、あたしも主人も、家族のことなんかお構いなしに、自分だけが救われたかったのでしょう。多佳子は、その身勝手さを嫌っているのです」

「でも、文学関係のお仕事に就かれて、しかも、作家のお父様のことは許しておられるんですね」

千代子は大きく頷くのだった。そこには非難も悲嘆もない。掛け違ったボタンはもう直せないと言わんばかりで、泰然自若とした風でもある。何でもありだとさばけたようにも見え、千代子という人間の巨大さだけが他を圧しているのだった。

その雰囲気に助けられたのか、中城が千代子に話しかけた。

「あのう、千代子さん。よろしいでしょうか。さっき三千子さんが仰ったことですが」

千代子は、中城に注意を向けた。その眼差しは、落ち着いている。

「先ほど、三千子さんはこう仰いました。千代子さんは○子さんをまだ許していない、と。ということは、○子さんはやっぱり存在していたのではないですか」

タマキも、もう一度聞いてみようかとタイミングを計っていたところだった。しかし、一度否定されたことを蒸し返すのは躊躇《ためら》われる。中城の蛮勇に感謝したいところだった。

聞かれた千代子は、やはり首を傾げた。

「あたしは、○子さんはいないと申し上げましたでしょう。訂正する気はありません。この子が自分で言ったように、三千子は当事者ではないのですから、親の世代のことがわかるわけもないのですよ」

千代子は三千子の言質《げんち》を取って、巧妙に否定するのだった。そう言われてしまえば、千代子の面前で三千子に問《と》い質《ただ》すわけにもいかない。千代子の巧緻な避け方には、おそらく理由があるのだ。こうなれば、親娘の言い争いに期待するしかないが、そうまでして知りたい真実とは何か、とタマキの気持ちも萎《な》えるのだった。眼前の緑川千代子という存在に気圧《けお》されて、千代子がいないと言うなら、それでいいじゃないか、とも思えてくる。確かに、千代子は巨大な煩悩の塊だった。圧倒される原因は、八十六歳になる千代子が、未だ苦しみの源となる欲望を持っているからだろう。

三千子がスカートの裾を翻して立ち上がり、どこかに消えた。千代子は疲れた様子もなく、赤いドレスの裾の皺を伸ばしたり、袖口を眺めたりしている。タマキら三人は気詰まりになって、何となく視線を合わせた。腕時計を見ると、約束の時間まで少ししかない。西塔が尋ねた。

「千代子さんは、もうお書きにならないのですか」

千代子はいつの間にか銀色の細いフレームの老眼鏡を掛けて、タマキの持参した本のカバーに印刷された、プロフィールを眺めていた。千代子は顔を上げて、老眼鏡越しにタマキを優しく見た。

「あのねえ、タマキさんだけに教えてあげます。あたしは今、小説を書いているの。もうノリノリなのよ」

千代子から放たれた意外な言葉に、西塔と中城がくすりと笑った。

「どんな小説ですか」

「恋愛小説」と、千代子は言ってのける。

「それは、緑川さんとの恋愛をお書きになっているのですか」

千代子は楽しそうに笑ったきり、答えない。タマキは、千代子の書く小説を読みたいと思った。八十六歳にして、未だ悟りのない千代子は、いったいどんな小説を書くのか。五十年程前、洞穴に閉じ込められた少女の話を書いた作家は、今、「アカルヨ」に出て、何をどう考えて、書くのか。

「よろしければ、是非拝読させてください」

「出来上がったら、お見せしますよ」

「どちらか出版社は決まっておられるのですか」

西塔が遠慮しながら聞いた。

「河倉書房です」

やっぱり、と西塔が落胆を隠さずに呟く。河倉書房から、『ちよこの冒険』を出して、ミドリ川ミドリが世に出たのである。深い因縁があるのは、自ずと知れたことだった。

「千代子さんが、児童文学を書き始めた時のことは、『無垢人』に書いてありますが、あのように書かれたことは嫌じゃなかったですか」

「嫌ですよ」千代子は即座に否定した。「あんな書かれ方して、本当に失礼しちゃうわよねえ。そこだけは、どんなに言っても直そうとしなかった。緑川は、あたしが自分よりも優れた作家になるのが嫌だったんです」

物凄い話を聞いている、という虞《おそれ》が、傍らで息を潜める西塔や中城から伝わってきた。タマキも、自分を隠そうともしないどころか、曝《さら》け出すことに頓着しない千代子に圧されている。が、その千代子も、○子のことだけは、存在すらも認めようとしないのだった。

緑川はこう書いている。

「今度、河倉書房の児童文学の編集者を紹介してくださるそうなので、一生懸命書くことにしました」

それは良かった、と僕は口の中で言った。そして、今度は、別れてきたばかりの○子が哀れになるのだった。この時の僕は、千代子が河倉書房から、別の女の家に行ったことなど、全然知らなかった。しかも、包丁を持って。


タマキはどうしても確かめたくなって、鞄の中から『無垢人』を取り出した。千代子は、大量の付箋の付いた本を、まあ、と驚いたように眺めた。

「すみません、千代子さん。どうしても伺いたいことができました。この部分ですが、千代子さんは、河倉書房のTさんという、緑川さんの編集者と話して、児童文学の編集者を紹介して貰うとありますね。でも、その後、包丁を持って別の女の家に行った、と書いてありますが、これは本当にあったことでしょうか」

いいえ、虚構です、と撥ねつけられるかと覚悟しながら聞いたのだが、案に相違して、千代子は形のよい顎に手を当てて考え込んでいる。

「何て言ったらいいのかしらね」

居間の扉が開いて、盆を掲げた三千子と、先ほどの友納という老人が入って来た。三千子は、土産のプリンを銘々皿に盛って銀製のスプーンを付け、一人一人の前に置いた。友納は、その横に紅茶の入ったティーカップをきちんと揃えて置いた。律儀さを感じさせる挙措だった。

「友納さん、あたし、あなたに初めて会った後、どうしましたっけね」

千代子は楽しそうに、タマキの示した『無垢人』のページを差した。友納はちらりと見下ろして、そうですね、と皺んだ喉首をこれまた皺んだ手で触っている。どういうことだろう。混乱していると、三千子がさらりと言った。

「友納さんは、河倉書房の編集者だったんですよ」

タマキは仰天して、友納の痩せた顔を見上げた。友納は照れ臭そうに頭を掻いた。

「私も二カ所ほど、『無垢人』に出演させて貰っています。河倉書房のTというのは、私のことです」

「覚えています」と、タマキは言った。「最初は、緑川さんと待ち合わせたのにいらっしゃれなかったのですね。次は、河倉書房で、『千代子』と共に置いてきぼりを食らうんですよね。その後、『千代子』に児童文学の編集者を紹介した、という」

「そうです、そうです」と、友納は若やいだ声で繰り返した。「僕がそのTです。下宿で水漏れ事故があって、緑川先生をお待たせしたのも事実ですし、千代子さんとお目にかかったのも事実です。でも、千代子さんが『みすぼらしい普段着』だったというのは、緑川先生の創作です。あの時の千代子さんは、真っ黄色のワンピースをお召しでね。編集部の者はみんなどよめいたんですよ。黄色のワンピースは、襟元に黒いラインが入っていてね。ほんとにモダンでした。千代子さんはお綺麗で派手な顔立ちだから、お似合いでした。僕は、先生が奥さんを見せつけたいからお連れになったのかと思っていました」

友納は嘘とは言わず、創作と言うのだった。意外な展開に、西塔も中城も声が出ない。タマキは、『無垢人』を走り読みした。「千代子は普段着、つまり臙脂色《えんじいろ》のセーター、茶色のスカート、継ぎの当たった黒い靴下」とある。が、華やかな黄色のワンピースならば、薄暗いアパートの廊下で会った時の、〇子の格好を連想させる。

「あれは、いろいろな時の、いろいろなことの総合なんですよ。だから、虚構だって言ってるじゃないですか。あたしが友納さんと会ったのは、あれが初めてですが、あたしはあの後、この人と飲みに行ったのよ。それを嫉妬して、緑川はあんな『包丁を持って』なんて、付け足したんです」

酩酊させられた気分で、タマキは友納の顔を飽かず眺めた。確かに『無垢人』に描写されていたように、才槌頭《さいづちあたま》である。

「緑川先生が亡くなられてから、千代子さんと一緒に暮らしています」

友納は誇らしげに言うのだった。

3

眼前にいる老人が、緑川未来男の「編集担当のT君」だったとは。予想を遥かに超えた事実に、タマキは言葉が出なかった。西塔も仰天の面持ちで友納を見つめている。中城などは、ほとんど笑いだしていた。虚構に書かれたことが、肉体を持った一人の男に繋がった驚きが、タマキを混乱させている。逆に、今という現実が、虚構に吸い込まれて希薄になり、文字通り現実感が失せていく気がする。小説の中で生きていたはずの、老いた千代子と友納、成長した三千子。そして、人より断然大きな緑川の頭部像。『無垢人』に魂を奪われて、暗記するほど読《よ》み耽《ふけ》った自分は、今どちらの世界に属しているのだろうか。判断がつかなくなって、タマキはうろうろと目を泳がせた。

「驚かせてすみませんね」

友納は眼鏡のフレームに手を触れ、愉快そうに微笑んだ。頭皮に張り付いた僅かな髪も、太めのズボンもセーターも、すべて灰色を纏《まと》っていた。最初に会った時は、六十代後半かと思ったが、『無垢人』には、「十歳ほど下」とあったから、実際の年齢は七十五、六歳だろうか。しかし、友納は若やいで見えた。

「びっくりなすったでしょうね。親しい人たちはみんな知っているんですけどね。あなた方はご存じなかったのね」

千代子も人の悪い笑みを浮かべて、タマキらが互いの顔を見合うところを眺めている。彼らは、『無垢人』を読んで訪れる人間を、こうして驚かせては密かに愉しんでいるのかもしれない、とタマキは思った。三千子だけは関心がないかのように、生真面目な表情で土産のプリンを食べている。

「僕は、友納継彦《つぐひこ》と言います。『無垢人』に書かれているように、最初の頃は緑川先生の担当を務めさせて頂きました。でも、千代子さんと会ってからは、児童文学の方に移って、『ちよこの冒険』を出させて頂いたんです。千代子さんは天才ですよ。ただ、緑川先生に遠慮されて、あまり書いておられませんでしたが」

「なぜ遠慮されたんですか」

タマキは、友納の言葉を受けて、反射的に千代子に尋ねていた。不躾《ぶしつけ》だとは思ったが、聞かずにおれなかった。『無垢人』の中に、千代子に才能があったらどうしよう、と半ば冗談のような記述があったが、プロの作家による意地悪な揶揄に感じられ、唯一、不快な箇所だったからだ。

「なぜって言われてもねえ」

千代子は困惑したように友納の顔を見た。

「仰ってあげたら、いかがですか」友納が勧めて、タマキの顔を見た。「鈴木先生、その代わり、このことはお書きにならないでください」

「勿論です」

「申し訳ありません」

友納は謝った後、千代子と目交《めま》ぜした。タマキは俄然興味が湧いてきた。西塔と中城も同様らしく、体を乗り出している。

「タマキさん、作家の妻って、案外、世に出られないものなんですよ。あなたにご家族はおられますか。ご主人かお子さんか」

「主人と息子がおります」

千代子の言葉に異様な熱が籠もってきたように感じられて、タマキはやや体を引いた。その熱が、恨みや憎しみに近いものだと直感したからに他ならなかった。

「そうですか。じゃ、あなたのご主人や息子さんが作家になりたいと言ったら、あなたはどうしますか」

「誰よりも、私が先に読んで判断するでしょうね」

「でしょう？」と千代子は勝ち誇ったように言った。「それで、どうなさる？」

「才能があったら、何かの文学賞に応募することを勧めますね。ただし、応募する原稿は、私が見てやるだろうと思います」

「あなたの編集者には紹介しない？」

千代子は踏み込んで尋ねた。タマキは首を傾げる。

「多分、しないでしょう。編集者にそこまで負担をかけるのは悪いと思いますし、本人のためにもならないと思いますから」

「息子さんの場合は、でしょう？」と、千代子が意地悪く言った。「ご主人だったらどうですか」

「才能があったら、確かに動揺するかもしれません」

タマキは正直に答えた。我が子ならば、作家である自分の血を引いているのだから、と自己肯定の度合いが強く、納得できる。だが、配偶者には競争心を持つかもしれない。しかも、緑川の場合は、相手は専業主婦をしている妻である。競争心どころか、家長としての矜持《きょうじ》を揺るがすような脅威に感じられたかもしれない。

「ということは、緑川先生は動揺されたのですか」

千代子は何も言わずに、発言を促すかのように友納の方を見た。

「すみません、そのことは、僕から申し上げます」

友納が素直に千代子の要請を受けて話し始めた。いかにも元編集者らしく、きびきびと明朗な話しぶりだった。

「つまり、緑川先生も読まれたんですよ。家事と子育ての合間に、千代子さんが書かれた小説をね」

「それで動揺されたんですね」

しつこいと思ったが、タマキは念を押した。

「おそらく」と、友納は煙草のヤニが付着した歯を見せて笑った。

「それは、児童文学ではなく、小説だったんですか?」

確かめずにおれなかったのか、西塔が遮った。

「そうです、普通の小説ですよ。あたしは普通の小説が好きだったんです」

今度は、千代子が西塔に向き直って、深く頷いた。

「緑川先生は、千代子さんの文才を認めていらっしゃいました。僕にちらりと仰ったことがあるんです。うちの女房が小説を書いているんだけど、これがなかなか凄いんでびっくりしたよ、と。僕は、是非見せてくれませんか、と言いました。そしたら、緑川先生は何と仰ったと思いますか。この言葉がなかなか傑作なんです」

千代子が引き取って、低い声で呟いた。

「家に作家は二人要らない、と言ったのよ。何言ってるのよねえ、あたしだって嫌ですよ」

冗談めかした言葉に救われた思いで、一同は笑った。

「そら、そうですよね。千代子さんからしたって、同じですよね。一家に作家は二人要らないって言いたいですよね。こういうところ、男は駄目なんだな。心が狭いっていうか、何ていうか。緑川さんは、日本男児だったからなあ」

友納が足を組みながら、独りごちている。

「お母さん、その時のこと、恨んでいるんじゃないの？」

三千子が、銀のスプーンを皿に置きながら言った。ティッシュペーパーを一枚引き出して、口許を拭う。

「そら、恨んでるわよ」千代子が強い口調で言い、両手を擦り合わせたので、白い手に赤みが差した。「当たり前じゃない。だって、あたしは子供の時から文芸が好きだったのよ。詩を書いたり、短歌をやったり、小説みたいなものも書いていたんですもの。だから、文学青年だった緑川と話が合って、結婚しちゃったんじゃない。あの人は、『無垢人』の中で初めて、あたしが創作することを知ったように書いていたけど、本当は違うのよ。みんなあれが虚構だなんて思ってないから、嫌になっちゃう」

タマキは、「加賀の千代女みたいだな」と、『無垢人』の中の緑川が、冗談めかしたことを思い出した。そんな記述にも、この人は傷つけられたに違いない、と千代子の横顔を眺める。

「あたしもＴさんといろんなお話ができて楽しかったわ」

Ｔもさぞかし困惑しただろうと、僕は十歳ほど下の、Ｔの才槌頭などを思い出していている、など一度も聞いたことがなかった。

僕は仰天して、千代子の顔を見た。千代子は誇らしそうに胸を張っている。創作をし

「あたしも詩や童話を書いているから一度見てください、とお願いしたんです」

「何を話したんだ」

る。

（緑川未来男『無垢人』より）

「なのに、あの人は自分だけ同人誌に入っていい気なもんじゃないの。『取水』だっけね。合評会をやった後は、そこの女の人たちと必ずお酒飲んで酔っ払って帰って来てね。あの子の小説は、描写はいいけど志が低いとか、あの子のは比喩が凡庸だ、とか何とか、合評会の昂奮が続いているらしくて、そんなことを家で喋り散らしたりすると、あたしは羨ましくて悔しくて、気が遠くなりそうだったわ。だって、あたしは朝から晩まで家事と育児ばかり。夜明けに起きて、ストーブ点けて部屋を暖めて、お湯を沸かし、薪でご飯を炊いて、味噌汁作って、七輪熾《おこ》して干物を焼いて、子供を起こして、顔を洗って着替えさせて、ご飯を食べさせて、食器を洗って、部屋を掃除して、洗濯板でおしめを洗って干して、表に出て掃き掃除。それから、子供を連れてお使いよ。牛乳屋に行って牛乳買って、パン買って、うどん玉買って、お野菜買って、今度は昼ご飯の用意、それ

が終われば夕飯の準備。それが延々と続くのよ。だけど、あの人だけは、そんなことをひとつも手伝わないで、女の人たちと合評会ばかり。お金もないのに、同人の合評会の時は、大金を持って行って、綺麗さっぱり遣ってきちゃうのよ。女たちに奢《おご》ってやるんですよ。あたしたちが残り物で貧しい食事をしているというのに。そして、勝手に玄関脇の六畳を書斎にしてしまって、万年床敷いてね、やりたい放題でした。そこに娘たちが入ると、邪魔するな、と怒るのなんの。横になってぼんやりしているから、少し手伝ってちょうだい、と声をかけようものなら、構想を練っている最中だと怒られるし。本当にあたしは悔しかったですよ。それで、せめて小説でも書いて見返してやろうと思ったのよね。あの人と仲のいい、同人誌の女たちにも絶対に負けない、と内心では思ってたし」と、言葉を切った後、千代子はこう言って笑った。「きっと、あたし、人並み外れて気が強いのよね」

おそらく、「同人誌の女たち」の中には、○子もいたのだ。千代子の激しい嫉妬は、夫の浮気に対する妻の怒りだけではなく、アイデンティティを賭した、自尊心の発露でもある、とよくわかるのだった。

「だからね、タマキさん。『無垢人』は、いろいろ混じって出来ていると言いましたでしょう。そうなんですよ。あたしが河倉書房に行ったのはね、あの人の浮気封じもなくはなかったのですが、ちっとも緑川が編集者を紹介してくれないので、自分で探しに行ったんですよ」

「凄い行動力ですね」と、中城が叫んだ。

「そうです。だって、いつまで待ったって、埒《らち》が明かないんですから」千代子が中城に話しかけた。「いくら頼んでも、のらりくらりと、あの人は誤魔化すばかりだったものですからね。それで、あの人が河倉書房に行くと言うので、あたしも一緒に行きます、と慌てて出たんです」

「それで、黄色のドレスを着ていらしたんですね」

タマキの言葉に、千代子が微笑んだ。

「ええ、精一杯お洒落して行きましたよ。あの人が紹介してくれないのはわかっていたから、自分で何とかしなくちゃと思ったんです」

果たして、原稿を見せることだけが目的だったかと言えば、それは正確ではなかろう、とタマキは想像する。当時の千代子は、「取水」の同人で自由に創作ができ、緑川と合評会に出て、一緒に酒を飲む〇子への競争心に満ちていたはずだ。編集者と知り合って、自分の作品を見せ、何とか出版することで出し抜きたいという思いがあったのではあるまいか。だから、友納とその後、酒まで飲みに行ったのだ。緑川が嫉妬したのが本当だとしたら、これまた仕事絡みの嫉妬も含まれていたはずだ。

「しかし、家に作家は二人要らないっていう発言は酷いですね」

西塔が口を挟んだ。

「でもまあ、確かに二人とも机に向かっていたら、困りますよね。誰も子供の面倒を見ないし、ご飯も作りませんものねえ」

千代子が穏やかに笑ったが、誰も笑わなかった。蔑《ないがし》ろにされた千代子の怒りと苦しみが、夫婦の長い諍いの原因となり、陽平の死という大きな悲劇への起爆剤となったからだ。

もし、○子が「取水」の同人で、噂にもなっている三浦弓実だとしたら、弓実は緑川と別れて数年後、近代文学新人賞を得ている。折しも、千代子が陽平の死に打ちひしがれている時だった。千代子には、どんなにか衝撃だっただろう。

タマキはメモを見ながら溜息を吐いた。もう一度、○子のことを聞こうかどうしようか、迷っていた。急に、部屋が暗くなって、メモの字が読みにくくなった。ふと顔を上げると、表がすっかり暮れているのに気付いた。陰鬱な曇天が、真っ暗な夜の色に変わっている。空に突き出した、船の舳先《へさき》のように感じられた角部屋が、今度は、夜の海を航海しているようで薄気味悪かった。

その時、爆撃でもあったかのように、遠くの空が赤く光った。驚いて竦んでいると、千代子が振り向いて空を眺めて言った。

「稲妻かしらね。初冬の稲妻って珍しいこと」

西塔と中城が、すっかり暮れた空に気付き、小声で相談している。予定時間を三十分は超過していた。

「急に暗くなりましたね」

友納が立ち上がり、部屋の照明を点けて回った。タマキは腕時計を見て謝った。

「遅くなってしまって申し訳ありません。千代子さん、お時間は大丈夫でしょうか？」

「あら、あたしは平気ですよ。あたしの仕事の話だけは終えてしまいましょう」

千代子が疲れも見せずに言ってくれたので、タマキはほっとして礼を言った。

「ありがとうございます」

「お母さんて、本当にタフよね。どこからそんなパワーが湧いてくるのかしら」

茶を入れ替えてきた三千子が微笑みながら、皆の茶碗に注いで回った。

「ま、というわけでね。緑川の妨害に遭いましたけど、無事にあたしは友納さんとお目にかかって、原稿も読んで貰って、数年後には無事出版、ということに相成りました」

千代子が芝居がかった口調で言うので、空気が和む。三千子が茶々を入れた。

「いくらお父さんだって、妨害まではしなかったでしょう？」

「それは冗談だけど、内心は面白くなかったんじゃないかしら。だってね、緑川と約束させられたんだから。一般小説は緑川の分野だから、一緒に批評されたり、比べられたりしたら堪ったもんじゃない、お願いだから児童文学や詩の分野に行ってくれないかって言われてね」

「本当ですか？」

　タマキは驚いて聞き返した。

「本当です」友納が頷いた。「『ちよこの冒険』は、僕は文学の傑作と思っていますけれども、一応、児童文学のジャンルに入っています。あの作品にある洞穴は、創作でも自由になれない千代子さんの立場を表しているのだと思います。『アカルヨ』は、何にも邪魔をされない自由な創作のメタファーでもあります」

「なるほど。ということは、閉じ込めたおばあさんは？」

「緑川になりますかしらね」

　ほほほ、と千代子は上品に笑った。その視線の先には、ブロンズ製の緑川の頭部像があった。

「『アカルヨ』に出た『ちよこ』は、暗い洞穴にいたから、サングラスを探すじゃない。でも、サングラスは粗悪品で盲《めし》いてしまうというのは何のことなの」

　三千子が疑問を口にした。

「サングラスは、多分、仕事のことじゃないでしょうかね。まだ、千代子さんの才能に見合う仕事を得ていないという風に僕は思いましたが」

　千代子は何も答えず、にこにこと微笑んでいる。

「では、お母様を前にして伺うのは何ですが、ちょっと質問させてください。三千子さんは、先ほど、お母様と緑川さんの恋愛は終わっていない、と仰いました。その理由を、お聞かせ頂きたいのですが」

タマキは、唇にリップクリームを塗っていた三千子に問いかけた。三千子は慌ててリップクリームをポケットに仕舞った。

「ああ、さっきのことね」と、悪戯《いたずら》っぽい目で母親を見た。「それは、母がまだ父を許していないからですわ」

「何言ってるの、許しているわよ」

千代子が意外に丈夫そうな歯を見せて笑った。

「いいえ、許してないです。さっきの怒り方をご覧になったでしょう。母はまだ恨みに思っているし、多分、○子さんのことも怒っている。母は自分が傷つけられたことを異様に執念深く覚えている人なんです。父はそんな母を怖がっていましたが、それも傷つけた後で怖くなったからだと思います。許さないということは、まだ関係を持ちたいのです。母は、父とまだ恋愛しているのだと思います」

タマキは三千子の言葉に、自分と青司を思い出した。絶対に許し合っていない自分たちは、まだ恋愛を抹殺していなかったのだろうか。

突然、タマキの携帯が鳴った。インタビュー中は消しているのに、千代子に会うので緊張したのか、忘れていた。タマキは詫びながらコールを消した。その時、ちらりと発信元を眺めた。ヤマグチだった。あ、青司が死んだ、と瞬時にタマキは思った。ヤマグチが次に電話をかけてくるのは、青司の死の時、と約束していたからだ。

タマキは大きな窓ガラス越しに夜空を眺めた。先ほど見た稲妻が徴《しるし》ではなかったのか。だが、ガラス窓は明るい室内の照明を反射して、妙に目の下の隈が目立つ、タマキの顔を映していた。

とうとう、青司が死んだ。その瞬間がきたら、自分は泣くだろうか、と考えたことは何度もあった。しかし、涙はまったく出なかった。ただ、大きな虚ろを感じて、怖ろしかった。死は大きな虚ろなのだ。この部屋から見る夜空のような。青司が永遠にいなくなった現実を、自分はどうやって生きていくのだろうか。覚悟はしていたのに、何もわからなかった。

タマキの様子がおかしいと感じたのか、千代子が話しかけた。

「タマキさん、どうかしたんですか」

「いいえ、何でもないです」と、タマキは慌てて首を振った。「千代子さんは、三千子さんの感想についてはいかがお考えですか。こんな立ち入ったことを伺って申し訳ないと思うのですが、友納さんとは恋愛されているんですよね？」

答えが聞きたかった。青司が亡くなったことがわかったからこそ、千代子に聞いてみたかった。なぜなら、タマキは、自分が千代子のように生きるのではないかと漠然と思っていた。

「あたしは緑川が本当に好きでした。もうあの人しかいないと思っていましたし、緑川もあたしを一番好きだったと思います。だから、今でも緑川があたしを裏切ったことは許せませんし、緑川を許せない自分も許せない。そして、あんな小さな陽平を死なせてしまった自分たちも許せません。友納さんは、あたしの今の大事な人ですけれども、緑川ほど好きじゃないです」

目を閉じて聞いていた友納は、千代子の言葉に苦笑した。

「じゃ、千代子さんは、僕が何をしても許してくれるんですか」

「あなたのことは、何をしても許しますよ」

続いて三千子が尋ねた。

「お母さん、私はどうかしら。何をしても許してくれるのかしら?」

「当たり前じゃない。娘なんだから」

友納と三千子が笑い合っている。

「この人の論理がだんだんわかってきましたね」

友納がタマキに話しかけた。タマキは頷いたが、青司の死という虚無が次第に心を覆うのを感じて、上の空になりかかっていた。

「すみませんが、お手洗いを拝借してよろしいでしょうか」

「これは気付きませんで」

友納が立ち上がって案内してくれた。トイレは、玄関の横にある。友納が居間に戻るのを見送ってから、タマキは留守番電話を聞いた。ヤマグチが泣きじゃくりながら、メッセージを残していた。

「ヤマグチです。鈴木さん、先ほど、阿部さんが亡くなりました。四時三十七分です。僕はこれから阿部さんのお宅に行きますが、僕もショックです」

やはり、稲妻が光った頃だった。インタビューが長引いたため、時刻を確かめたから、覚えていた。青司は一人でどこに行ってしまったのだろうか。タマキは玄関先に立ち竦み、周囲を見回した。馴染んだ自分の家でなく、北海道に来ていることや、見知らぬ家にいることが不安に感じられた。

ヤマグチは今頃、同僚たちと青司の家に着き、青司の死に顔を見て、さらに泣きじゃくっているだろう。自分が見たこともない青司の家。会ったこともない家族に囲まれて横たわる青司の遺骸。悲嘆に暮れる青司の妻。タマキは、二人を思って目を閉じた。青司を囲む輪から、永遠に追い出された自分。これから先、タマキには通夜も葬式の予定も伝えられないだろう。たとえ伝わったとしても、行くこともできない。あれだけ膚《はだ》を合わせたのに、その体に一切触れることもできずに、青司はこの世から消えていくのだ。

青司と自分の、会話、視線、仕事、喧嘩、時間、感情、愛情。すべては煙のように消えてしまうのだろうか。それとも、どこか次元の違う国に残っているのだろうか。そこにはタイムマシンに乗れば行けるのか。タマキはなぜか焦っている自分に気付いた。だが、しかし、それでもタマキは、青司を許せないのだった。そんな自分が不思議で、タマキは薄闇の中で立ち竦んでいる。

「どうしたの、大丈夫ですか」

顔を上げると、目の前に、タマキの顎くらいまでしか背のない、小柄な千代子が立っていた。

「ああ、すみません。実は知り合いが亡くなりました」

まあ、と千代子は口に手を当てた。眉を顰《ひそ》めながら、背伸びしてタマキの耳許に囁いた。

「さっき、稲妻が走った時じゃないの?」

「時間的にはそのようです」

「あなたに報《しら》せたのよ」

「まさか」タマキは苦笑した。「憎み合っていましたから、報せてはくれないと思います」

「じゃ、覚えてろよ、と言ったのよ」

タマキが少し微笑むと、千代子は枯れ木のような手で、タマキの腕を摑んだ。

「ちょっといらっしゃいよ。あなたに見せる物があるの」

千代子はタマキの手を引いて、トイレとは逆側にあるドアを開いた。八畳間ほどの洋室で、大きな書き物机と更紗のカバーが掛かった小さなベッドがあった。千代子の私室らしく、壁には大きな写真パネルが幾つも掛けられていた。ソフト帽を被って、和装の千代子と共に、こちらを見つめる緑川未来男の大きな目。

「いい男でしょう？」

千代子が自慢するように言った。

「はい」とタマキが答えるのが当然のように満足げに頷く。見せる物とはこれだったのかと、タマキは壁に掛かったパネルのひとつひとつを丁寧に見ていった。

「これ、貸して差し上げますよ」

突然、千代子が茶封筒を目の前に突きつけたので、タマキは驚いて手に取った。緑川未来男宛に、鳶田喬一という男から来た古い私信のようだ。タマキは、鳶田という名前に見覚えがあったが、誰なのかすぐに思い出せなかった。

「緑川の死後、遺品の中にあったのを見つけたんですの。鳶田さんというのはね、三浦弓実さんのご主人ですよ」

あっ、とタマキは叫んだ。〇子は、やはり三浦弓実だったのだ。「海水浴のお豆」について書いた緑川は、やはり弓実と付き合っていたのだった。

「弓実さんが死を覚悟した頃、緑川に宛てて書いた手紙なの。あなたに貸しますから、お読みになったら返してくださいね。今夜、ホテルでお読みになったらどうですか」

「ありがとうございます。そうします。明日、発つ前にお返しに上がります」

どのみち、眠れそうもないのだから、ちょうどいいだろう。タマキは薦田からの封書を、まるで青司のように胸にしっかりと抱いた。

4

冠省
突然手紙を差し上げます御無礼の段、何卒お許しください。

小生は故三浦弓実の夫、薦田喬一と申します。

三浦弓実は、昨年三月二十一日、東大病院にて、ガン性腹膜炎のために亡くなりました。享年五十三でした。

あまりにも早い永訣に、遺品を片付ける気にもなりませんでしたが、遺稿の有無を知りたいと出版社から促され、やっと文机を整理し始めました。

すると、抽斗《ひきだし》から貴殿宛の封書が出て参りました。住所も何も書いてありませんでしたから、もしかすると投函するつもりはなかったのかもしれません。

が、死の準備をしていた弓実が、貴殿へ何か伝えたいことがあって認《したた》めたのではないかと推測し、御送付申し上げる次第であります。

なお、小生は封を切っておりません。

今後一層の御活躍、陰ながら祈念申し上げております。

不一

鷹田喬一

緑川未来男様

つい先《せん》から、手が小刻みに震えているのは、人の秘密を手中にした怖れだろうか。それとも、青司が遂にこの世を去った衝撃のせいか。タマキは、ホテルの部屋で一人、ベッドに腰掛けてぼんやりしていた。これからどうすべきか考えようと思っても、蛇口からちょろちょろと流れ出る水のように、時が空しく過ぎていく。

西塔や中城とは、一時間後にロビーで待ち合わせて、夕食に行くことになっていた。弓実の手紙を読む時間はたっぷりあるのだが、躊躇しているのは、怖ろしいからでもある。死にゆく人から、生き残る人への書簡には、何が書かれているのだろう。今は二人とも故人であることが、たった数時間前に亡くなった青司を思い起こさせる。

死が他人事《ひとごと》のうちは冷静でいられる。が、死が大きな虚ろだと思い知ると、死者となる人の想念に、生者である自分がどれだけ堪えられるか自信がないのだった。覚悟していたとはいえ、現実となった青司の死は、新たにタマキを打ちのめしている。

ただ、明らかなのは、千代子はタマキが読むためだけに、弓実の書簡を貸してくれたということだった。だから、タマキは弓実の手紙を託されたことを、西塔や中城には明かしていない。そして、青司の死についても何も言えないまま、ホテルにチェックインしてしまった。青司の死を隠すつもりはないが、どんな表情をして告げたらいいのかわからないのだ。平然と、あるいは悲しみに満ちて、もしくは悄然《しょうぜん》として。そのどれもが、自分の今を表していない。粉飾する余裕もなく、ただ大きな欠落感に圧し潰されている自分がいるのだから。

青司の死の報せは、間もなく業界を駆け巡るだろう。だったら、自分の胸にしばらく留めて、青司の死がどれほど自分を冒し、壊していくのか、見届けたい気もする。それでこそ作家、と自分を鼓舞しても、呼吸をすることすら重荷に感じられる寂寥感は、いずれ自分をいたたまれなくさせるだろう。が、いたたまれなくなっても、自分の中に一人でいるしか、もう方策はないのだった。

今夜は青司のために献杯しなければならない。そして、杯を重ねて酔払い、何も考えずに眠った方がいい。とすれば、素面《しらふ》である今しか、弓実の手紙を読めないに決まっていた。何度も読んで記憶し、明日、千代子に返しに行こう。悲しみに浸るのは自宅に戻ってから、と決めて、タマキはやっと見知らぬ部屋で立ち上がった。

タマキは窓際のソファに移動して、茶封筒の中を覗いた。まず、鷹田の簡潔な手紙を読む。そして、手漉き和紙製の肉厚な封書を取り出した。黄色く変色した封書の表書きは、ブルーブラックのインクで「緑川未来男様」と、大きく認めてある。文字が大きな分、線の震えがはっきりわかるのは病の為せる業《わざ》だろうか。が、裏書きは「三浦弓実」と、書き慣れた鷹揚な字が躍っていた。手紙は、向こう側が透けて見えそうな手漉き和紙で作られた高級な便箋に、やはりブルーブラックの万年筆で書かれていた。二枚目までは、端正に書かれているが、後半になればなるほど字が乱れているのは体調のせいだろう。

緑川未来男様
長いご無沙汰を致しておりました。

お元気でお過ごしのことと存じます。

あなた様のご活躍、蔭ながら嬉しく思っております。

私の方は、きっとご存じでしょうけれども（文壇の噂になったようですから）、十年ほど前に、鷹田喬一という名の会社員と結婚して、幸せな日々を送っておりました。あなたも、五歳年下でしたね。でも、鷹田はもっと若い。十五歳も下なのです。

戦争に行って、とうとう戻って来なかった最初の夫は、私の三歳上でしたから、私は行方不明になった夫を惜しんで、年下の男しか愛せなくなったのかもしれません。『戦争未亡人』という言葉も、すっかり死語になってしまいました。私はとうに、時代に合わない、古い人間になってしまったのでしょうね。そう言えば、あなたも特攻帰りでしたわね。特攻帰りという言葉を知らない人もいるそうです。驚くべき世の中になりました。

あなたが嫉妬するのであまり話しませんでしたが、前の夫とは、実はとても楽しい時間を過ごしたんですの。結婚して丸二年。短い期間でしたが、同じ本を読み、映画に行き、長いお喋りで夜を過ごしました。あれだけ二人で楽しい時間を過ごしていたのに、三十を過ぎてから徴兵され、挙げ句、どこでどう死んだかもわからないなんて、本当に可哀相で、今でも胸が張り裂けそうになります。

あらあら、私は何でこんな昔のことを書いているのでしょう。あなたへの久しぶりの手紙だというのに。止めようと思っても、いつの間にか手が動いて、好き勝手にセンチメンタルなことを書いてしまうのは、多分、私がひと月後かふた月後には、この世から消えてしまうからでしょうね。

そうなのよ、未来男さん。私は胃ガンの末期で、死を待つ身なのです。今日は気分がいいので、こうしてペンを執っていられますが、それでも首から肩にかけて、鈍器で殴られたような痛みが時々起きるので、辛くて仕方がありません。呼吸もあまり楽ではなく、文字も早く書けませんの。せっかちでちゃきちゃき動き回り、『粗忽者《そこつもの》』と村上禎子先生に始終叱られていた私がこんなことになるなんて、信じられません。やがてペンも持てなくなると思うと、時間と競争しているような気がします。あんなに美味しい物を食べるのが大好きだった私が、食べ物を見るのも億劫になって、遠からぬ時期にこの世を去るのです。本当に惜しいような、切ないような、変な心持ちです。

はっきり言って、死は怖いです。去年、手術した時は、気持ちが落ち込んで仕方がありませんでした。夫や母に随分と当たりましたし、あなたの『無垢人』の載っている『新声』の表紙を見ただけで、あなたのことも腹立たしく感じたりもして、雑誌を投げつけたりしました。

だけど、最近はようやく気持ちが楽になりました。だから、あなたに最後の手紙を書いているのですが。

どうせみんな一度は死ぬのだから、じたばたしても仕方がない、と諦めが強くなってきたのでしょうね。あの世に行けば、前の夫が待っていると思えば、そう寂しくもないです。彼は、南方に送られたそうですから、ジャングルで飢え死にでもしたんでしょう。あの世で会ったら、たんとお食べなさい、といろいろな物を作ってやりたいです。

未来男さん、覚えていますか。お互いに夢中だった頃、互いの死を想像して涙が止まらなかったことを。可笑しいわね。

私が『あなたが死んでも、私は日陰の身だから、お葬式にも行けないのよ』と嘆くと、あなたは『嫌だ、絶対に来てくれ。別れを惜しんでくれ』と泣いたわね。そして、私に『弓実が死ぬ時は、俺の腕の中だ』とも言った。そのどちらも叶えられないまま、私たちは離れて、私は薦田に看取られ、泣かれて、先に死んでいくのね。人生は、思ってもいない形になるのですね。あなたは、私が死んでも、きっともうお泣きにならないわね。

あなたは、すっかり北海道に引っ込んでしまわれたのね。時折、文壇のパーティに出席しますけれども、あなたがいらっしゃらないので、ほっとする半面、寂しい気持ちもあります。会いたいのかと言われれば、そう会いたくはないけれども、どうなったのか気になる、というのが率直な気持ちです。

あなたが、『新声』で不定期に書かれている『無垢人』の連作短編に触れてもいいですか。あそこに書かれた『〇子』というのは、私のことですね。あら、随分と酷いことを書いている、と腹が立ったり、こんなにいい女に書いてくれて、と喜んだり。とうに忘れていた感情が蘇って、懐かしい気にもなりますが、『無垢人』に書かれた私は、私であって私ではないような気がします。あなたが、私と千代子さんをごちゃ混ぜにして書いているからでしょうね。

無論、あなたの創作だとわかっているけれども、ああやって書かれてあると、私は混乱してしまって、本当に私が黄色いコートを着て、あなたを『ミッキー』と呼んだような気がしてきます。あれは、千代子さんの姿よね。千代子さんはハイカラで素敵な人だったもの。でも、あなたが私のアパートに来て、鍵を忘れたことは事実でしたわね。私が電報を打ったのも事実。だけど、あれは親切心からでした。あなたのご家庭が、私の電報のことであんなに揉《も》めたなんて、全然知りませんでした。それとも、あれもあなたの創作ですか？

私を、千代子さんを、貶《おとし》めてまで、あなたは、あなたの創作を光り輝かせたいのですか？　私は、あなたのように他人を貶めることが一切できなかったから、たいした物書きではなかったのですね。死んでいく時に、自分の欠点がよくわかるというのも、いかにも皮肉な一生ですね。

私は、あなたが私とのことを逐一日記に書いていたことも知りませんでした。知り得ない事実を、今初めて知ることができても、今更、何の意味があるのでしょうね。私たちが失ったものは大きかったと思います。私が失ったものについて、お知りになりたい？　あなたにとってはたいしたことではないわ。単純なこと。つまり、私は名誉を失ったんです。私があなたによって堕胎させられたことをみんなが知った。あなたを巡って、私と千代子さんが争ったことがみんなに知れた。それは、あなたがた夫婦も同じだと思われるかもしれません。でも、あなたと千代子さんは添い遂げられて仲睦まじくされて、ずっとあれは虚構だ、と言い続けることができる。私にはできません。名誉を奪われただけです。

ああ、ごめんなさい。私は何て酷いことを書いているのでしょう。あなたは、私の名誉なんかより、遥かに大きなものを喪われたのよね。ごめんなさい。私がいかにちっぽけな人間かよくわかります。書き直したいのですが、もう一度書く元気がありません。許してくださいね。

もうひとつ言わせてください。あなたのご家庭が表舞台で、私との恋愛は舞台裏での出来事、と感じられるのは、とっても違和感があります。私たちの恋愛は、厳然としてあったのに、それも、表舞台を消し去ろうとするくらいに強かったはずなのに、あなたは、あれほどまでに、儚《はかな》くて安っぽいもののように書いてしまわれた。だって、〇子は家庭を破壊する者、として描かれているではありませんか。

今の私にも大事な人がいますから、その人を第一に考えれば、第二、第三の恋愛を、儚く安っぽいものにしてしまいたい衝動はわからなくもありません。でも、私たちが愛し合ったのは事実なのだから、その痕跡をなくすことなどできっこないのではないかしら。いいえ、私は残したいと言うのではありません。でも、心筋梗塞を起こしたり、脳梗塞を起こすと、大事がなくとも、身体に痕跡が残っているというではありませんか。

恋愛の痕跡はどこにあるのか、ということです。

『無垢人』に話を戻しますが、随分と長きにわたる連載と聞きました。もし、私の存在が差し障りだと思っていらっしゃるのなら、安心されていいですよ。さっきも書いたように、私はもうじき死にますから。

ほっとされましたか？　ああ、こんな書き方はあなたを傷つけるわね。ごめんなさい。それに、あなたは、末の坊ちゃんが亡くなられてから、洗礼を受けられてクリスチャンにおなりになったと聞いています。北海道に移られ、生活もまったく改められたそうですね。お変わりになったあなたと、その後の話を一度してみたかったとも思います。叶わぬことですわね。

そうそう、千代子さんのご活躍、凄いです。千代子さんの書かれた童話には、私もびっくりしました。昔のことではありますが、これまで機会もなかったのですから、私にも『おめでとうございます』とお祝いを言わせてくださいませ。本当に、私など足元にも及ばない、素晴らしい才能をお持ちだと思います。でも、才能は傲慢ですわね。

千代子さんは、小説家としては非才の私があなたの愛人であることに、大きな怒りをお持ちになっていたそうですね。千代子さんは、私の小説を読まれて、私が千代子さんと同等の才能を持っていない、近代文学新人賞に値しない作家だし、私があなたの愛人だということは、緑川の恥だ、とまで仰ったと風の噂で聞きました。

あなたとの恋愛は、私を完膚なきまでに苦しめて傷つけました。ああ、いろいろなことが思い出されて、まだ心が騒ぎます。千代子さんは、包丁を片手に、私の下宿に何度もいらっしゃったじゃありませんか。人前で『売女《ばいた》、出て来い』と怒鳴ったこともある。美しく、激しく、頭のいい方でした。だからかもしれないけれども、あなたは『無垢人』の中で、千代子さんの狂乱については、美しく書いておられる。本当はもっと醜かったのに。しかも、茂斗子さんのお母さんを愛人だと勘違いして襲ったこともありましたね。そういうみっともないことは一切書いておられない。あなたの大事な奥様ですし、ご長男を亡くされた悲しい事故があったのですから、それも当然かもしれませんが、舞台裏に追いやられて、いいように書かれた私としては、少々悔しい気も致しましてよ。

いずれにしても、あなたは私とのことを『無垢人』という作品に書いてしまわれた。未来男さん、『無垢人』とは、いったい誰のことなのかしら。私はいつも拝読しながら考えているのです。無垢人とは、あなたでも、千代子さんでも、この私でもない。では、何ですか。失われた愛のことかもしれない、と死にゆく私は考えるのですが、ロマンティックに過ぎますでしょうか？　あなたのお笑いになる顔が目に浮かびます。合評会でのあなたは、笑いを堪えきれずに、時々横を向いて笑っていましたね。

ああ、私は本当に死んでしまうのですね。書いていると、いろんな思いが収拾がつかないほど、一気に出てきて、とめどがありません。死は苦しいのでしょうかしら。最後のひと息まで苦しいと聞いたことがありますが、私に堪えられるかしら。きっと、苦しみのあまり、醜くなって、縮かんで死ぬのね。そんなことを考えると怖くて仕方がない。二十年前の、私たちの輝かしい時間は天国に行けばあるかしら。あなたはクリスチャンでいらっしゃるのでしょう。教えてください。

手紙は便箋十二枚目で終わっていた。最後の署名もないから、弓実はまだ書き足すつもりでいたが、体力がなくなったので、そのまま封をしてしまったのだろうか。体力のなさを証明するような、とりとめのない手紙だった。弓実の最後の手紙なのだから、完璧であると思い込んでいたタマキは、その支離滅裂さに意気消沈するのだった。弓実が生きていたなら、読み返して投函されなかった類の手紙ではなかったか。緑川未来男は、どんな思いで読んだのだろうか。

死が大きな虚ろであるのは、死と共に関係が消滅するからだ。残された者は、片方だけぶらりと垂れ下がった紐を持って、立ち竦むしかない。弓実の手紙は、『無垢人』の世界に冒されたタマキにも、紐の一端を無理矢理持たされた感があった。弓実が言うように、虚構に書かれることは、名誉を失うことなのだろうか。いや、弓実が緑川未来男や緑川千代子に匹敵するだけの書き手ならば、また話は違ったのかもしれない。夫を得ても鬱屈の治まらない弓実の姿を垣間見たような、嫌な気持ちで、タマキは弓実の手紙をセーフティ・ボックスに仕舞ったのだった。

西塔と中城が、ロビーに置いてあるパンフレット類を読みながら、タマキを待ってい
てくれた。タマキは、約束の時間に十分ほど遅れたことにやっと気付いた。

「ごめんなさい、遅くなって」

声音に何かが表れたのだろうか、二人がタマキの顔をちらっと見た。

「お疲れ様です。シャワーを浴びられたんですか？」

西塔が尋ねたので、タマキは首を振り、思い切って打ち明けた。

「さっきヤマグチさんから電話があったんだけど、阿部さん、夕方亡くなったって」

「あの、インタビュー中に電話があった時ですか」中城がはっとしたように言った。

「俺、あの時、何か嫌な予感がしたんですよ。タマキさんの顔色がちょっと変わったか
ら。その後もトイレに行って、なかなか戻って来なかったじゃないですか。何かあった
のかなと思ってたんですよ」

やはり色に表れたのか、とタマキは二人を見遣った。タマキは、千代子から預かった
鷹田の手紙をバッグに入れて、何事もなかったかのように居間に戻ったのだが。

「あたし、変だった？」

「変ていうか、ちょっと上の空みたいでしたよ。聞こうかと思ったけど、タマキさん、

口を噤《つぐ》んじゃうし」と、中城が一気に喋る。

「タマキさん、大丈夫ですか？　顔色よくないですよ」

西塔が心配そうに聞いた。

「大丈夫。覚悟していたせいだと思うけど割と平気。今夜は呑みましょうよ」

強がりに聞こえるだろうと思いながら、タマキが言うと、「そうですね」と、西塔が決意したような顔で頷いた。中城は顔を歪めて何も言わず、タマキから目を逸らした。

三人で表に出ると、湿気を含んだ冷たい夜気が頰を冷やす。西塔がホテルのコンシェルジュに聞いて決めた、という郷土料理の店は、ホテルから歩いて数分のところにあるという。広い舗道の上を、タマキが真ん中になって歩いた。しばらくは誰も何も喋らなかったが、西塔が咳払いの後、低い声で聞いた。

「阿部さん、意識は戻らなかったんですか」

「戻りようがなかったんじゃない。あたしも知らないの」

ヤマグチに電話して詳しく聞いてみようかと思ったが、留守番電話の取り乱した様子を思い出せば、とても会話できそうにないだろうと諦める。また、タマキは、自分が青司の何を知りたいのかもわからなかった。

「タマキさん、冷静ですね」

中城が感に堪えたように言った。

「冷静に見えるだけでしょう。泣くことも騒ぐこともできないのよね。ねえ、あの人の死は、私のせいだと言われるんでしょうね」

「そんなことないですよ。何言ってるんですか」と、西塔が憤然と答えた。

「言われても構わない。でも、旅が終わった気がするね」

「そうですね。千代子さんにお会いできましたしね」

西塔が頷いた。しかし、千代子に会うことができて、とうとう○子が弓実とわかった日に青司が逝く。何という符合だろう。思えば、この仕事の初《しょ》っ端《ぱな》から、青司とのことがタマキの頭を離れなかったのだ。

「いや、終わってないですよ。タマキさんは、これから『淫』を完成させるんじゃないですか」

中城の言葉に、タマキは薄く笑った。仕事はまだ残っているが、青司と自分の旅は終わった。青司との恋愛の抹殺は、抹殺をする前に相手の死によって幕を閉じた。タマキは未消化な気持ちだった。もしや、緑川未来男は、三浦弓実からこのような手紙を貰って、相手がもうじき死ぬことを知り、同じく未消化な気持ちになったのではあるまいか。タマキは、部屋のセーフティ・ボックスに入れてきた三浦弓実の手紙の言葉を思い出そうと目を閉じた。すると、西塔と中城は、タマキが落ち込んでいるのかと気遣い、しんと息を潜めるのだった。

料理屋の個室に通された途端、西塔の携帯が鳴った。はい、はい、とこちらを意識して答える西塔が、メモを取り出して席を外した。おそらく、青司の葬儀の件で連絡が入ったのだろうとタマキは見当を付ける。自分は葬儀に行けないが、香典は出さないとまずいだろう。幾ら包めばいいか、と現世的なことが頭を過《よぎ》る。

弓実の手紙の中に、互いの死を想像して泣いた、と書いてあったことを思い出した。葬儀にも行けない愛人と、自分の葬儀には絶対に来てくれ、と駄々をこねる男。が、愛し合っている二人は、香典のことまでは頭が回らなかったと見える。タマキは可笑しくなって、つい笑いを浮かべる。

「どうしたんですか」

不安そうな顔で中城が聞いた。

「何でもない。思い出し笑いよ」

自分が先に死んで、青司が残ったら、青司は香典を幾ら包むのだろう。タマキは急に、青司が倒れた時に偶然見た、夢の中の青司の顔を思い出した。むくんで顎のたるんだ青司の顔。死は虚ろ。タマキは目が眩むのを感じた。

朝方、タマキは見知らぬ部屋にいる自分を発見して、恐怖で飛び起きた。カーテンの隙間から朝の光が入ってきているのに、煌々《こうこう》と照明が灯され、服を着たままでベッドに仰臥している自分がいる。昨夜は杯を重ね、明け方、ホテルに戻って来たのだった。やっと記憶を取り戻したタマキは、大きく嘆息した。青司が亡くなったことを思い出したのだ。そのために、記憶をなくすほど酒を飲んだことも。

タマキは慌ててベッドに潜り込んだ。まだ片方の紐を持つ自分が、死の虚ろに取り込まれたくはない。持ちこたえよう、と必死に目を瞑《つむ》った。起きたのは、午前十時だった。十二時のチェックアウトタイムに、西塔らと落ち合うことになっている。タマキは急いでシャワーを浴び、千代子の家に行く準備を始めた。

千代子のマンションの前でタクシーを停め、運転手に、すぐ戻ってくるから十分ほど待つように頼んだ。急いでホテルに戻らないと、集合時間に間に合わない。インターホンで来訪を告げると、応対してくれたのは意外にも千代子本人だった。

「お早うございます。待ってるから、上がって来てちょうだい」

千代子は、年齢にそぐわない弾んだ声で答えた。

「昨日はありがとうございました」

タマキは、玄関先で手紙の入った紙袋を手渡した。千代子は中身を検分もせずに、頷いて受け取った。今日は、黒いタートルネックのセーターに、灰色の長いスカートを穿《は》いていた。スカートの裾から、赤いフェルトの室内履きが覗いているのが可愛らしかった。友納は出掛けているのか、姿が見えない。

「手紙、面白かった？」

千代子が意地悪な笑いを浮かべて尋ねたので、タマキは微笑んだ。

「面白かったです。ただ、こんなことを言うと失礼かもしれませんが」

タマキが言い淀んでいると、千代子が促した。

「何。タマキさん、あなたも作家なんだから言いなさいよ」

千代子の目に、タマキを試す色がある。八十六歳の小柄な老女にしか見えない千代子が、一瞬大きく見えた。

「では、言います。千代子さんは、緑川さんに渡す前に、この手紙を検閲されたんじゃないですか」

千代子が手で口を覆った。笑い声がくぐもった。

「よく気付いたわね。しょうがない、見せてあげるわ。あたしが抜いたのよ」

タマキが啞然として立っていると、書斎に引っ込んだ千代子が、ひらひらと薄い紙を振りながら現れた。二枚の薄い便箋。タマキは、千代子に差し出された弓実の手紙の残りを、玄関先で立ったまま読んだ。

死を思うと、少し取り乱しました。ごめんなさい。

あなたは陽平ちゃんを喪って、受洗された。千代子さんは作家となって、何とか乗り越えられたそうだけれども、重い鬱病に罹《かか》られたと聞いています。私は文壇の隅で何とか生きていますが、そうそうたいした作家だというわけではありません。まして、あなたが『無垢人』を書いたことによって、後ろ指を指され、蔑ろにされるようになったのではないかと思うのです。いいえ、このことは決して被害妄想ではないと思いますよ。つまり、みんながみんな、手酷い痛みと苦しみを味わったのです。私はさっき、恋愛の痕跡はどこにある、と書きましたが、きっとあなたの書いた『無垢人』が、恋愛の痕跡そのものなのでしょうね。そこに書いてある○子と千代子の差異などどうでもよくて、私たちの滑稽な奔走そのものが恋愛の姿なのです。そして、そこから更に大きな苦しみが産まれるのでしょう。

さっき、『無垢人』って誰なのか、と書きましたが、今気付いたことがあります。多分、書いたご本人である、あなたもおわかりになってなくてよ。『無垢人』は、死んでゆく者なのですよ。あなたの場合は陽平ちゃんであり、この私なのです。

本当のお別れがやってきました。

未来男さん、長い間、気にかけて頂いてありがとうございました。どうぞお元気で、お幸せにお暮らしください。

三浦弓実

「千代子さん、なぜ、この部分を抜いたんですか」

思いがけず、タマキの頬に涙が流れた。青司が死んで初めて流す涙だった。千代子は驚いた様子もなく、無言でタマキの涙を眺めている。千代子が答えないのはわかっていた。千代子は、緑川未来男と弓実を一度も許したことはないのだから。そして、弓実も誰も許してはいなかった。

弓実の言うように、死者が「無垢人」なのだとしたら、青司もまた「無垢人」になったのだろうか。タマキを許さない「無垢人」に。やはり、『無垢人』は怖ろしい小説だった。千代子が微笑みすら浮かべ、細い手で招いた。

「タマキさん、ちょっとお上がりなさいよ。最後に緑川の書斎を見せてあげましょう」

タマキは誘われるままに家に上がった。家の中はよく片付いていたが、微かに生ゴミの臭いがする。嘘のように静まり返っていて、昨日、友納や三千子が同席したのさえ夢のように感じられてならない。

千代子は、廊下の奥にある扉を開けて待っていた。千代子の居室と隣り合わせだが、部屋は広く、カーテンが閉められて真っ暗だった。千代子が照明を点けた時、タマキは驚いて思わず声を上げそうになった。壁一面が書棚になっていて、蔵書や雑誌が乱雑極まりない姿で突っ込まれていた。さらに、書棚に入りきらず、床に散らばる本や雑誌、新聞。床の上に無造作に積み上げられた大学ノートの山は、人の背丈ほどもあって、今にも崩れそうだった。緑川が亡くなったのは十七年前なのに、部屋には、まだ緑川が生きて、そこで原稿を書きなぐっているかのような放埒さと混乱が残っていた。

「これは、緑川の日記ですの」

千代子が、ノートの山を指差した。『無垢人』の元となった緑川の日記がここにあるのだ。タマキは息を呑んで山を眺めた。すると、千代子が一番上にある一冊を取って、中を開いた。ブルーブラックのインクで、ぎっしりと文字が書き付けてある。

「あの人は日記魔でした。毎日の記録を残さなければ、自分の生きていた証がないと考える人だったのです。他に新聞や雑誌のスクラップもしていましたし、何でも記録して取っておくような人でした。あたしは今、その日記を読んでは、自分の気に入るように書き換えています。それがあたしの書いている小説なのですよ」

恋愛小説を執筆していると言ったのは、このことだったのか。タマキは、思わず後退《あとずさ》った。残された言葉が人を狂わせるのか。緑川は「〇子」を抹殺し、今、千代子が緑川の世界そのものを抹殺している。タマキは、それぞれに死者たちが蹲《うずくま》っているのではないかと、部屋の薄暗い四隅に目を遣った。そして、「文芸にはもう興味がない」とタマキに言い放った青司は、言葉の世界から一人遁走したのだと気付くのだった。

「あなた、これからも元気で書いてちょうだいね」

千代子に肩を叩かれ、タマキは我に返った。今更ながらに、たった一人で言葉の世界に取り残された不安があった。緑川の日記と格闘する千代子と自分は、永遠に真っ暗な洞穴に閉じ込められたのかもしれない、と。千代子が同志のように笑っている。

解説――タマキの春

伊集院静

東北にむかって電車の窓から流れる風景を眺めていると、那須の手前あたりからあきらかに土地がかわっていく印象を抱く。

別に境界があるわけではないのに、違う土地に入って行くのだ、とそのたびごとに思う。もうすぐ北に移り住んで二十年近くなるのだから、いまだにそういう感慨を抱く自分がよくわからない。

今年（平成二十四年）は冬が例年より寒く、春が忍びよる気配がうすく、二月から四月までの三ヶ月、月に二度だけ上京し、東京と仙台を往復している時も、冬のままだな、と何度となくつぶやいた。

一月の初めの午後に桐野夏生と逢《あ》って、普段なら、夜の銀座で少し彼女と話をするのだが、こちらの仕事の按配がまずく、何か訊いておこうということがあったが、それが何であったかをすぐに思い出せず、話せずじまいに別れた。

翌週、仙台の仕事場に、彼女の著書『ＩＮ』と、島尾敏雄の『死の棘《とげ》』が送られてきた。『ＩＮ』と題された彼女の作品は表紙に奇妙な絵画があった。マドリードの郊外で見たローマ時代の水道橋の中の水の隧道《ずいどう》の内部にも似ていたが、ずっと見ているうちにマドリードの旧市街地の真ん中にある、娼窟街《しょうくつがい》のせまい裏路地にも似ているようにも思えた。その路地は二十メートル程の短さだが、四百年前から変わらずにそこにあり、路地の中央に物を流す溝があり（物と書いたが大半が汚物である）、各娼窟から路地にむかってそれらを流す溝があった。昼間の取材でようやく見つけた路地で、そこに立つのは日中でも危険だと言われたが、それでもどうしても夜中に見たくて、夜半ホテルを抜け出し、そこに辿《たど》り着き、ほとんど闇に近い中で路地に立ち、四百年間、その溝を流れ続けたものが何なのかと見てみたのだ。

二月中旬に新聞小説が脱稿し、『ＩＮ』を月一杯で読み、『死の棘』を三月中旬までに読んだ。後者は気が滅入った。

手がかりが見えてきたら書き出そうと二冊を暖炉の脇の小机の上に置いた。外はまだ吹雪で春の気配さえなかった。

その後、二度上京し、電車に乗っていると、頭の隅っこでちいさな果実が落下するごとく、『ＩＮ』の作中の一節が聞こえた。

「そろそろ帰ろうか」タマキが思い切って切りだすと、青司は溜息をひとつ吐《つ》いた。

そして、当て所《あど》ない表情を浮かべてこう呟いたのだ。「俺、会社に居たない」

――俺、会社に居たない。

私はこの一節を読んだ時、本作品がまぎれもなく上質の小説だと確信した。この一節がすべてであった。

なんと、かたちのよい哀しみを読ませてくれたものだ。小説とはこういうことなのだと思った。あとは物語がどう進行しようが、『死の棘』と関りを持つらしき旧作の中の生存者が何であろうが、この一節で小説は成立し、人もしくは人間らしきものが、そこには居たということを桐野夏生の眼と手が、たしかに摑《つか》んだのだと、私は思ったのだ。

東北から電車で那須の森を過ぎると、風景は一変し、北関東、すなわち関東に入るのだが、昔、作家の色川武大と旅を同行し、同じふうに東京にむかう電車に同乗した時、「関東ローム層の上に虫みたいに皆が集まってきたのかな……」と洩らした言葉を覚えていた。『IN』という小説のもっとも大切な人物である青司は西からやってきたのだが、やはり関東ローム層の上にへばりつき、うろうろと動きまわっていたのだろうか。それは私も同じことで、桐野夏生も同じなのかもしれない。

――あれはどんな建物なんだろうか。

作中、タマキが青司と共有時間を獲得するために借りたラブホテルの真ん前にあるマンションのことである。どんなマンションで、どんな色、どんなかたちのエントランス、どのくらいの大きさのエレベーターにタマキと青司は乗っていたのか。笑っていたのか。浮かれ気分もあったろう。それとも怒ったり、憎しみ合っていたのか。

――何とも味わいのある場所に思えてならない。潜むには恰好の場所にも思える。この界隈に似た土地に、作品『グロテスク』のあの女が立っていたのだろう。作家という種は、まだとっかかりもない明日の作品をいくつか身体の内に入れたままコンビニエンスストアーの羅列した商品を平然と眺めている生きものだから、あのOLとタマキと青司がどこかで遭遇していても何の不思議はなかろう。

吉行淳之介が、玉ノ井に足を踏み入れたように、人がその土地に入るのは不安と安堵のバランスをとるためで、そこでしか両者を見ることができないからだろう。物語に似つかわしい場所などはなくて、場所が、土地が物語を作らせているのかもしれない。さらに言えば土地が何かを湧水のごとく溢《あふ》れさせ、大半の人はそれに気付かず、物語を書く業をかかえた者だけが自分の濡れた足元を凝視しているのではないか。そうでなかったら中上健次と熊野と枯木灘と路地が繋がることはなかったろうし、いまやシンボライズされた中上の不安と安堵を具現化したものを文学作品として私たちが手にすることさえあり得なかったはずだ。

桐野夏生もまたひとつのシンボルであり、得体のわからぬ不安と安堵をかかえ、ふたしかな感情のまま執筆を続けていくしかないのだ。

それにしても『グロテスク』『メタボラ』『女神記』『ポリティコン』……の土地への執着とセンスの良さはなんと上質なことか。彼女の土地に対する宿業がそうさせているのだろう。

年に数度しか逢わず、それでいて、ああ桐野はまだ生きて書いているのだ、と安寧を私は、時折、抱く。この感情は何なのだろうか。死なれては困るという感情などではさらさらなく、このさき桐野がおそらく書くであろう、彼女の足元を濡らす液体が、彼女の首元まで溢れ、やがてその波動の中を泳ぎ切った彼女が、夏の午後プールから浮き上がって、プールの淵に片手を置いて周囲を見回す、あの思わず息を飲むみずみずしい、彼女だけが持ち合わせる美しい瞬間を、私に見せてくれるに違いないと思う願望のあらわれなのかもしれない。

浅い春の中で車窓を流れる風景を眺めながら、何度となく桐野と桐野の作品に思いをめぐらせた。

このまま東京駅で乗り継ぎ、大阪に行ってみようかとも思った。

——あれはどんな川なのだろうか。

『IN』の作中、タマキと青司が流れのままに大阪へ行き、青司の生家の近くを訪れるシーンがある。工場街があり、川に夕刻、黒い船が浮かんでいたというから浚渫船《しゅんせつせん》であろう。住宅街のむこうに淀川の堤防が見えたのなら神崎川あたりか。いずれにしても淀川水系の一河川だろう。

何気ない描写であるが、たしかなリアリティが感じられるのは、この作品が何かしら現実と交錯しているからだ。これは桐野の小説の作法のひとつであり、私に言わせれば彼女の作品のリアリズムのすべてでもある。

仙台の仕事場で暖炉の燃え立つ薪の火を見ながら、『ＩＮ』の気になる各節を読み返した。

――俺、会社に居たない。

やはりここが秀逸である。

開高健は「小説というもんは、これやという一行が見つかったら、それでもう充分やね、他はもうどうでもええんや、その一行や」と関西人特有のこけおどし気味に小説作法の話をしていた。

――真実は真実でないからです。

炎に包まれた薪が音を立てる。薪というのは同じように見えるものでも皆それぞれが違った燃えかたをし、違ったかたちで灰になる。妙なもので今しがた見た炎は二度と見ることができないのに、その残影が消えずに見る者にはあり、現実に見える炎と残影が重なり合って、薪が今燃えている。それが私たちの生に似ていなくもない。

作家は小説という表現方法をもとに何かを書いたり、探したりしているのだが、当人には何を書き、何を探しているのか、本当のところはわかっていない。ひどく曖昧であるし、驚くほどふたしかなのである。

島尾敏雄の『死の棘』を読めば、それがよくわかる。私にはこの作品はただ気が滅入ったが、これを文学のかなり高い基準の作品と位置付ける人もいるだろう。『ＩＮ』とこの作品の関りはわからぬでもないが、私の狭量な力で無理に関係性を持たせるとおかしなことになりそうなので、それは書かないことにした。

敢えて何かを探すと二作品には、生にこだわることが人間の本性で、生のかたちなどはどうでもいいということだ。人は望んだものが手に入ると、呆気《あっけ》なさに戸惑うことがある。しかも欲望というものは際限がない。欲望の果てには、ただの人間が残る。いや人間としてそこに立っているかも怪しいけれど。

生の行き着く果てには何があるのか。何があろうとかまいはしないのだが、できることなら作中の主人公、タマキに春のようなぬくもりを抱擁させてやりたい。小説と人間の生の違いは完結がない点だけだから。

この作品は、二〇〇九年五月、集英社より刊行されました。

桐野夏生の本

リアルワールド

母親を殺してしまった少年と、彼の逃亡を手助けすることになる4人の女子高生。遊び半分のゲーム感覚で始まった事件が、リアルな悲劇に集約してゆく。心の闇をあぶり出す問題作。

桐野夏生の本

I'm sorry, mama.

児童保育施設の保育士だった女性が、25歳年下の夫と焼死した。その裏に、ある女の影が浮かぶ。盗み、殺人、逃亡を繰り返して生きてきた女の行き着く先は……。悪の本質を問う長編。

集英社文庫

集英社文庫　目録（日本文学）

北川歩実　もう一人の私
北川歩実　硝子のドレス
北村　薫　ミステリは万華鏡
北森　鴻　メイン・ディッシュ
北森　鴻　孔雀狂想曲
木村元彦　誇り　ドラガン・ストイコビッチの軌跡
木村元彦　悪者見参
木村元彦　オシムの言葉
京極夏彦　どすこい。
京極夏彦　南極。
桐野夏生　リアルワールド
桐野夏生　I'm sorry, mama.
桐野夏生　I N
草　薙　渉　草小路弥生子の西遊記
草　薙　渉　第8の予言
工藤直子　象のブランコ　――とうちゃんと

邦光史郎　坂本龍馬
邦光史郎　利休と秀吉
熊谷達也　ウエンカムイの爪
熊谷達也　漂泊の牙
熊谷達也　まほろばの疾風《かぜ》
熊谷達也　山背郷
熊谷達也　相剋の森
熊谷達也　荒《あら》蝦《えみ》夷《し》
熊谷達也　モビィ・ドール
熊谷達也　氷結の森
倉阪鬼一郎　ブラッド
倉阪鬼一郎　ワンダーランドin大青山
栗田有起　ハミザベス
栗田有起　お縫い子テルミー
栗田有起　オテルモル
栗田有起　マルコの夢

黒岩重吾　女の氷河(上)(下)
黒岩重吾　落日はぬばたまに燃ゆ
黒岩重吾　黒岩重吾のどかんたれ人生塾
黒岩重吾　闇の左大臣　石上朝臣麻呂
黒木　瞳　母の言い訳
見城　徹　編集者という病い
小池真理子　恋人と逢わない夜に
小池真理子　いとしき男《アダム》たちよ
小池真理子　あなたから逃れられない
小池真理子　悪女と呼ばれた女たち
小池真理子　蠍《さそり》のいる森
小池真理子　双面の天使
小池真理子　死者はまどろむ
小池真理子　無伴奏
小池真理子　妻の女友達
小池真理子　ナルキッソスの鏡

集英社文庫　目録（日本文学）

小池真理子　倒錯の庭
小池真理子　危険な食卓
小池真理子　怪しい隣人
小池真理子・藤田宜永　夫婦公論
小池真理子　律子慕情
小池真理子　会いたかった人　短篇セレクション サイコ・サスペンス篇Ⅰ
小池真理子　ひぐらし荘の女主人　短篇セレクション 官能篇
小池真理子　命日　短篇セレクション 幻想篇
小池真理子　泣かない女　短篇セレクション ミステリー篇
小池真理子　夢のかたみ　短篇セレクション ノスタルジー篇
小池真理子　贅肉　短篇セレクション サイコ・サスペンス篇Ⅱ
小池真理子　肉体のファンタジア
小池真理子　柩《ひつぎ》の中の猫
小池真理子　夜の寝覚め
小池真理子　瑠璃の海
小池真理子　虹の彼方
小池真理子　午後の音楽
小泉喜美子　弁護側の証人
小泉武夫　うわばみの記
河野啓　よみがえる高校
河野美代子　新版 さらば、悲しみの性　高校生の性を考える
河野美代子・永田由紀子　初めてのSEX　あなたの愛を伝えるために
五條瑛　プラチナ・ビーズ
五條瑛　スリー・アゲーツ
御所見直好　誰も知らない鎌倉路
小杉健治　絆
小杉健治　二重裁判
小杉健治　汚名
小杉健治　裁かれる判事
小杉健治　夏井冬子の先端犯罪
小杉健治　最終鑑定
小杉健治　検察者
小杉健治　殺意の川
小杉健治　宿敵
小杉健治　特許裁判
小杉健治　不遜な被疑者たち
小杉健治　それぞれの断崖
小杉健治　江戸の哀花
小杉健治　水無川
小杉健治　黙秘　裁判員裁判
小杉健治　疑惑　裁判員裁判
小杉健治　覚悟
古処誠二　ルール
古処誠二　七月七日
児玉清　負けるのは美しく
小林紀晴　写真学生
小林光恵　気分よく病院へ行こう
小林光恵　12人の不安な患者たち

集英社文庫　目録（日本文学）

小林光恵　ときどき、陰性感情　看護学生 理実の青春
小檜山博　地の音
小松左京　一生に一度の月
小松左京　明烏《あけがらす》落語小説傑作集
小森陽一　DOG×POLICE　警視庁警備部警備第二課装備第四係
小山明子　パパはマイナス50点
小山勝清　それからの武蔵　(一)(二)(三)(四)(五)(六)
今東光　毒舌・仏教入門
今東光　毒舌　身の上相談
今野敏　惣《そう》角《かく》流《る》浪《ろう》
今野敏　山嵐
今野敏　琉球空手、ばか一代
今野敏　スクープ
今野敏　義珍の拳
今野敏　闘神伝説I～IV
今野敏　龍の哭《な》く街

今野敏　武士猿《ブサーザールー》
斎藤栄　殺意の時刻表
斎藤茂太　イチローを育てた鈴木家の謎
斎藤茂太　骨は自分で拾えない
斎藤茂太　人の心を動かす「ことば」の極意
斎藤茂太　「ゆっくり力」ですべてがうまくいく
斎藤茂太　「捨てる力」がストレスに勝つ
斎藤茂太　「心の掃除」の上手い人　下手な人
斎藤茂太　人生がラクになる　心の「立ち直り」術
斎藤茂太　人間関係でヘコみそうな時の処方箋
斎藤茂太　人の心をギュッとつかむ　話し方81のルール
斎藤茂太　すべてを投げ出したくなったら読む本
佐伯一麦　遠き山に日は落ちて
三枝洋　熱帯遊戯
早乙女貢　会津士魂一　会津藩 京へ
早乙女貢　会津士魂二　京都騒乱

早乙女貢　会津士魂三　鳥羽伏見の戦い
早乙女貢　会津士魂四　慶喜脱出
早乙女貢　会津士魂五　江戸開城
早乙女貢　会津士魂六　炎の彰義隊
早乙女貢　会津士魂七　会津を救え
早乙女貢　会津士魂八　風雲北へ
早乙女貢　会津士魂九　二本松少年隊
早乙女貢　会津士魂十　越後の戦火
早乙女貢　会津士魂十一　北越戦争
早乙女貢　会津士魂十二　白虎隊の悲歌
早乙女貢　会津士魂十三　鶴ヶ城落つ
早乙女貢　続会津士魂一　艦隊蝦夷へ
早乙女貢　続会津士魂二　幻の共和国
早乙女貢　続会津士魂三　斗南への道
早乙女貢　続会津士魂四　不毛の大地
早乙女貢　続会津士魂五　開牧に賭ける

集英社文庫　目録（日本文学）

早乙女貢　続会津士魂六 反逆への序曲
早乙女貢　続会津士魂七 会津抜刀隊
早乙女貢　続会津士魂八 甦る山河
早乙女貢　わが師山本周五郎
早乙女貢　竜馬を斬った男
酒井順子　トイレは小説より奇なり
酒井順子　モノ欲しい女
酒井順子　世渡り作法術
酒井順子　自意識過剰！
酒井順子　おばさん未満
坂口安吾　堕落論
坂村健　痛快！コンピュータ学
さくらももこ　ももこのいきもの図鑑
さくらももこ　もものかんづめ
さくらももこ　さるのこしかけ
さくらももこ　たいのおかしら

さくらももこ　まるむし帳
さくらももこ　あのころ
さくらももこ　のほほん絵日記
さくらももこ　まる子だった
さくらももこ　ももこの話
さくらももこ・土屋賢二　ツチケンモモコラーゲン
さくらももこ　ももこの宝石物語
さくらももこ　さくら日和
さくらももこ　ももこのよりぬき絵日記①～④
櫻井よしこ　世の中意外に科学的
桜沢エリカ　女を磨く大人の恋愛ゼミナール
佐々木譲　冒険者カストロ
佐々木譲　帰らざる荒野
佐々木譲　仮借なき明日
佐々木譲　夜を急ぐ者よ
佐々木良江　ユーラシアの秋

定金伸治　ジハード1 猛き十字のアッカ
定金伸治　ジハード2 こぼれゆく者のヤーファ
定金伸治　ジハード3 氷雪燃え立つアスカロン
定金伸治　ジハード4 神なき瞳に宿る焔
定金伸治　ジハード5 集結の聖都
定金伸治　ジハード6 主よ一握りの憐れみを
佐藤愛子　憤怒のぬかるみ
佐藤愛子　死ぬための生き方
佐藤愛子　娘と私と娘のムスメ
佐藤愛子　戦いやまず日は西に
佐藤愛子　結構なファミリー
佐藤愛子　風の行方(上)(下)
佐藤愛子　こたつの人 自讃ユーモア短篇集一
佐藤愛子　大黒柱の孤独 自讃ユーモア短篇集二
佐藤愛子　不運は面白い 幸福は退屈だ 人間についての断章326
佐藤愛子　老残のたしなみ 日々是上機嫌

集英社文庫

I《イ》 N《ン》

2012年5月25日　第1刷　　定価はカバーに表示してあります。

著　者　桐野夏生《きりのなつお》

発行者　加藤　潤

発行所　株式会社　集英社

東京都千代田区一ツ橋2-5-10　〒101-8050

電話　03-3230-6095（編集）

03-3230-6393（販売）

03-3230-6080（読者係）

印　刷　凸版印刷株式会社

製　本　凸版印刷株式会社

フォーマットデザイン　アリヤマデザインストア　　マークデザイン　居山浩二

ISBN978-4-08-746833-5 C0193